DE L'ORPHELINAT AU SUCCÈS

PAOLO NOËL

DE L'ORPHELINAT AU SUCCÈS

ÉDITIONS DE MORTAGNE

Catalogage avant publication de Bibliothèque et Archives nationales du Québec et Bibliothèque et Archives Canada

Noël, Paolo, 1929-

Paolo Noël

Autobiographie.
Publ. antérieurement sous les titres : Entre l'amour et la haine. 1980 ; et, Entre l'amour et l'amour. c1982.
Sommaire : t. 1. De l'orphelinat au succès – t. 2. Tourne le vent, tourne la vie.

ISBN 978-2-89662-202-3 (v. 1)
ISBN 978-2-89662-201-6 (v. 2)

1. Noël, Paolo, 1929-   . 2. Chanteurs – Québec (Province) – Biographies.
I. Titre.   II. Titre : De l'orphelinat au succès.   III. Titre : Tourne le vent, tourne la vie.   IV. Titre : Entre l'amour et la haine.   V. Titre : Entre l'amour et l'amour.

ML420.N63A3 2012   782.42164092   C2012-941496-4

Édition
Les Éditions de Mortagne
Case postale 116
Boucherville (Québec)
J4B 5E3

Tél. : 450 641-2387
Téléc. : 450 655-6092
Courriel : info@editionsdemortagne.com

Conception et mise en page
Interscript

Dépôt légal
Bibliothèque et Archives Canada
Bibliothèque et Archives nationales du Québec
Bibliothèque Nationale de France
4e trimestre 2012

ISBN 978-2-89662-202-3

1 2 3 4 5 – 12 – 16 15 14 13 12

Imprimé au Canada

Nous reconnaissons l'aide financière du gouvernement du Canada par l'entremise du Fonds du livre du Canada (FLC) et celle du gouvernement du Québec par l'entremise de la Société de développement des entreprises culturelles (SODEC) pour nos activités d'édition. Gouvernement du Québec – Programme de crédit d'impôt pour l'édition de livres – Gestion SODEC.

Membre de l'Association nationale des éditeurs de livres (ANEL)

Note de l'éditeur

Le livre que vous avez en main a été écrit intégralement par Paolo Noël. Notre contribution a consisté à corriger quelques fautes de syntaxe et d'orthographe. Nous avons voulu respecter non seulement la pensée de l'auteur, mais aussi son langage qui, s'il n'est pas toujours littéraire, a le mérite d'être coloré, vrai, sincère et, surtout, profondément humain.

à ma mère...

Table des matières

Préface

1948, au Théâtre canadien, début d'une grande carrière. Alors que le spectacle battait son plein devant une salle comble, un tout jeune homme de 16 ou 17 ans se tenait en coulisse, une guitare dans ses bras et écoutait, songeur, ces artistes qui déchaînaient les rires. Les applaudissements qui crépitaient dans la salle lui allaient droit au cœur en pensant que peut-être, un jour, il aurait une place parmi eux. Mais comment y arriver, pauvre, mal habillé, sans appuis ; seule sa confiance en lui-même lui donnait un espoir après le spectacle où le public avait ri à gorge déployée avec l'inimitable et regretté Olivier Guimond, Paul Desmarteaux, Manda, Jean Lapointe et toute la troupe. Il se trouvait devant une salle vide et, pour la première fois de sa vie, il fit quelques pas sur la scène. Je pouvais lire sa grande émotion dans ses yeux. Tous ses espoirs allaient se jouer dans les cinq minutes qui allaient suivre.

Alors je m'approchai de lui, pour lui demander ce qu'il voulait. Avec une voix tremblante, il me dit : « Donnez-moi une chance, vous qui avez tant fait pour les autres. Donnez-moi, je vous en prie, une audition. » Je fus très touché par ces paroles, me disant que plusieurs comme lui étaient venus essayer de prendre ce sentier où il y a plus d'épines que de roses. Devant cette volonté de se prouver quelque chose à lui-même, je lui dis : « Je vais dans le fond de la salle pour t'écouter. » Il me répond : « Merci, merci ! », comme s'il venait de gagner un million. Prenant sa guitare dans ses mains, il entonne d'une voix douce et mélodieuse une chanson du grand Tino Rossi. Je reviens vers lui en lui disant : « C'est une parfaite imitation ! » Il fronça les sourcils en me disant : « Ce n'est pas une imitation, c'est ma voix naturelle. » Surpris de cet aveu, j'ai compris selon mon expérience qu'il avait les atouts nécessaires pour réussir. Ce fut sa première entrée dans le monde artistique, au maigre salaire de 20 $ par semaine. Mais qu'importe le salaire, il venait de réaliser le rêve de sa vie. Son succès ne faisait plus de doute, le public l'avait adopté dès le premier jour. Charmeur et beau garçon, il devint vite la coqueluche de ces demoiselles.

Au contact de ces grands comédiens, l'école de la « commedia dell'arte » s'ouvrait à ses yeux. En plus du succès qu'il remportait avec ses chansons, je voulais exploiter son talent de comédien en lui donnant, chaque semaine, des rôles de plus en plus importants. L'avenir vous dira que le cinéma, la radio et la télévision ont mis à l'épreuve son grand talent. C'est un artiste consciencieux dans son travail, sérieux et ponctuel. Malgré son instruction assez limitée, il n'en est pas moins un grand poète puisqu'il compose paroles et musique de presque toutes ses chansons.

Son adoration, c'est sa mère. Son plus grand amour, c'est sa femme et ses enfants. Sa grande amie, c'est la mer et, son rêve, c'est de vivre et mourir sur son bateau. Le chemin qu'il a parcouru n'a pas toujours été facile, mais l'amour de son métier reste présent et, malgré les années, il a su garder l'admiration de son public. Dans ce livre que vous allez lire, vous trouverez toute la franchise qui le caractérise. Je suis fier, comme un père de son enfant, de sa réussite et je n'ai jamais regretté de lui avoir un jour tendu la main.

Jean GRIMALDI

Dans ce livre, je n'écris pas ce que j'aurais voulu vivre, mais ce que j'ai vécu. Aujourd'hui dans la cinquantaine et avec un peu plus de sagesse, les choses m'apparaissent sous un angle différent. Beaucoup de gens, dont je parle ici et pour lesquels j'avais de l'affection, ont depuis disparu. J'aurais tant aimé qu'ils soient là pour qu'ils sachent que je n'ai rien oublié.

Comme je suis sûr que le ciel et l'enfer n'existent pas, je vous donne rendez-vous à chacun de vous, Noël Gauvin, Lionel Parent, Jean-Paul Dazé, Paul Desmarteaux et surtout toi, le tendre ami de mes débuts, Ti-Zoune[1] dont je n'aurai plus besoin de cacher le « 10 onces » de cognac dans ma trousse de maquillage pour déjouer les fouilles de Grimaldi…

Et à vous, mes compagnons de route, ce témoignage de reconnaissance…

Tout au long de ma vie, j'ai perdu beaucoup d'amours, mais jamais un ami.

Paolo NOËL

---

1. Olivier Guimond.

« Tendre » enfance

*La cabane de mon enfance où
se cachait une douceur de vivre,
que je n'ai jamais retrouvée.*

*Une femme chétive au regard triste,
la première que j'ai aimée, ma mère,
avant mon entrée dans les orphelinats.*

À la crèche St-François d'Assise.

*Si les oiseaux ont besoin d'amour,
pourquoi pas les enfants ?
C'était la dernière visite de ma mère,
qui était malade, et ce, pour bien
longtemps. À droite, Claude, soumis,
ma sœur Lucile ne comprenant pas,
et moi, qui n'accepte pas
et n'accepterai jamais...*

Dans les orphelinats, il y a des portes immenses qui se referment lourdement comme celles des prisons, renfermant des enfants qui se meurent d'amour et où dorment des poupées oubliées qui ne diront jamais « papa, maman ».

Lucile à quatre ans.

Moi, Lucile et mon frère Claude.

Les petits soldats en parade, devant les bienfaiteurs, afin qu'ils s'imaginent qu'il fait bon vivre dans un orphelinat.

À 16 ans, rêvant déjà de mes îles lointaines.

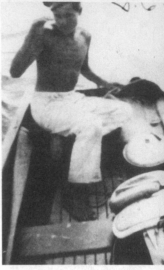

15 ans

Mon frère Claude à 14 ans.

17 ans

Derrière ce visage
aux traits d'enfant
de cœur, un garçon
agressif cherchant
le chemin de sa vie.

Un jour de Noël sur la rue Cuvillier : 1. Ti-Guy ; 2. Paul ; 3. Maman ; 4. Lucile (ma sœur) ; 5. Pierre (mon beau-frère) ; 6. Grand-maman Therien ; 7. Grand-papa Therien ; 8. Claude ; 9. Tante Rose ; 10. Paolo ; 11. Tante La Noire ; 12. Oncle Ti-Jean.

Bruno, le compagnon de travail
qui m'a appris à jouer de la guitare.

À la plage Bissonnette : de gauche à droite,
Pierre, Lucile, une amourette, moi, ma mère,
derrière, Guy, une amie et mon frère Claude.

Mon beau-frère Pierre,
à l'époque des Golden Glove pour lui, et
de ma première émission radio-amateur,
En chantant dans le vivoir à CKAC.

Il était un jour, une fille au regard de ciel courant vers les bras d'un garçon de 20 ans. Mais il est loin ce jour d'un premier amour. Il était un jour, deux enfants plus beaux que l'amour dormant au soleil dans les bras du printemps. Comme il semble loin ce jour d'un premier amour.

Thérèse et Paolo

Adieu le temps des roses
nous étions enfants
comme des amants
on s'était juré qu'on
s'aimerait toujours.
Mais il est loin ce temps.
Ce temps de nos 15 ans
ton nom comme une rose
revient quelquefois
tout au fond de moi.
Après tant d'années
et de bonheur perdu...
chanter le temps
des roses pour moi.

Les amoureux,
Thérèse et Paolo.

« Salut ! Je ne te connais pas, mais toi, tu connais de moi ce qu'on a écrit. Que ce soit vrai ou faux, souvent tu le crois, selon ce que tu penses de moi. Tu m'as peut-être placé trop haut ou, peut-être, me crois-tu bien petit.

Raconter sa vie aujourd'hui, c'est bien banal puisque tous ceux qui ont fait une vie publique, ou une partie de l'histoire, l'ont racontée. La mienne, je voudrais bien t'en parler, mais je me demande quand et où elle a commencé, ma vie…

Est-ce que la vie commence au premier « respir » ou au premier cri ? Mais des cris et des soupirs, c'est comme la vie… J'en ai connu des joies, des peines, de l'amour et de la haine. Donc la vie, c'est quoi ?

Est-ce le souvenir que j'ai de ma mère, de mes amours, des jouissances que j'en ai retirées, et des enfants qu'elles m'ont donnés ? Ou est-ce le jour où l'on m'a volé ce que je croyais être à moi ?

Alors si je parle de mes amours… le premier que j'ai eu, c'est celui d'une femme blonde et chétive, au regard joyeux, toujours inquiet. C'est ce regard obsédant qui me suivra toute ma vie, à travers mes joies et mes chansons.

Maudit, que c'est difficile de se raconter, parce que j'ai tellement peur que tu sois déçu, à moins que tu retrouves à travers tout ce que je vais te dire des fils d'araignée attachés à ton cœur.

L'orphelinat, la rue, les faubourgs, les filles de vie, la police, les voleurs, ça ressemble à tout le monde. Admettons que je suis tout le monde avec la différence que Charlie, mon ami que l'autre appelle le Bon Dieu, m'a donné la chance de le dire ou de l'écrire pour toi.

Mon fils a beaucoup de plaisir à jouer avec des monstres qu'on achète dans les magasins, qu'on est obligé de payer. Mon enfance m'aura donné un avantage sur lui, celui d'avoir eu des monstres gratuitement. Des monstres habillés en brun, en noir ou en gris. Avec le temps, il me semble que je les vois un peu moins monstrueux, parce que la vie m'a fait voir des monstres assez jolis que l'on a presque de la joie à en souffrir.

Mais lorsqu'on a quatre ans, les monstres les plus affreux sont ceux qui vous arrachent ce que vous avez connu de plus beau, de plus doux, de plus chaud : un ange sans défaut qui s'appelle « Maman ». Certaines personnes aujourd'hui vous traitent de « tapette » si vous parlez de « Maman », mais je m'en fous ! J'ai tout un livre pour te dire qui je suis vraiment.

Il y a dans le parc Frontenac, rue Sainte-Catherine, un appartement, si on peut l'appeler ainsi, situé au troisième étage, avec un escalier intérieur si long qu'il faut s'arrêter au milieu avant de continuer. Mon père vient de rentrer. Je l'admire. Il est comme un géant. La soupe est sur la table. Et la chicane commence entre mon père et ma mère parce que la soupe aurait été, selon lui, trop chaude.

Je suis à un bout de la table. Mon petit frère, Claude, est à côté de ma mère, et ma sœur Lucile, trop petite, dort dans son lit habituel : le tiroir de la commode. Ma mère se fâche et crie très fort. C'est là que tout a commencé. Mon père se met à la frapper d'abord avec ses poings, puis avec ses pieds. Je ne me rappelle plus exactement tout ce qui s'est passé parce que j'avais peur et que je voyais du sang partout.

J'ai vu mon père qui ramassait des morceaux de chair sur le plancher et qui les jetait dans la toilette. Je suis parti en courant et en pleurant. Je ne savais pas si j'étais vivant ou mort, tellement j'étais perdu. J'ai couru sur la rue Sainte-Catherine, chez ma tante La Noire, et je criais : « Papa a jeté des morceaux de maman dans la toilette. »

Ma tante est venue avec moi en courant. En passant devant la salle de *pool*, il y avait une voiture de police, alors ma tante les a avertis de ce qu'il se passait. On est entré dans la maison. Ma mère était couchée par terre. Il y avait du sang partout. Ma petite sœur, encore bébé, pleurait. Mon frère n'avait pas bougé de la table. Ma tante s'est mise à crier : « C'est un écœurant. J'vas le tuer, le tabarnak ! » Moi aussi, je criais, ma mère était couchée à terre, immobile dans son sang.

Je pensais que c'était la fin du monde. Et là, tout s'est passé si vite, les voisins, la police… Tout ce dont je me rappelle avec clarté, c'est quand les ambulanciers sont partis avec ma mère qui était enveloppée dans une couverture rouge et, en plus, attachée. Je me rappelle que je frappais le gars, l'ambulancier, à coups de pied sur les jambes pour qu'il laisse ma mère à la maison.

En réalité, ce qui s'est passé, c'est que mon père en frappant ma mère à coups de pied dans le ventre l'a faite avorter et il a jeté le fœtus dans la toilette. Après, il s'est passé beaucoup de choses : on a arrêté mon père, ma mère était à l'hôpital. Nous devenions donc des enfants de l'assistance publique et nous nous sommes ramassés tous les trois à la « Crèche de la Réparation » de Pointe-aux-Trembles. La société venait de m'enlever une partie de ma vie en faisant notre arrestation.

C'est ainsi que je fis connaissance avec les orphelinats mais pour bien débuter la série d'institutions que j'allais connaître, ce fut d'abord une crèche où jadis l'on plaçait des enfants nés de père inconnu et que les mères ne pouvaient garder à cause de problèmes sociaux et religieux. On leur donnait un nom qui, j'espère, n'existe plus : BÂTARDS.

Cette institution était située à l'extrême-est de l'île de Montréal et pour s'y rendre, on avait fait le chemin dans un petit tramway qui roulait très vite. Et je me demandais s'il allait dérailler parce qu'il balançait beaucoup sur les rails. Je me rappelle très bien qu'il y avait au centre du « tram » une petite fournaise au charbon qu'il fallait allumer l'hiver. Mais nous devions être au printemps ou à l'automne car je regardais défiler les champs qui étaient plus jaunes que verts. Ça m'a paru assez loin et je me demandais où nous allions. Je le sus assez vite quand les immenses portes se refermèrent derrière nous avec un bruit sourd qui résonna très fort dans le hall d'entrée.

Devant nous, il y avait une religieuse au regard sévère et avec un visage qui n'avait rien de la douceur de ma mère. Je me sentais perdu, je pensais que ma mère était morte. Il était tard, on me fit coucher dans un grand dortoir où les lits étaient en rangée et tout blancs. C'était sinistre pour moi. J'entendais ma petite sœur Lucile qui pleurait et je voulus aller voir ce qu'on lui faisait, mais une main ferme me rappela à l'ordre.

On me désigna un lit, je me couchai. Et c'est là que je me suis mis à pleurer, en regardant le plafond où il y avait des tuyaux enveloppés de toile blanche. Je pensais à maman et je n'ai pas dormi de la nuit. Le lendemain, ce fut le grand nettoyage, sans oublier l'huile à lampe dans les cheveux, pour les poux. J'avais beau leur dire que ma mère était propre, rien à faire. J'étais humilié. Je leur dis que mon père viendrait me chercher. Ils me répondirent qu'ici, il n'y avait ni père ni mère.

Par les belles journées, on se trouvait des balançoires, on nous laissait aller et jouer avec pas mal de liberté et j'avais l'occasion de retrouver mon frère Claude que j'aimais beaucoup. C'était pour le moment ma seule famille et souvent je regardais passer au loin le petit tramway qui m'avait emmené ici. Tous les jours, pendant la récréation, avec une certaine précision, il allait dans un sens et revenait dans l'autre.

Je savais qu'au bout du chemin, il y avait mon père et ma mère. Un après-midi, pendant que la religieuse était occupée, je pris la main de mon frère Claude et je lui dis : « On s'en va chez nous… » Je me mis à courir le plus vite possible en passant à travers un bosquet pour ne pas être vu. Je traînais Claude qui pleurait après s'être blessé à la figure avec les épines des arbres.

Rendu près de la voie ferrée, j'ai vu passer le tramway. Alors, j'ai marché vers une espèce d'abri où des gens attendaient, dont un homme que je trouvais étrange avec une barbe et vêtu d'une robe brune. C'était un père franciscain. Il me demanda où j'allais et je lui répondis : « Chez moi… »

Je pense bien qu'il savait qui nous étions et même s'il nous parlait avec beaucoup de douceur, il me faisait quand même peur avec son allure à laquelle je n'étais pas habitué. Quand le tramway arriva, il repartit sans nous. Le Franciscain nous ramena jusqu'à la grande porte de la crèche et nous remit aux religieuses.

J'eus droit à ma première fessée. On nous priva de dessert et de sorties au champ pendant quelque temps. C'est de la fenêtre que je regardais passer le tramway de la liberté et je continuais de mijoter des plans pour me sortir de cette maison trop grande pour moi où la tendresse à laquelle ma mère m'avait habitué n'avait pas sa place.

J'ai su plus tard que ma mère n'avait pas porté plainte contre mon père qui fut libéré. Par un triste dimanche, alors qu'il y avait une épidémie de rougeole, la crèche fut fermée aux visiteurs qui venaient regarder les enfants comme on va voir les chiens à la SPCA Les gens nous regardaient à travers les fenêtres fermées. Je ne comprenais rien à tout ça, à l'époque. Soudain, je vis mon père qui me faisait des signes de l'extérieur. On ne pouvait se parler parce que tout était fermé et on lui interdisait l'entrée. Mais ils ne le connaissaient pas. Ce n'était pas la première porte fermée qu'il allait ouvrir. Je le vis apparaître, jurant à tous les saints du ciel, accompagné par les religieuses qui tentaient de le retenir. J'ai couru dans ses bras, sa barbe pas rasée me piquait, mais comme c'était doux. Il partit, comme s'il était chez lui, à la recherche de mon frère et de ma sœur qu'il trouva au deuxième étage. C'est avec Lucile à califourchon sur son cou, Claude dans un bras et moi dans l'autre que nous traversâmes le grand corridor. Les talons ferrés des bottes de mon père résonnaient sur le terrazzo. Personne n'osait toucher à cet homme tellement décidé qui était venu chercher ses enfants, revolver à la ceinture. C'est un moment que je n'ai jamais oublié et qui, tout au long de ma vie, m'a fait pardonner bien des choses à mon père.

Mon père... ce géant

Je me rappelle qu'à cette époque nous vivions dans une maison avec beaucoup de monde qui allait et venait. Mon père était commerçant. Il vendait de l'alcool qui venait directement de Saint-Pierre-et-Miquelon, via des membres de ma famille, gaspésiens, pêcheurs, mais surtout contrebandiers. Ils allaient au large avec leurs bateaux, supposément pour aller prendre du poisson. Comme par hasard, il y avait toujours la goélette de Saint-Pierre qui y était et ils revenaient avec de gros cinq gallons de « whisky en esprit », comme on disait. Ils étaient revendus à Montréal dans des petites bouteilles de 10 onces.

On était riche, on mangeait bien, la clientèle de mon père, c'était en partie les conducteurs de la Montréal-Tramway dont le terminus Frontenac était à proximité de la maison qui, elle, était au coin d'Iberville et Demontigny (qui, depuis, est devenue Maisonneuve). Il y avait aussi les filles qui se trouvaient des clients qui, après avoir bien bu, avaient un plus grand appétit amoureux. Je regardais ce qui se passait et je n'y trouvais rien d'anormal. J'avais d'ailleurs, moi, un travail qui consistait à ramasser les bouteilles à moitié pleines pour les remplacer par des vides.

Aussi, quand ces Messieurs de la Montréal-Tramway étaient assez soûls, j'allais peser sur la petite machine à sous qu'ils avaient tous, accrochée à leur ceinture, je choisissais de préférence les 50 cents. Tout se faisait en douceur et tout le monde était heureux.

Mais un soir, il est arrivé une belle voiture de police et un beau panier à salade. Tout le monde au poste. Une chance que nous, les enfants, étions chez grand-père Therien. Ils ont gardé tout le monde un certain temps. Je me rappelle qu'en sortant de prison, mon père devait prouver sa bonne foi et trouver du travail. La maison, dont je parle depuis tantôt, était un petit logement situé au premier étage, juste à côté d'une ruelle, par où je pouvais me rendre en un clin d'œil chez mon grand-père, que j'appelais avec beaucoup de tendresse « pépère Therien ». Il y avait aussi un hangar où mon père stockait son alcool. Un soir, il se fit tirer une balle de revolver qui lui passa juste devant la figure. Faut dire qu'il n'avait pas que des amis. Il était craint par beaucoup de personnes, à cause de son tempérament violent et batailleur. Je l'ai vu plusieurs fois se battre avec beaucoup d'adversaires et sortir vainqueur, sans aucune égratignure.

Je sais bien ce que vous pensez en lisant ces lignes : je parle de mon père comme tous les petits garçons le font… Laissez-moi vous dire que mon oncle Marcel qui était son frère (et lui, il n'en était pas très fier) m'a raconté qu'un jour, pour une gageure de cinquante piastres, il avait vidé une taverne pleine de buveurs et de batailleurs, à coups de pied, de poing et de chaise. Sa spécialité, c'était des coups de tête qu'il donnait à son adversaire en plein front. Quand il travaillait comme débardeur au port de Montréal, le *foreman* qui contrôlait l'ouvrage avait eu à l'égard de mon père des propos qu'il n'avait pas aimés. Faut dire qu'il était pas mal susceptible. (Je sais de qui je tiens pour ma susceptibilité.) Le *foreman* était un lutteur. Mon père lui avait administré une vraie raclée en règle et ça lui donna le grade de collecteur dans la « payola » qui existait quant au contrôle des jobs sur les quais. Mon père était né dans une famille de plusieurs enfants dont la plupart étaient pompiers ou charretiers à l'emploi de la ville de Montréal. Faut dire qu'à l'époque tout était véhiculé par des chevaux. Je n'ai pas beaucoup de souvenirs d'eux. Quand on fait partie des pauvres, les fréquentations sont moins nombreuses. Le seul dont je me souvienne, c'est l'oncle

Marcel qui, lui, nous invitait souvent à manger chez lui. Même plus grand, je n'ai rien oublié.

Entre deux stages à l'orphelinat, nous vivions dans une cabane au bord de l'eau, à Longue-Pointe, une petite cabane faite de bois doublé de bardeaux de cèdre, rendus gris par la pluie. Il n'y avait pas de finition intérieure. C'était aux colombages, avec deux petites chambres à l'arrière, une cuisine étroite chauffée au poêle à bois et une fournaise au charbon. La maison était éclairée par la lumière du jour qui passait à travers les quatre fenêtres, deux sur l'avant, une de chaque côté de la porte, et une sur chaque côté avec des rideaux.

Le soir, c'était la lampe à huile qui était notre lumière. Les lits avaient pour matelas des paillasses sur lesquelles on dormait comme des anges. Je ne donne pas tous ces détails pour attirer la pitié. Au contraire, toute ma vie, par la suite, j'ai cherché à retrouver la chaleur de cette maison de mon enfance, que je n'ai jamais retrouvée dans le confort. L'argent ne peut pas tout acheter, heureusement pour les moins fortunés. De cette époque, j'ai plus de bons souvenirs que de mauvais.

Nous vivions sur l'assistance publique qu'on appelait alors le « secours direct ». Mon père était reparti en prison, condamné à nouveau pour vol. Ma mère nous aimait beaucoup. Elle devait tout faire, aller chercher de l'eau à la chaudière, couper le bois à la hache, faire le lavage à la main sur une planche à laver. Elle étendait le linge dans les petits arbres du champ et faisait les repas sur le poêle à bois. Il faut le faire, trois fois par jour !

Ça commençait le matin avec les toasts à la mélasse et le cacao à l'eau, puis à midi, les patates avec le balloné, et au souper, ma mère s'arrangeait toujours pour que nous mangions bien. Elle prenait quelquefois des moyens que pas beaucoup de femmes auraient accepté de prendre, je le dis sans honte, pour elle et pour moi, puisqu'elle « faisait la vie » pour nous. Et je ne blasphème pas en écrivant ces mots. Je l'aime encore plus et j'ai des larmes aux yeux en le disant. Il en faut de l'amour pour le faire.

Un jour, un voilier est venu et s'est ancré en face de la maison. Un marin en est descendu. Je me souviens de cet homme. Il m'impressionnait avec son veston à boutons dorés et sa casquette. Il me racontait des histoires extraordinaires, comme tous les marins savent le faire. J'ai écrit une chanson plus tard sur ce personnage. En échange d'amour, il donna de l'argent à ma mère, pour nous, les enfants. Elle nous acheta du linge et, naturellement, un costume de matelot.

Il s'est passé beaucoup de choses dans cette cabane quand mon père est sorti de prison. C'est alors que j'ai appris à me battre et à voler, même si je n'avais que cinq ans. C'était l'hiver et il fallait se chauffer… mais le charbon, c'est cher pour les pauvres. Il y avait au bord de l'eau une voie ferrée par où passaient des trains remplis de beau combustible. Mon père montait sur le train avec une pelle et se dépêchait de jeter à tour de bras du charbon à côté de la *track*, pendant que le train était en marche. Moi, je ramassais des poches de charbon avec un traîneau. Mon père venait me rejoindre après avoir sauté en bas du train. On se dépêchait avant l'arrivée de la police. Un soir, il reçut une balle dans la cuisse, il saignait beaucoup, mais ce ne fut pas grave. J'eus droit à mon biscuit au chocolat et à mon cacao avant de me coucher.

Ma mère me lavait dans un grand bassin de granit et elle me berçait en chantant des chansons pendant que mon père était parti courir les hôtels à la recherche de quelques porte-monnaie. Et, malgré tout, ce que j'ai pu être heureux dans ce temps-là ! Un jour, j'étais arrivé à la maison, le front fendu et plein de sang. Mon père fut pris de rage en me voyant. C'était des Italiens qui vivaient dans la rue voisine qui m'avaient « organisé » la figure ! Il me prit la main et me ramena devant la maison de ladite famille. Il les fit sortir, ils mouraient de peur, et là, je fus vengé, comme il le disait.

Tout au long de ma vie, je n'ai jamais eu besoin de beau-coup de sommeil pour récupérer. Donc enfant, c'était la même chose, j'étais toujours le premier debout. Ce que j'ai dû être emmerdant pour ma mère. Tous les matins, j'allais la réveiller en lui caressant le visage avec ma main et je lui disais : « Lève-toi, maman, j'ai faim… » Je ne l'ai jamais vue être maussade, même si elle se couchait tard. Elle se levait, allumait le poêle à bois si le feu était mort et nous faisait une pile de toasts qu'on dévorait, ma sœur, mon frère et moi. C'est peut-être pour ça que souvent maintenant quand je sens l'odeur des rôties, je trouve que ça sent le bonheur.

Alors, un de ces matins, je me lève plus tôt et je vois la cabane pleine de boîtes empilées partout. Nous avions un visiteur qui dormait dans la cuisine. Je l'ai reconnu à cause d'une marque qu'il avait au-dessus du nez ; comme il l'avait déjà eu coupé en deux, on l'appelait « l'oiseau ». C'était un ami de mon père. Alors, j'ai pensé qu'ils avaient travaillé très fort durant la nuit et je n'ai réveillé personne. Moi, j'étais attiré par les boîtes. J'en ai ouvert une qui était remplie de beau linge tout neuf. Je l'ai vidée et avec une corde attachée de chaque côté par les trous, je me suis fait un traîneau et je suis parti me promener sur la rue Notre-Dame.

J'étais très heureux de mon acquisition. Je me promenais depuis un bon moment, quand un policier m'a demandé où j'avais pris ma boîte. Comme il m'avait parlé doucement, je lui répondis que chez moi, il y en avait plein la maison. Alors, il m'a acheté du chocolat avec de la liqueur et il m'a amené au poste de police. Ça a été assez long et je leur ai expliqué que ma mère devait être inquiète. Ils m'ont dit qu'ils me reconduiraient chez moi en auto. Les voitures étaient rares dans le temps. C'était excitant pour un petit garçon de faire un tour dans ces engins-là.

Alors, c'est tout fier que je suis parti pour la maison. Ils étaient quatre ou cinq voitures, toutes des convertibles, comme dans les films de 1935. Je sais maintenant ce qui s'est passé. Ils ont cerné la cabane qui était remplie de voisines à moitié nues qui essayaient du linge. Je me rappelle avoir vu un policier attraper une femme qui se sauvait par la fenêtre arrière en culotte et en brassière. Il lui avait dit : « Viens, mon bébé, dans mes bras. » Et elle lui est tombée dans les bras en pleurant.

La cabane était pleine de monde qui s'énervait. Vous avez deviné ce qui s'était passé ; la boîte qui me servait de traîneau portait le nom d'un magasin de linge qui s'était fait voler la nuit précédente. Et sans le vouloir, je venais de vendre mon père à la police. Tout le monde fut embarqué, y compris ma mère et les voisines.

Il n'en manquait qu'un : l'OISEAU, il n'était pas là. Mais je savais où il était et j'ai presque honte de l'écrire aujourd'hui, mais comme ils emmenaient mon père et ma mère, je me suis dit : « Pourquoi pas lui ? » Alors, j'ai amené les policiers derrière la cabane, il y avait une cachette située sous le plancher et l'Oiseau avait eu le temps de s'y dissimuler. Quand il est sorti, il a dit « Mon p'tit tabarnak ! » Il était furieux avec raison.

Quant à nous, les enfants, c'est un voisin, un pêcheur à demi-aveugle, qui nous conduisit chez lui. Il s'appelait Albert Ouellette, un homme très doux avec des yeux bleus très pâles, comme ceux qui, toute leur vie, n'ont vu que de l'eau. Il prit soin de nous jusqu'à ce que ma mère fût libérée. Elle n'y était pour rien dans le vol, mais pour mon père, c'était un autre voyage en prison. Ma mère était toujours seule. C'est là qu'est apparu un personnage important dans notre vie.

C'était un homme que je voyais très souvent et qui nous achetait des friandises. Il venait à la cabane pour voir si on manquait de rien. Je l'ai vu souvent arriver avec une boîte remplie de manger, sur les épaules, rentrer puis repartir. J'ai dit à ma mère que je le trouvais beau et ma mère m'a dit qu'elle le trouvait beau, elle aussi. Je lui ai dit : « Pourquoi il ne resterait pas avec nous puisqu'on est toujours tout seuls, que papa est toujours en prison. Il faudrait qu'on se trouve un nouveau père. »

Ce personnage, je l'attendais tous les soirs, assis sur la bordure du trottoir, près du rail des tramways. Il m'achetait des friandises de toutes sortes : *peanuts*, chocolats, liqueurs. Il venait me reconduire à la cabane. Un soir, il me montra qu'on pouvait faire voler un morceau de carton carré dans les airs.

Je l'ai trouvé merveilleux. C'est un souvenir qui reste gravé en moi… même que je me rappelle que le ciel était très beau avec le soleil qui se couchait sur les champs.

Les saisons se succédaient, les fêtes arrivèrent. La nuit de Noël, la cabane était presque couverte par la neige, ce qui la rendait beaucoup plus chaude. Elle avait pris une atmosphère de fête, malgré sa pauvreté. Ma mère avait fait un feu de charbon dans le poêle et la fournaise, qui étaient aux deux extrémités de la cabane. Elle nous avait lavés dans le grand bassin installé sur la table de la cuisine, avant de nous coucher dans nos paillasses de foin et de paille que ma mère avait coupés elle-même à l'automne, en nous racontant l'histoire de ce gros bonhomme de Noël. J'y croyais, car ça ne pouvait pas être mon père, puisqu'il était en prison. Comme j'étais bien, collé au dos de mon petit frère Claude d'un côté et de ma petite sœur de l'autre. Nous étions enveloppés de couvertures de laine et de bonheur. Il devait être minuit lorsque ma mère est venue nous réveiller. Comme le plancher était très froid, nous nous sommes dépêchés d'aller nous asseoir sur le banc de bois près du poêle qui était rouge à force de chauffer et j'ai vu sous la douce clarté de la lampe à huile, quelque chose que je croyais vraiment venue du ciel, un cadeau du Père Noël : une poupée pour Lucile, un camion pour Claude et pour moi, un petit train qui tourne en rond, à condition de remonter la clé du ressort. Comme c'était bon le chocolat chaud et les oranges. Ma tête d'enfant romantique n'aurait jamais cru que le Père Noël pourrait se nommer Paul Vadeboncœur et que la fée des étoiles serait Lucienne. Maintenant je sais que je venais de vivre le plus beau Noël de mon enfance, et ce n'est pas de sitôt qu'il se reproduira.

Après, il s'est passé bien des choses bizarres dont je ne me souviens pas présentement. Tout tourne si rapidement quand on vit intensément. Je me souviens que ma mère était de plus en plus malade. Elle était maigre et chétive. Elle est partie pour l'hôpital et on est resté, les trois enfants, sous la garde d'une personne jusqu'à ce que l'assistance sociale nous amène de nouveau dans une autre crèche, la crèche Saint-François d'Assise.

Celle-là, je ne l'oublierai jamais. Encore les lourdes portes qui se refermaient derrière nous, derrière l'amour, la haine… C'est mon grand-père qui nous y a conduits avec ma mère qui était très malade. C'est beau dans les chansons de vivre d'amour, mais l'amour, ça tue aussi. Et c'est à une maman très pâle et chétive que j'ai crié : « Ne me laisse pas ici ! » Mais les enfants, ça n'a rien à dire et ça doit obéir. Je n'ai jamais été obéissant. J'ai crié et j'ai frappé sur les jambes de la religieuse qui m'amenait dans le dortoir où était mon lit, comme toujours avec cette senteur de « pisse-lit ». Comme je m'ennuyais de ma paillasse à la cabane !

Il y avait dans la fenêtre un cheval illuminé qui s'allumait et s'éteignait continuellement. C'était une annonce de la bière « Black Horse ». Je me suis endormi, les yeux pleins de larmes, en pensant à ma mère. Les grandes personnes ne savent pas ce qu'on peut souffrir quand on est enfant.

La crèche Saint-François d'Assise était située juste à côté de l'édifice du Bell Téléphone et l'ancienne Gare Centrale sur la rue Belmont. Il s'y passait des choses bien spéciales et ce que je vais écrire maintenant, c'est la vérité. Je l'ai vécu. Je ne veux pas dire ici que toutes les religieuses ressemblent à ce que je vais dire, mais il faut que je le dise.

Pour le jour de Noël, on nous avait désigné un parrain qui venait de je ne sais où. J'ai refusé de le voir en disant que mon parrain, c'était grand-père Therien, et que je ne voulais rien savoir de celui qu'on m'avait désigné pour le jour de Noël. Tout s'est passé en douce devant les gens, mais rendu dans le dortoir, j'ai eu droit à la *strap* sur les fesses et même dans le visage et sur tout mon corps. Je me suis couché en me tordant de douleur et en criant de rage. Mais pour l'enfant que j'étais, il n'y avait qu'un seul parrain : grand-père Therien.

J'étais né le jour de son anniversaire, le 4 mars, dans le lit de ma grand-mère, pendant qu'il travaillait à la Dominion Textile, de nuit. Au matin, j'avais été son cadeau de fête et j'entendais bien le rester. Le lendemain, mon vœu fut exaucé et il est venu me voir. Il m'avait apporté une petite voiture-jouet en métal très mince. Ce que j'étais content de mon grand-père et de ma voiture !

Dès que mon grand-père fut parti, on me l'a enlevée et on l'a mise en exposition dans les vitres du sous-sol d'où les passants pouvaient dire que nous étions gâtés. Mais ça ne me donnait toujours pas ma voiture. Alors un soir, pendant que tout le monde dormait, je suis allé chercher mon cadeau dont je n'avais pas profité. Au matin, je la cachai dans la jambe de mon pantalon ; cependant je fus vite repéré, mais je ne craignais rien.

On me lança dans une baignoire pleine jusqu'à ce que je sois étouffé par l'eau qui me rentrait par les narines et par la bouche, et que je perde presque connaissance. Par après, j'ai appris à retenir ma respiration sous l'eau. C'est un châtiment que les religieuses avaient l'air d'affectionner particulièrement. Je les ai vues faire ça à plusieurs autres garçons. Je me rappelle très bien les avoir vues traîner avec beaucoup de force un garçon qui se nommait André, l'avoir plongé dans l'eau tout habillé et l'y avoir gardé jusqu'à ce qu'il perde conscience.

Je regrette pour les « bien-pensants », mais ce que je dis est vrai. Je n'étais sûrement pas un ange de soumission, mais ces châtiments étaient trop durs pour les petites fautes d'enfants que nous pouvions commettre. Où était l'amour à ce moment-là ?

C'est à cette époque que j'ai fait ma première communion, à la Cathédrale de Montréal. Je me sentais bien important dans mon bel habit de premier communiant et comme j'étais heureux quand on m'a donné un morceau du Bon Dieu ! Comme c'était beau une cathédrale et je trouvai que le Bon Dieu avait une bien belle maison. Et son père était sûrement plus riche que le mien. Je le trouvais bien chanceux, mais je l'aimais quand même.

Pour mon cadeau, j'ai eu droit à une sortie avec mon grand-père. J'ai pu voir ma mère et on m'amena à la prison pour rendre visite à mon père. J'ai remarqué que là-aussi, il y avait de grandes portes qui vous serrent le cœur quand elles se referment derrière vous. Comme c'était une permission spéciale, j'ai pu lui parler dans une grande salle où, comme à l'orphelinat, les pas résonnent. Mais j'avais une petite mission à remplir… On m'avait donné un briquet qui contenait je ne sais quoi et que je devais lui remettre bien discrètement.

Comme j'avais l'air d'un petit ange, personne ne me soupçonnait. Quand mon père m'embrassa, je lui refilai le briquet dans la main. Même si l'on était dans une prison, mon père trouvait toujours le moyen de me faire rire. Sans le savoir, il avait un véritable talent de clown. Je suis revenu à l'orphelinat, avec le cœur bien gros de me séparer encore de lui. J'ai fait une crise. Mon grand-père pleurait doucement lui aussi. C'était la dernière fois et pour longtemps que je voyais mes parents.

Peu de temps après, je fus transféré dans une autre institution située à Saint-Jean-D'Iberville, à l'orphelinat « Sainte-Thérèse de l'Enfant-Jésus ». On fit le voyage en auto. Nous étions tous entassés derrière, mon frère Claude était avec moi. Il me tenait toujours par la main, comme s'il était plus en sécurité en se collant sur moi. On avait l'impression de s'en aller au paradis, tellement c'était beau la campagne.

Ça faisait longtemps qu'on n'avait pas vu la nature, avec la rivière Richelieu et surtout la péniche tirée par des chevaux qui allait sur le canal qui longeait le chemin. Et je me disais dans ma tête qu'un jour, j'aurais une péniche pour y vivre avec ma mère et toute ma famille. Il me semblait qu'on pourrait être heureux à vivre dans la petite cabine qui se trouvait à l'arrière du bateau. Et moi j'y serais, tenant le gouvernail, ma mère ferait comme cette femme en train d'étendre son linge dans les cordages.

C'est avec ce rêve dans le cœur que nous sommes arrivés à l'orphelinat, tout petit, comparativement à la crèche Saint-François d'Assise qui, elle, était située en plein centre de la ville avec la fumée des trains qui crachaient leur charbon dans les airs, à proximité. Ici, il y avait un air de résidence de campagne, avec sur le côté un joli jardin et dans une arche entourée de fleurs, la statue de Sainte-Thérèse. Le soleil avait commencé de descendre, il devait être un peu tard. On est entré par une porte qui ne ressemblait pas à celle des autres orphelinats, qui paraissait moins une porte de prison. Puis on est arrivé dans un petit parloir bien propre situé à côté d'une chapelle d'où venait une senteur de cierge frais éteint. J'étais inquiet, mais je m'étais habitué à mon sort puisque je ne voyais plus mes parents. Je croyais que c'était fini pour moi d'attendre que quelqu'un vienne me chercher un jour.

Ma famille, c'était ma sœur et mon frère que je voyais de temps en temps puisqu'ils me suivaient d'une place à l'autre. La religieuse qui nous avait reçus nous énuméra la liste des règlements : obéissance complète et aucune infraction ne sera tolérée. On nous donna un numéro qui sera écrit sur nos vêtements et notre lit. On nous donna aussi un biscuit avec un verre de chocolat au lait. Le dortoir était situé au dernier étage, ça devait être autrefois un grenier, ça sentait le vieux là-dedans.

Tous les lits d'orphelinat se ressemblent, peints en blanc et en rangées, avec au milieu une allée pour circuler. C'est en écoutant le bruit étrange que font les rosaires que portent les religieuses à la ceinture en frottant sur leurs jupes que j'essayai de dormir. J'ai entendu un train crier dans la nuit. J'ai eu des envies de partir, de m'en aller n'importe où, mais que peut-on faire quand on n'a rien dans les poches ?

Que peut-on faire quand on est personne ? Je m'ennuyais de la cabane au bord de l'eau avec ses paillasses et ses murs de bois.

À l'orphelinat

Durant la nuit, je me suis réveillé plusieurs fois. C'est sinistre la noirceur dans un endroit qu'on ne connaît pas. Il n'y avait pour éclairage qu'une petite lumière rouge à côté de la porte de la cellule où dormait la religieuse. J'étais toujours inquiet pour mon frère et je ne le trouvais pas à travers tous les lits où dormaient des enfants qui, comme tous les enfants du monde, parlent en rêvant. C'était difficile de dormir.

Le matin, c'est le son d'une cloche, sonnée avec une délicatesse à vous défoncer les tympans, qui m'a réveillé. On m'indique le bassin où désormais je devais me laver et qui portait le même numéro que celui qu'on m'avait donné la veille pour mon linge. Il y en avait au moins une soixantaine en ligne le long du mur avec au bout un gros évier et une toilette devant laquelle nous devions attendre chacun notre tour, pressés ou pas. Quand l'heure était venue de partir pour la messe, ceux qui n'avaient pas eu le temps de faire leurs besoins devaient se retenir. La messe avait lieu dans la petite chapelle que j'avais entrevue la veille.

Il y avait d'un côté les garçons, de l'autre les filles, et derrière, les religieuses avec leur petit missel. Elles lisaient en chuchotant du bout des lèvres. À cet âge, ces cérémonies m'impressionnaient beaucoup. Pendant le service, je regardai la Sainte Vierge entourée naturellement de sainte Thérèse, saint Antoine et saint François d'Assise, comme par hasard tous habillés en brun comme les religieuses. Je parlais souvent avec la Sainte Vierge, je lui trouvais une ressemblance avec ma mère.

À part la religion dans chaque institution, il y a toujours une espèce de maffia entre les pensionnaires, ce qui fait qu'un certain groupe s'arrange toujours pour avoir les meilleurs mets à leur table, y compris le gruau sans « motton » et les meilleures tranches de pain, l'assiette de granit sans écaille. C'était sûrement pas celle dans laquelle je mangeais qui avait dans le fond un bonhomme auquel il manquait la tête et une partie du corps. Quant aux mottons de gruau, personnellement, je m'en régalais. Je ne voulais pas avoir d'histoire avec personne pour si peu. Mais je savais qu'un jour ou l'autre, le temps de m'adapter à ma nouvelle pension, je réglerais mon problème. On m'avait envoyé ramasser les pommes du petit verger qui séparait la cour de récréation des filles et des gars. Je faisais doucement mon travail en mettant dans un panier les pommes avec lesquelles les sœurs faisaient de la compote qui n'était pas celle qu'on vend au métro. Toutes étaient complètes : la queue, la pelure et les cœurs, il n'y manquait aucune vitamine.

De temps en temps quand j'avais la chance d'attraper une belle pomme, elle devenait automatiquement ma propriété et j'en mettais une petite dans ma poche pour mon frère. Je prenais soin de la fendre en deux pour la camoufler. C'est en allant porter ma manne de pommes que j'ai vu celui qui était le « bras » de l'orphelinat en train de frapper mon frère Claude à la figure, ce que je ne pouvais pas supporter, parce que Claude, à cet âge, était sans défense. Je fus pris d'une rage que je ne pouvais plus contrôler. Je suis retourné en courant chercher mon râteau dans le verger parce qu'il était trop grand pour moi, ce gars, et je l'ai frappé partout où je pouvais, mais il est arrivé à me l'enlever. Alors je me suis rappelé la leçon de mon père : avec mes poings d'abord frapper à l'estomac le plus fort possible et, quand l'adversaire trop grand se penche, le frapper à la figure. Il est tombé par terre, j'ai embarqué dessus en frappant sans arrêt jusqu'à ce que les religieuses et une dizaine de leurs petits préférés me sautent dessus et me retiennent. Je venais de perdre la confiance des religieuses, mais surtout je venais de gagner le respect de tous mes compagnons. De plus, je devais passer une espèce de jugement qui se faisait par la religieuse en charge, perchée sur son trône derrière un pupitre comme un juge. On me demanda la raison de mon assaut sur mon compagnon. On décida que j'étais coupable. Je devais rester à mes pommes et, comme dans l'évangile, ne pas rendre les coups pour les coups. Mais n'empêche qu'après avoir passé la journée dans la garde-robe sans souper, on m'emmena derrière un paravent qui masquait une baignoire remplie d'eau dans laquelle on me fit asseoir. Après, on me fit mettre à genoux, la tête penchée en avant entre les jambes de la religieuse qui me retenait la tête avec force. Je me demandais ce qui allait arriver. Je ne voyais rien, n'entendais rien et manquais d'air ; j'eus peur. Elle se mit à me frapper les fesses mouillées avec une *strap* pour affiler les rasoirs de barbiers. Ça me faisait terriblement mal, j'essayais de me dégager et elle serrait les jambes plus fort, et frappait sans arrêt partout sur le corps. Et elle m'a attrapé les couilles. J'ai presque perdu connaissance. Elle m'a traîné par les cheveux jusqu'à mon lit devant tout le monde. Je me suis couché en pleurant de douleur et de rage dans mon oreiller. Je détestais la terre entière. Je pleure encore de rage en l'écrivant. Parce que j'ai voulu protéger mon frère, envers qui je me sentais coupable d'une cicatrice qu'il avait à la joue droite, causée par ma maladresse alors que nous demeurions chez l'oncle Nazaire dans une autre cabane au bord de l'eau sur la rue Letourneux. C'était l'hiver et à cette époque toutes les maisons étaient chauffées au charbon. Claude qui était petit bébé dormait dans un carrosse de jonc à proximité de la fournaise qui était rouge. Il s'est mis à pleurer et j'ai pensé bien faire en prenant le biberon qui était sur la table. Pour le lui donner, je devais grimper sur les roues du carrosse qui s'est renversé. Le bébé est tombé le visage et la main sur la fournaise. Le peau y est restée collée. Ma mère était au désespoir. C'est une scène qui a dû, sans que je le sache, me traumatiser et c'est pourquoi je n'acceptais pas que l'on fasse du mal à mon frère.

La fessée qu'on venait de me donner ne m'avait pas rendu plus sage, mais plus diplomate, ou plus hypocrite.

Il y avait une petite religieuse, professeur de musique, qui enseignait surtout la musique et le chant aux petites filles. Elle avait fait passer des auditions à quelques garçons dont j'étais. Elle s'était attardée à moi un peu plus longtemps. Je me demandais bien ce qu'elle voulait, parce que j'étais toujours méfiant. Mais il m'a fallu plusieurs années pour savoir ce que cette religieuse avec son harmonium à pédales avait découvert. Je dois dire qu'elle m'embêtait beaucoup avec sa gamme et son 1-2-3-4 parce qu'elle m'empêchait d'aller jouer à la balle molle avec les autres garçons pendant la récréation. Avec le temps, c'est elle qui a eu raison. Je ne suis peut-être pas devenu le meilleur chanteur au monde, mais j'étais très certainement le plus mauvais joueur de balle qui ait jamais existé. Elle m'avait appris l'*Ave Maria* de Gounod et les chansons d'un chanteur populaire que je ne connaissais pas mais dont j'avais vu le nom et la photo sur les feuilles de musique. J'étais loin de me douter qu'un jour il deviendrait mon ami : Tino Rossi.

À cette époque, mon frère Claude a fait sa première communion à la Cathédrale de Saint-Jean. C'était une très belle cérémonie ; tous les garçons et les filles de l'orphelinat y étaient. On était tous très fiers d'avoir nos costumes en velours noir au grand col blanc empereur orné de boutons dorés et portés avec de jolis bas blancs, soulignés d'une petite casquette de zouave, on défilait deux par deux jusqu'à l'église durant toute la cérémonie. Je n'avais d'oreille que pour les chœurs de chant et j'étais un peu vexé quand j'ai entendu l'*Ave Maria* chanté par un autre garçon, mais c'était tellement beau que je ne me rendais même pas compte à quel point la musique faisait partie de moi.

Un jour d'hiver, je ne me sentais vraiment pas bien depuis une couple de jours ; alors je demandai à la religieuse la permission de ne pas aller jouer dehors. Elle me répondit d'aller dehors comme tout le monde, et que ça se passerait. J'allai donc me réfugier dans un petit igloo de neige pensant m'y réchauffer. J'étais collé sur mon frère et je me mis à pleurer en lui disant : « Je me sens si mal, j'ai peur de mourir, je ne peux plus respirer. » Je perdis connaissance et me réveillai, couché dans un lit et vomissant du sang. Je perdis encore connaissance. Je réouvris ensuite les yeux dans une ambulance et, ensuite, je perdis la carte pendant sept jours. Le seul moment, dans mon délire, dont je me rappelle : c'est de mon père que je ne voyais jamais, qui était venu me voir. Je l'avais à peine entrevu mais je savais qu'il était là. On a beau avoir le père qu'on voudra, mais dans un orphelinat où beaucoup d'enfants n'en ont pas, on se sent plus grand quand il est là. Je ne sais pas exactement combien de temps j'ai été malade ; je faisais une pneumonie.

Lorsque je fus rétabli et que le temps arriva de retourner à l'orphelinat, il me fallut un certain temps pour me réadapter à cette vie monotone où la douceur n'a pas sa place car, pendant mon séjour à l'hôpital, une garde-malade dont je n'ai jamais oublié le nom, Garde Langlois, m'avait entouré d'affection et de tendresse et, chaque soir, avant de m'endormir dans ce triste dortoir, j'aurais souhaité que sa main vienne caresser mes cheveux et qu'elle me dise : « Bonne nuit », comme elle le faisait tous les soirs. Je n'ai jamais revu cette dame, mais si elle lit ces lignes, je veux lui dire merci pour l'amour donné à l'enfant que j'étais.

Quelques semaines plus tard, sans nous demander notre avis, nous fûmes transférés à Montréal, à l'hospice Sainte-Cunégonde.

L'hospice, ou plutôt l'asile Sainte-Cunégonde, était situé aux portes du quartier Saint-Henri, au coin de la rue Atwater et la rue Albert, juste à côté d'une voie ferrée d'où les locomotives crachent à pleines cheminées leur résidu de charbon, ce qui donnait à l'institution un air gris sale. Je ne sais pas qui a inventé le mot pollution, mais c'est sûrement un des anciens élèves de cet asile. Quand les trains passaient et qu'on jouait à « l'attaque » dans la cour, on ne savait jamais qui nous l'avait donnée et à qui la donner tellement il y avait de fumée. Cet asile était un mélange d'espoir à la vie avec les jeunes enfants qui attendaient comme des oiseaux pour s'envoler, de sagesse et de soumission avec les vieillards qui attendaient leur libération de la vie pour un monde sûrement meilleur que les corridors et les salles aux odeurs de pourriture où ils vivaient.

Il y avait, comme partout, des règlements et on calculait l'obéissance avec des points qui nous étaient remis chaque semaine. Si vous arriviez en bas d'une certaine moyenne, la récréation du dimanche était défendue, et quand il n'y avait plus de points, c'était les coups de *strap* sur les mains, trois sur chacune, et si on enlevait la main, un coup additionnel.

Je ne devais pas être un ange et j'ai toujours détesté les dimanches ; la religieuse avait une façon bien spéciale pour nous « donner la *strap* ». Tous les élèves étaient alignés un par un, sur deux rangées de chaque côté et je la revois très bien avec son air moqueur et sadique : « viens, mon p'tit Paul-Émile, viens… ! », en faisant aller sa main, comme on appelle un chien. Et c'est sûrement l'air que je devais avoir en m'approchant d'elle, tout en me méfiant de ses gestes sournois. Elle avait dû faire un stage aux missions du Japon parce qu'elle nous faisait assez rapidement des passes de karaté. Ça amusait bien mes compagnons ; mais pendant ce temps, je m'endurcissais et devenais de moins en moins sensible aux coups.

Beaucoup de gens sont surpris de l'épaisseur de mes mains pour un chanteur.

Nous, les garçons, allions à l'école à l'extérieur. Elle était située à quatre ou cinq coins de rue. C'était l'école Saint-Henri, sous la direction des frères. C'était bien spécial. Imaginez de voir arriver dans une école publique de Saint-Henri un tas de jeunes garçons « attriqués à la chienne à Jacques », à qui on criait « v'la les fous de l'asile ». Ce qui entraînait dans la cour des petits règlements de compte, je dois dire que nous avions des adversaires qui savaient se défendre ; on revenait à l'hospice avec des bosses et des yeux noirs, mais pas tellement plus instruits. Et les religieuses qui étaient des sœurs grises étaient assez évoluées. On nous obligeait chacun à notre tour de choisir un livre d'histoire que nous devions lire à haute voix devant nos compagnons dans la salle de récréation, et je n'ai pas perdu cette bonne habitude, quand je lis un livre, tout le monde autour de moi doit écouter ce que je lis. Comme j'étais en ville, j'avais plus souvent l'occasion de voir ma mère que j'ai eu de la peine à reconnaître tellement elle s'était arrondie, après de longs traitements à l'hôpital. Paul qui était son compagnon de vie, ce qu'il est toujours, avait dû en prendre bien soin. Il y avait aussi mon père, quand il n'était pas en prison, qui venait nous voir avec sa maîtresse et son enfant que ma mère avait dû habiller parce qu'il était sans le sou. Je me posais bien des questions quand je m'endormais le soir. Cette année-là, nous avions passé Noël chez nous sur la rue Chambly, ça faisait longtemps que je n'avais pas vu du monde prendre un coup et chanter. Je me demandais ce qui se passait. Mais c'était bien « le *fun* » de se faire réveiller le matin par une belle main douce et une bonne senteur de toasts dont je m'ennuyais depuis longtemps ; quand ce n'est pas une habitude, ça sent tellement bon le bonheur.

Mais quand je suis revenu, j'ai encore entendu les maudites portes avec le même son qui me faisait le même mal. Quand on commence à être un petit homme, on attend d'être seul pour pleurer en silence ; j'avais l'habitude, comme aujourd'hui d'ailleurs, de toujours fredonner un air et la religieuse, en se moquant, m'appelait : Tino Rossi. On ne savait pas, mon frère et moi, ce qui nous attendait au tournant de la vie.

Nous avions mijoté un plan pour nous sauver en revenant de l'école : arrivé à une intersection, mon frère devait se mettre à courir très vite sans s'occuper de moi et c'est ce qu'il a fait, et pendant ce temps, moi je m'occupais des autres à coups de bâton. Lui, il a réussi, mais moi pas. J'avais trop d'adversaires pour fournir. C'est moi qui ai mangé une volée d'abord par les gars et, ensuite, par les sœurs. Il faut dire que je l'avais bien méritée et Claude a dû revenir : ma mère a dû le ramener car nous appartenions à l'assistance publique. Comme l'a dit la religieuse, ma mère était une putain qui vivait, sans être mariée, avec un homme. Et nous, les enfants, nous n'avions rien à dire.

Heureusement que pendant les mois d'été, ceux que les parents ne pouvaient pas sortir et pour des raisons que j'ignore, les religieuses les envoyaient à l'institut de Nazareth qui était situé sur la montagne en face de l'Oratoire St-Joseph. C'était pour nous des vacances de millionnaires. On y était très heureux parce qu'enfin on pouvait courir dans les champs, passer nos journées à faire la chasse aux papillons et aux taons (pas les poissons, mais ceux qui piquent les doigts quand on sait pas s'y prendre pour les attraper). Pour nous occuper, un scout avait organisé avec nous une troupe de louveteaux, ce qui nous faisait rêver à des mondes de liberté avec « Balou Baguerra, Ran », tout un monde d'animaux merveilleux qui enchantaient nos têtes d'enfants. À la fin de l'été, j'avais déjà gagné plusieurs médailles. Un jour, mon frère et moi avions eu la visite de notre jeune tante Juliette, qui était très belle et surtout très *sexy* dans son pantalon qui laissait voir des formes qui firent crier au scandale les religieuses et on lui interdit de revenir nous voir, habillée d'une façon aussi provocante. Le plus drôle, c'est que, à part les religieuses et quelques orphelins qui y passaient leurs vacances, l'institution était peuplée d'aveugles. La provocation était pour qui ?

Nous étions vers les années 39. Un matin, on venait de se réveiller et on était en train de s'habiller, assis devant nos cases, quand une religieuse arriva toute énervée et nous dit : « Les enfants, j'ai une terrible nouvelle à vous apprendre : les Allemands viennent de déclarer la guerre. » Nous, on a applaudi et crié : « Bravo… enfin il va se passer quelque chose ! » Un peu plus et elle tombait par terre. Pour les enfants que nous étions, la guerre était une chose bien amusante. J'avais lu un livre sur la guerre de 1914-1918 que j'avais trouvée romantique et je me rappelle qu'on m'avait enlevé la page 14 parce que les soldats français chantaient : « Auprès de ma blonde qu'il fait bon dormir. » Alors elle nous a expliqué que ce n'était pas drôle du tout, que les Allemands avaient des casques à pointe et qu'il y avait aussi les communistes qui avaient un drapeau avec un marteau et une faucille pour couper la tête de tous les catholiques et assommer tout le monde qui n'était pas communiste. Tout inquiets que nous étions, il a fallu nous mettre à genoux et réciter le chapelet ; on était complètement apeuré. Comme si on avait besoin de ça quand on se fait chier dans un orphelinat !

Notre tentative d'évasion nous aura valu, à mon frère et à moi, d'être retransférés à St-Jean d'Iberville. De cette façon, il était sûr que nous ne pourrions pas nous sauver. Je dois dire que j'étais quand même heureux de retrouver le petit orphelinat, mais mon caractère commençait à changer. J'étais plus agressif et de moins en moins obéissant aux religieuses. Pour essayer de m'adoucir, on me donnait quelques responsabilités ; tous les matins avant le déjeuner, donc à jeun, je devais me trimballer dans les rues de Saint-Jean avec ma petite « barouette » pleine de gros chaudrons et j'allais d'un hôtel à l'autre ramasser la soupe et les ragoûts de la veille. De temps en temps, les cuisiniers me donnaient de belles tartes pour remettre aux religieuses ; il en a disparu quelques-unes dans mon estomac, bien avant qu'elles aboutissent sur la table de la directrice et de ses compagnes. À part moi, aucun orphelin n'a jamais vu une tarte sur la table du réfectoire.

Il y avait quand même un bon côté à mes promenades matinales. Je devais, selon mon itinéraire, passer sur la place du marché devant un petit café. Un matin, la propriétaire, une dame très gentille et maternelle, me demanda si je voulais manger quelque chose, je lui ai dit que je n'avais pas d'argent, elle me répondit : « Ça ne coûte rien. Je te vois passer tous les matins… alors viens manger des beignes avec du chocolat chaud. »

En comparaison de celui que je buvais à l'orphelinat, c'était drôlement bon. Ça fait du bien, quand on n'a plus personne, de sentir une main vous caresser avec douceur.

À l'orphelinat, j'avais changé d'école. J'allais maintenant à l'école des grands, une ancienne maison canadienne située dans un coin de la cour entourée de peupliers. L'institutrice était une grosse religieuse qui avait beaucoup de douceur dans le regard (une exception à la règle). Souvent elle me gardait après la classe pour dessiner au lieu d'aller me faire emmerder par les autres. Elle trouvait que j'avais du talent et, moi, je me sentais bien avec elle, mais il m'arrivait quand même de faire des mauvais coups pendant la classe, alors là elle se fâchait contre moi et sortait sa *strap* devant les autres élèves. Elle m'emmenait dans le haut côté, qui devait être autrefois une petite cuisine d'été. Là, elle me regardait d'abord avec des yeux pleins de sévérité, puis ils changeaient doucement pour redevenir pleins de tendresse. Elle me prenait la tête entre ses mains et me serrait contre son gros ventre et me disait : « Tu me promets de ne pas recommencer, sinon la prochaine fois je vais être obligée de te « donner la *strap* ». Elle ne me l'a jamais donnée, même si je l'ai bien souvent méritée…

Cette religieuse n'avait qu'un seul défaut : d'être ce qu'elle était. Une religieuse avec un cœur de femme. D'ailleurs, on l'a renvoyée.

Malgré tous mes mauvais coups, j'étais toujours premier en classe, mais j'étais aussi premier dans la cour. C'était moi le chef. Naturellement, je servais toujours la messe au Séminaire de St-Jean, mais j'étais plus rusé ; je ne donnais plus tout mon argent aux religieuses. Faute de compte en banque, j'avais une boîte de tôle enterrée sous la grande glissoire d'hiver. Je ramassais l'argent pour un billet de train vers la liberté. Je n'en parlais à personne, même pas à mon frère qui, lui, se laissait facilement impressionner par les religieuses.

Moi, j'étais fatigué d'être prisonnier…

Je me suis toujours demandé, avec le temps, si les religieuses que j'ai connues dans mon enfance n'avaient pas quelques complexes. Je dis ça en pensant à cette maudite *strap* qu'elles portaient toujours à l'intérieur du revers de leur grande manche. Tous les soirs, au dortoir, nous étions 10 ou 12 à attendre en ligne devant la cellule de la religieuse pour avoir notre volée sur les fesses, les culottes à terre, la tête penchée vers l'avant. Elle s'en donnait à cœur joie. Il y avait des petits qui tremblaient, blancs de peur, en entendant les plaintes de leurs compagnons. Quant à moi, même si ça n'était pas des caresses, je ne voulais pas leur faire plaisir en pleurant devant elles, mais je commençais à avoir de la corne au cul. Et après, c'était le chapelet où on nous parlait de l'amour infini de Dieu…

Pendant les grosses chaleurs de l'été, nous n'avions pour douche que nos petits bassins dans lesquels nous nous lavions à la débarbouillette, s'il restait assez d'eau pour le faire, car plusieurs en buvaient la moitié, puisque le règlement défendait de boire après six heures à cause de ceux qui pissaient au lit. Et comme on devait être couchés à huit heures, habillés jusqu'au cou, pas besoin de vous dire qu'on souffrait de la soif !

J'avais organisé un système pour nous désaltérer. Il n'y avait qu'une seule toilette qui avait plutôt l'air d'une « bécosse » avec son clou pour retenir les papiers qui n'étaient pas des rouleaux, mais des coupures de journaux qui servaient de papier de toilette. « C'était très hygiénique ! » De toute façon le problème était de trouver de l'eau pour boire et pas question d'aller au lavabo, la religieuse y était bien appuyée pour surveiller la belle champlure de cuivre qui laissait tomber inutilement toutes les secondes sa goutte d'eau. J'avais résolu le problème : chacun de nous avait droit à la toilette une fois ; donc, on s'était donné le mot, personne ne devait pisser dans la toilette. Chacun notre tour, nous tirions la chaîne et on se dépêchait avec nos mains de boire le plus d'eau possible. Si un de nos compagnons nous trahissait, il savait très bien ce qui l'attendait dans la cour. Malheureusement, c'est arrivé. Encore là, je suis repassé devant le tribunal des religieuses. La directrice, qui était « effoirée » sur son trône, m'a dit d'arrêter de faire mes coups en hypocrite. J'étais debout devant les trois religieuses avec, à mes côtés, celui qui avait osé faire ses besoins dans la toilette. La directrice m'a dit en me défiant : « Ose donc recommencer devant nous ton geste, espèce de voyou comme ton père… »

Alors j'ai frappé de toutes mes forces sur la gueule de celui qui, au fond, ne le méritait plus et je lui ai ouvert la lèvre. C'est tout ce que j'ai eu le temps de faire. Les religieuses et deux ou trois autres garçons se sont mis sur moi pour me traîner dans une garde-robe et fermer la porte à clef. Je me suis retrouvé dans la noirceur, par terre. Quand je me suis calmé, j'ai pensé à ma mère et à mon bateau qui m'emmènerait loin de ces emmerdeuses de religieuses que je détestais de plus en plus.

À part des mauvais coups, il y a des choses que je faisais bien, comme servir la messe, au moins trois ou quatre fois par matin. C'était justement en allant au séminaire avec un léger détour que j'avais remarqué dans la vitrine d'un magasin un petit chien de porcelaine dont j'étais tombé amoureux. Un jour, avec l'impression d'être un malfaiteur, j'entrai demander le prix, un dollar ; c'était énorme pour moi qui n'avais au fond de mes poches que des pépins de pomme que je grignotais et je savais que dans ma boîte de fer blanc, où je ramassais l'argent par deux cents, les fonds monétaires n'étaient pas très grands. Je suis donc entré dans la grande église le cœur tout tremblant avec cette odeur d'encens et de cierge brûlé qui me donnait, peut-être à cause de l'excitation, des nausées ; je me suis avancé jusque devant la statue de la Sainte Vierge où brûlaient des lampions, je me suis agenouillé tout en faisant semblant de prier, j'ai réussi à ouvrir le tronc avec une broche. J'ai pris juste ce dont j'avais besoin. Mais je tremblais de peur devant la Vierge qui semblait me regarder. Je lui ai dit : « Je vais te le remettre, un jour… » Je suis reparti vers la porte. J'avais l'impression que les 12 apôtres, dont les statues étaient juchées tout le tour de l'église, venaient d'assister au crime le plus affreux commis par un enfant. J'avais l'impression que je n'arriverais jamais vivant à l'extérieur de l'église. Enfin… La porte s'ouvrit et je vis le soleil et la rue. Je me mis à courir vers le magasin pour acheter le chien de mes rêves. Il fallait que je me dépêche, j'étais déjà en retard pour l'école. Pendant la classe, je le plaçai dans un coin de mon pupitre sans oublier de lui donner à manger quelques-uns de mes pépins de pomme. Ce que j'étais heureux d'avoir enfin un ami, à moi si seul, qui remplirait le vide de mon cœur.

À partir de ce jour, je ne me mêlai plus avec les autres dans la cour, j'allais me cacher derrière un gros arbre pour jouer avec mon chien qui, pour moi, avait un cœur, une vie, que je partageais. Je n'ai jamais su qui a pu le voir et me rapporter à la religieuse. Une nuit, alors que je dormais en tenant mon petit chien dans ma main, dissimulée sous l'oreiller, j'eus l'impression de faire un cauchemar épouvantable. Je vis une religieuse qui me frappait à coups de *strap* partout sur le corps, je me mis à crier, j'avais peur de mourir tellement ça faisait mal. Je me laissai tomber par terre entre les lits pour me protéger des coups, mais il y avait l'autre religieuse qui, à la tête de mon lit, se mit à me frapper, elle aussi. J'étais pris en sandwich entre les deux lits et les deux religieuses. Pris de rage, je me levai sans m'occuper des coups que je ne sentais plus. Je poussai une religieuse et je me sauvai dans le coin du dortoir à côté du bain. Alors elles se mirent à plusieurs, les religieuses, puis d'autres garçons, les « téteux de sœurs », pour m'encercler. J'avais envie de mordre comme une bête enragée, la sœur tenant dans ses mains mon petit chien m'a crié : « Où as-tu pris l'argent pour acheter cela ? »

Je n'ai jamais dit avant ça la provenance de cet argent. Quand je pense qu'aujourd'hui des tueurs sont libérés sur parole. C'est donc si grave d'avoir voulu voler de l'amour en porcelaine ?

Mon silence m'a valu de passer la nuit dans le cabanon. J'étais assis par terre, appuyé sur le mur à me demander ce qui venait de se passer. Je pleurais de rage, le corps me faisait mal. Je pensai à ma mère, je me demandais quand toute cette merde allait finir ; je ne crois pas avoir beaucoup dormi cette nuit-là. Au matin, j'ai entendu les autres se lever et descendre pour déjeuner. Je voyais de temps en temps passer des ombres dans les « craques » de la porte par où entrait le jour. Je n'avais pas tellement de place pour bouger. Il y avait un paquet de châssis doubles là-dedans et ça sentait la boule à mites. Quand mes yeux se furent habitués à la noirceur, je m'aperçus que je n'étais pas seul. J'avais pour compagne une petite souris qui montrait son nez et qui se sauvait aussitôt que je bougeais. J'ai dû m'endormir car, au moment où la porte s'est ouverte, j'ai sursauté. On m'apportait de quoi manger : un sandwich de patates pilées et un verre de lait. La porte s'est refermée, la petite souris est venue près de moi pour manger les miettes de pain, mais elle s'est sauvée quand j'ai voulu la toucher. Je ne sais plus combien de temps cela a duré mais la porte s'est réouverte et la religieuse m'a fait sortir. Elle avait à la main mon petit chien et m'a redemandé : « Où est-ce que tu l'as pris ? » Je n'ai rien dit, elle m'a donné un chapelet et m'a fait mettre à genoux et elle s'est assise sur une chaise pour me faire réciter le chapelet. Pendant un moment, j'eus comme des faiblesses. Je lui demandai pour me lever. Elle me dit : « Non, tu dois payer pour tes péchés. » Après quoi elle ajouta : « Va te coucher dans le cabanon et restes-y tant que tu n'auras pas dit la vérité. » Au bout d'une semaine de cabanon sans parler à personne, je me demandais bien comment j'allais sortir de ce pétrin, le seul espoir qui me restait était de communiquer avec ma mère. La cellule de la religieuse était toujours fermée à clé, mais j'avais de par mon père un certain talent pour ouvrir une porte. J'ai donc fouillé dans les cases de la religieuse où j'ai trouvé une carte postale avec un timbre. Je me suis dépêché d'écrire avec un crayon la dernière adresse que je connaissais de ma mère : Madame Lucienne Noël, 1409, Chambly, Montréal.

« Maman, viens me chercher, ça va très mal. »

Comme la porte qui donnait sur la galerie était bien verrouillée, je suis passé par la lucarne qui donnait sur le toit en pente et, par le toit, j'ai rejoint l'escalier de secours, je suis descendu dans la rue en prenant bien garde de ne pas être vu, et je suis parti en courant porter ma carte à la boîte aux lettres. C'est presqu'un miracle que ma mère ait reçu la carte : le timbre n'était pas bon ni l'adresse. Ma mère avait déménagé sur la rue Cuvillier. Par la suite, maman m'a dit que ce sont des choses qui l'ont inquiétée. Je n'ai jamais su exactement ce qui s'était passé entre l'orphelinat et mes parents ; mais un jour, la religieuse est venue me dire : « Préparez-vous à partir, on vient vous chercher cet après-midi. » Alors mon cœur s'est mis à battre de joie et de surprise pendant que je me lavais dans mon bassin pour la dernière fois. Je suis descendu du dortoir, j'ai traversé le corridor qui conduit à la salle de récréation et je suis sorti dans la cour sans demander la permission. Je suis allé m'asseoir dans une des balançoires ; il n'y avait personne à l'extérieur, j'étais seul. Je regardais mon école dans le coin de la cour, mon arbre, quand un garçon est venu me crier :

– Eh, Noël, la mère supérieure fait dire de venir manger.

– Dis-lui que j'ai pas faim.

– C'est ça, arrange-toi pour manger une autre volée.

Tout en me balançant, je regardais les pommes de terre qui poussaient un peu partout dans ce coin de la cour. On avait enterré je ne sais combien de patates qui goûtaient l'huile à chauffage et qu'on nous avait obligés à manger pendant des semaines avant qu'un inspecteur ait obligé les sœurs à éliminer cette pourriture qui nous brûlait l'estomac. Je n'avais aucun regret de quitter cette maison. J'ai attendu assez longtemps pour être inquiet quand on m'a dit :

– T'es demandé au parloir.

Quand je suis arrivé, mon frère et ma sœur étaient déjà là ainsi que la directrice, j'ai embrassé ma mère en la serrant très fort et j'ai respiré profondément la senteur de son parfum. Ça sentait bon le bonheur, enfin j'étais bien. Les oiseaux ont besoin de chaleur, pourquoi pas les enfants ?

Et nous sommes partis avec les mêmes bagages que nous avions en arrivant, c'est à dire rien. Mais nous avions le plus important des cadeaux : une maman.

Encore une fois, nous longions le Richelieu dans la voiture de mon oncle Ti-Jean qui était venu nous chercher avec sa femme, ma tante Rose. Ils étaient assis devant avec ma mère. Nous, les trois enfants, étions derrière dans le *rumble seat*, les cheveux dans le vent et nous écoutions ma mère qui nous chantait des chansons dont une m'est restée en mémoire.

Vie de famille, vie de foyer
qui nous sourit
doux repos des cœurs, l'âme meurtrie
qui nous guérit.
Vie de famille, berceau qui
nous a vus grandir
où sont éclos nos souvenirs.
On ne devrait que te chérir
Vie de famille.

La rue Cuvillier

La rue Cuvillier était une rue comme beaucoup d'autres rues dans le quartier Hochelaga, mais elle avait cette différence pour moi qu'elle était la mienne. C'était mon village et j'en connaissais chaque coin et recoin. Je savais même où poussaient les fleurs entre les pierres de ses trottoirs, le printemps venu. Perdu à proximité des ports nationaux, entre les rues Notre-Dame et Sainte-Catherine, sur un coin il y avait « Laurenssel », le petit marchand de fruits. Sur l'autre coin, le magasin de l'Armée du Salut, le pharmacien, le Juif qui vendait toujours son linge à prix d'aubaine et le pauvre chinois qui repassait des chemises à cœur de jour. Nous, on « l'embêtait » sans savoir pourquoi. Il ne faudrait pas que j'oublie le tramway qui s'arrêtait en faisant sonner son « ding ding ». S'il arrivait à repartir sans qu'on ait enlevé le *trolley*, ça faisait jurer le conducteur qui aurait bien voulu nous attraper s'il avait pu. Le matin, le premier bruit qu'on entendait était le cheval du laitier qui faisait claquer ses sabots sur le macadam. Il allait de porte en porte, pendant que le laitier ramassait les pintes de lait vides dans lesquelles on avait déposé le prix, cinq sous. L'épicier d'en face descendait son auvent et la vie recommençait.

De temps en temps, quelques rares automobiles venaient déranger les enfants qui jouaient au « carreau » dans la rue ; si ce n'était pas le livreur de bière qui passait avec sa voiture tirée par de gros percherons « enguirlandés » de fleurs et toujours très propres, chargée de barils de bière qu'il devait décharger à bras d'homme dans les tavernes du quartier. Il y avait aussi la ruelle avec ses galeries, ses hangars, ses cordes à linge qui lui donnaient un air de parade les jours de lessive, et quand il faisait beau, on entendait le marchand de légumes ambulant dont le cheval avait un air de bohémien avec son chapeau sur la tête pendant que son maître s'arrachait les cordes vocales à crier : « des choux, des carottes, des navets, des betteraves… » Ou c'était le « guenillou » qui achetait pour quelques sous les vieilles bouteilles, tapis, matelas…, tout ce qui vous embarrassait. De temps en temps, la ruelle perdait sa tranquillité quand la voisine du deuxième engueulait celle du troisième, avec un langage coloré propre aux gens de mon quartier. Alors là, tout le monde sortait sur les galeries pour regarder le spectacle et c'est tout juste s'il n'y avait pas d'applaudissements. Et, cet humble logement dont je garde un tendre souvenir, où j'ai vécu des moments passionnants et jamais monotones, était situé au 558 de la rue Cuvillier. Comme c'était au deuxième étage, on y montait par un escalier de bois extérieur qu'on avait peint sûrement plusieurs années auparavant. C'était en réalité quatre escaliers côte à côte, séparés par des rampes de tuyau de fer. Cela servait d'abri quand il pleuvait. À l'intérieur de la maison, ça sentait toujours le frais nettoyé. Ma mère avait un véritable culte de la propreté ; elle lavait et cirait ses planchers à la main, si ce n'était pas le plafond ou la lessive qu'elle faisait dans sa vieille laveuse Beatty, en rentrant après sa journée de travail à la factorerie de coton Dominion Textile. Même si la journée commençait à six heures du matin et se terminait à six heures du soir, elle trouvait le moyen de rentrer en chantant avec la tête pleine de mousse de coton. Son sport préféré était de brasser la mangeaille : du bouilli de choux, des ragoûts de pattes de cochon ou des cretons. Dans ce temps-là, je ne connaissais pas le filet mignon. Mais, maudit, que le manger de ma mère était bon ! Paul, avec qui ma mère vivait depuis déjà plusieurs années, ne disait jamais un mot plus haut que l'autre. Il partait tous les matins avec son lunch sous le bras et attendait le tramway pour aller travailler à l'imprimerie. Il revenait souvent quand on dormait pour faire du temps double, comme il disait. Mais toute cette vie, pour ma sœur, mon frère et moi, il fallait la découvrir car la rue, comme un village, a ses lois et n'accepte pas facilement les nouveaux venus. Et nous avions perdu l'habitude de la vie courante avec ces années passées entre les murs des orphelinats. Nous étions heureux, mais craintifs.

Un jour ma mère m'avait envoyé faire une commission à l'épicerie Chevalier, qui était située juste en face de la maison en descendant l'escalier. Je regarde de l'autre côté de la rue et j'y vois plusieurs garçons qui flânent et se tiraillent devant la vitrine. Comme je traverse la rue, ils s'arrêtent et me regardent venir vers eux. Pendant un moment, j'ai eu envie de retourner, mais mon orgueil était plus grand que ma crainte. J'ai continué d'avancer. Ils se sont mis à rire et à se moquer de la casquette que je portais. C'était banal mais je n'avais pas le sens de l'humour et j'ai fini par passer la porte de l'épicerie. Une grosse dame au regard jovial m'a demandé :

– T'es nouveau dans l'boutte ?

– Oui, Madame.

Et comme on me l'avait appris, j'ai enlevé poliment ma casquette.

– Qu'est-ce qu'il te faut, mon petit garçon ?

– Ma mère veut avoir un quart de patates.

– C'est qui ta mère ?

– C'est la Madame au 558.

– Comme ça, t'es le garçon de la grosse Lucienne ? Alors vous êtes sortis de l'orphelinat pour de bon ?

Elle m'a donné mon sac de patates en me disant :

– Fais attention en sortant, les gars du boutte sont pas mal tannants.

J'ai remis ma casquette sur la tête et je suis ressorti. Je n'avais pas aussitôt entendu la cloche qui sonnait chaque fois qu'on ouvrait ou fermait la porte de l'épicerie, que ma fameuse casquette avait disparu entre les mains d'un des gars qui me disait :

— Viens la chercher.

Et ce fut le gag classique de la combine entre eux, alors que moi j'essayais de la rattraper. Je devais avoir l'air d'un beau cave avec mon sac de patates dans les bras à courir d'un bord à l'autre pour la voir atterrir au beau milieu de la rue dans la crotte de cheval. C'était un incident bien banal, en somme, mais pour moi ça ne l'était pas. J'étais humilié et ma fierté venait d'en prendre un coup. Par la suite, chaque fois qu'on essayait de mettre le nez dans la rue, on était attendu mais pas les bienvenus. On se faisait reconduire chez nous à coups de bâton ou à coups de pied. Alors on se renfermait dans la maison, mais il a bien fallu sortir un jour pour l'école quand le mois de septembre est arrivé.

La rue Cuvillier était à la rencontre de deux paroisses. D'un côté de la rue on allait à l'école Baril et de l'autre c'était l'école Langevin. Alors j'ai eu pour mes débuts externes l'école Langevin. Ma mère avait fait son possible pour bien nous habiller, mais tous les deux pareils : pantalon bleu, veste bleue, casquette bleue. Ça n'a pas été long pour qu'on soit baptisés les deux bessons. Imaginez de nous voir, mon frère et moi, dans un coin de la cour de l'école sous les regards moqueurs des garçons du quartier, on devait avoir l'air de deux belles tartes avec notre air gêné. Comme ils ne savaient pas exactement notre degré d'études avec tous les changements qu'on avait connus depuis une couple d'années le problème fut réglé : quatrième pour la troisième fois et, pour comble de malheur, la quatrième « C ». Je ne sais pas si vous avez connu les anciennes méthodes scolaires, mais la « C » c'était un ramassis d'inadaptés, de faiseurs de trouble, un vrai cirque. L'école Langevin à cette époque tombait en ruines : on ramassait entre les pupitres des morceaux de plâtre qui tombaient du plafond et qui servirent de projectiles pour lancer derrière la tête du frère quand il écrivait au tableau. Le pauvre, il devint tellement nerveux qu'il se mit à crier en claquant des yeux : « Qui a fait ça ? » Naturellement, c'était le silence complet. Alors il dit : « Parfait, tout le monde debout, tout le monde assis, et ça aussi longtemps que vous ne m'aurez pas nommé le coupable. »

Comme j'étais nouveau et pas tellement gros, ce fut moi. Il me dit :

– Viens dans le passage.

Il sortit une *strap* et me dit :

– Tends la main.

Il me regarda dans les yeux en faisant un geste comme pour me frapper, mais il baissa le bras en me disant.

– Retourne t'asseoir… je suis sûr que c'est pas toi.

Il n'a pas duré longtemps : je pense qu'il a fait une dépression nerveuse au milieu de l'année.

Une chose que je n'ai jamais oubliée c'est notre première sortie de l'école. C'était midi, mon frère et moi retournions chez nous pour le dîner, accompagnés de quatre garçons dont je pourrais même dire les noms. Nous marchions dans la rue St-Germain, très heureux de nous avoir fait aussi rapidement des amis qui nous avaient promis une belle surprise. Comme nous arrivions au coin de la rue Adam, il y en a un qui a dit :

– C'est ici la surprise ?

Celui qui avait l'air d'être le chef du groupe a dit :

– Au coin de Rouville, ça va être meilleur.

On a continué à marcher et je les voyais souvent se regarder en riant. J'eus le pressentiment qu'il se passerait quelque chose, mais avant que j'aie eu le temps de réagir, comme mon frère et moi nous marchions entre deux gars, nous avons reçu chacun deux coups de poing dans la figure en même temps. Je suis tombé le dos sur l'asphalte. Là, c'est à coups de pied que ça a continué de « tous bords, tous côtés ». J'ai roulé deux ou trois fois sur moi-même pour me dégager et je me suis relevé. J'en ai frappé un sur le nez, je l'ai vu saigner. Mon frère avait eu le temps de se sauver. Ils se mirent à quatre contre moi et ça venait de partout à la fois. Alors j'ai été obligé de courir pendant qu'ils essayaient de me rattraper. J'ai rejoint mon frère qui m'attendait au coin de la rue Darling et de Ste-Catherine. On est rentré à la maison, les lèvres fendues, des bleus partout et notre beau linge neuf plein de sang. Là, ma mère nous a engueulés et nous a dit :

— C'est pas votre père qui se serait laissé avoir comme ça !

Mais on avait trop peur pour retourner à l'école. Il a bien fallu que ma mère aille voir le directeur de l'école pour se plaindre, la réponse a été celle-ci :

— Ce qui se passe dans la rue, regarde la police, pas les professeurs de l'école. »

Nous, on a pris notre pilule et ça n'a pas été la dernière, mais ce que ma mère m'avait dit à propos de mon père n'était pas rentré dans l'oreille d'un sourd. J'étais bien écœuré de me faire écraser les pieds par tout le monde parce que, après l'école, il y avait encore la rue. Pour ne pas se faire rattraper par les gars du « boutte », il fallait se faufiler dans la ruelle et rentrer chez nous par l'échelle de sauvetage sinon c'était encore la bataille. Alors je me suis dit : « S'il faut se battre, apprenons à nous battre ! » Tous les soirs après l'école, j'allais regarder les boxeurs s'entraîner au Square AC[2]. Je passais des heures à les voir frapper avec force dans le sac de sable et faire du *shadow boxing*. Rendu à la maison, je faisais la même chose et au bout de quelques mois d'entraînement répété, j'ai décidé que le temps était venu de régler mes comptes avec les gars du « boutte ». J'ai dit à mon frère : « Viens avec moi, pis regarde bien ce que je vais faire. »

Claude tremblait pour moi. Il savait très bien ce qu'il m'arriverait si je manquais mon coup. J'ai regardé à travers le rideau pour compter les gars qui étaient au bas de l'escalier. Ils devaient être sept ou huit. J'ai ouvert la porte, j'ai mis mes

2. Club d'entraînement pour les boxeurs.

gants, j'ai descendu bien doucement l'escalier et personne ne s'est dérangé pour me laisser passer. J'ai enjambé la rampe d'escalier pour sauter à côté de l'escalier. Je suis arrivé face à face avec le plus gros. Je l'ai regardé dans les yeux ; il m'a regardé d'un air bien détendu et j'ai frappé de toutes mes forces en plein dans la gueule avec un beau crochet du droit. Ce fut le miracle. J'ai vu ses pieds « lever de terre » et lui, aller atterrir à la renverse. Dans la rue, tout le monde est resté figé, y compris moi. Je suis revenu assez rapidement de ma surprise et j'ai foncé pour le frapper à nouveau lorsque sa mère, qui avait vu la scène, est venue me tirer par les cheveux pour que je le lâche. Alors je lui ai crié : « Dis à ton gars de nous laisser tranquille, et puis vous autres aussi dans l'escalier parce que je suis tanné de me faire écœurer. Si y en a un qui a quelque chose à dire, c'est le temps. » (Je n'aurais jamais pensé à ce moment-là que tous les gars à qui je parlais allaient devenir mes amis.) J'avais acquis le droit de marcher dans la rue en paix.

Puis l'hiver est arrivé, ma rue s'est habillée de gros bancs de neige que la charrue tirée par des chevaux entassait le long des trottoirs. Il y en avait si épais qu'on pouvait sauter des galeries au deuxième étage sans se faire mal. Les jours de tempête, les rues étaient fermées et tous les enfants étaient heureux, exceptés les Messieurs qui portaient des chapeaux car ils devenaient vite la cible des francs-tireurs. Et avec l'hiver, la plus belle de ses fêtes est arrivée : Noël, mon premier en liberté complète depuis mon enfance. Je l'attendais et je savais ce que je voulais : un habit de cow-boy, rien d'autre. Ma pauvre mère, qui ne voulait pas me désappointer, marcha dans la neige de la rue Cuvillier à la rue Université dans l'ouest de la ville, habillée de son manteau de drap et sans couvre-chaussures, les jambes à moitié gelées pour, finalement, ne pas trouver ce que je voulais. Elle arriva à la maison en pleurant, tellement elle était déçue de ne pas pouvoir me faire plaisir, mais elle s'était trompée. Le père Noël (Paul) avait tout arrangé et ce fut une nuit et un jour merveilleux, parce que les fêtes dans ce temps-là, c'était des fêtes. Ça commençait à Noël, ça finissait aux Rois. C'est malheureux que l'on parle toujours du bonheur au passé.

Pendant ce temps, je ne grandissais pas beaucoup, ni physiquement ni en sagesse. À l'école, ça n'allait pas bien. Je me battais plus que j'étudiais. Au printemps je demandai à ma mère si je pouvais aller travailler ; elle n'était pas d'accord, mais avec ma tête de cochon, j'ai fini par gagner, mais il me fallait un permis de travail. Je fis les demandes qu'il fallait, ma mère signa et me voilà un homme… C'est ce que je croyais, à 14 ans, avec mes 84 livres de pesanteur et ma paye de 10 piastres par semaine de 60 heures dans une fabrique de chaussures.

La guerre continuait toujours en Europe et la mobilisation des hommes aussi. Un matin, sans dire un mot plus haut que l'autre, Paul est parti à la guerre. Ma mère fut encore une fois bien triste. Et nous aussi. On recevait des lettres réguliè-rement, puis tout d'un coup, plus un mot, plus de nouvelles. Vous pensez si on était inquiet ! Un mois passa, quand le facteur nous apporta une lettre d'Angleterre ; au moins on savait qu'il était en vie et ça redonnait de la gaieté à ma mère qui ne chantait plus le soir en revenant du travail.

De mon côté, je n'étais pas facile à élever, ma mère venait souvent me chercher au poste de police ; je passais mon temps à me battre dans les rues voisines ou avec les Anglais. On partait le soir en gang, avec des bâtons et des chaînes pour régler nos différends avec les autres et, quand ça tournait mal, on se faisait embarquer par la police. Ça décourageait ma pauvre mère qui me répétait avec des larmes dans la voix : « Si tu continue comme ça, tu vas faire un voyou comme ton père. » Moi, dans ma grosse tête d'imbécile, je me disais : « Pourquoi pas, comme ça tout le monde aura peur de moi, comme ils ont peur de mon père. » J'avais d'ailleurs commencé mes petits coups en dessous de la table et j'avais une véritable passion pour les couteaux. Je m'entraînais tous les jours dans les champs voisins du port où j'avais pour cible tous les arbres. Mais un soir alors que ma mère était allée à un *party de bowling*, je pris pour cible les portes d'armoires de la cuisine et celles du hangar. Aujourd'hui, quand j'y pense, si mon fils me faisait la même chose, je lui dévisserais la tête. Ma mère m'a fait, et avec raison, une de ses magistrales colères. C'est à coups de manche à balai qu'elle m'a réglé mon compte, je l'avais bien cherché.

À cette époque, il y avait, à cause de la guerre, le rationnement du sucre, du beurre et de la viande, ce qui entraînait la rareté de bien des choses, comme le chocolat, le coca-cola, etc. Et le prix des cigarettes avait beaucoup augmenté. De mon côté, c'était l'argent qui se faisait rare ; ce n'est pas avec 25 cents de l'heure que j'allais devenir riche. Je décidai donc de partir un petit commerce à la manufacture. J'achetai dans une biscuiterie, dont le propriétaire connaissait ma mère et ses problèmes, des biscuits au chocolat et aussi des bouteilles de coca-cola au prix du gros, que je revendais à gros prix, mais à crédit. En plus, je prêtais de l'argent à 25 % d'intérêt par semaine, donc après quatre semaines mon client me devait le double. Le soir, je faisais des cigarettes que je plaçais dans les paquets vides ramassés un peu partout et tout allait bien. Je cachais mon argent dans un coffre de bois sous mon lit à l'abri des doigts de mon frère Claude qui me volait de temps en temps des cinq cents pour s'acheter son mets préféré ; des hot dogs. Il n'avait qu'une seule ambition : bien manger. Mais je lui pardonnais parce qu'il était la moitié de moi-même. Je partais le matin pour le travail avec l'allure d'un marchand ambulant, avec mes paquets sous le bras, attendre le tramway et puis l'autobus. Ça n'était pas toujours très drôle à l'heure de pointe quand tout le monde se bouscule. Il fallait trouver un autre moyen de transport, une bicyclette par exemple. Mais c'était beaucoup d'argent à débourser, car j'avais d'autres projets pour mes économies. Mon ami Ti-Guy venait d'avoir un accident avec le sien : il ne restait que la carcasse principale et, encore, elle était tordue. Il me dit : « Je te la donne et débrouille-toi pour trouver le reste. »

Il ne manquait que les deux roues, le pédalier et les poignées de direction, presque rien en somme… Avec mon copain

Jacques, je partis à la recherche de ce qui allait devenir la bicyclette de mes rêves ; une roue empruntée au livreur de l'épicerie de telle rue, un pédalier de l'autre et la roue arrière ramassée au hasard dans un hangar, le tout repeint au pinceau, couleur or, et me voilà propriétaire d'un véhicule dont je suis fier, avec un panier à l'avant et un autre à l'arrière. Je pédale, beau temps, mauvais temps vers mon travail où mon petit commerce va grandissant. Et j'accumule des sous pour un rêve auquel je tiens ainsi que mon frère.

Un soir, nous sommes en train de souper, ma mère, ma sœur, mon frère et moi ; la table est devant la fenêtre de l'étroite cuisine, d'où nous pouvons voir les voisins faire comme nous, avec cette différence que, chez nous, rien n'est une habitude. Tout est toujours beau et bon, nous sommes heureux. Lorsque la cloche de la porte sonne, je vais répondre. Je ne sais pas si c'est la porte qui est basse, ou si les deux hommes que je vois derrière les rideaux sont plus grands que d'habitude : j'ouvre la porte avec crainte. Ils s'adressent à moi bien poliment :

— Est-ce que ta mère est ici ?

— Oui, elle est en train de manger.

— Dis-lui de venir s'il te plaît.

— Une minute et je reviens.

Je tournai les talons et partis en courant vers la cuisine.

— Maman, y'a deux grands gars à la porte. Y veulent te parler… vas-y, je vais aller chercher mon couteau, en cas, des fois… on ne sait jamais…

Ma mère n'était pas femme à avoir peur. C'est avec son sourire habituel qu'elle se présenta devant ces deux géants.

— Bonsoir… Mon Dieu, en vous regardant, on peut dire que vous êtes de la grande visite.

Un des deux gars sourit, puis sortit de sa poche un porte-feuille avec un insigne et une carte d'identification : Police fédérale, RCMP.

— Vous êtes Madame Noël, on voudrait vous parler.

Moi qui étais derrière la porte double qui séparait l'entrée donnant accès au passage, quand j'ai entendu le mot : « police fédérale », je fus pris de peur et disparus par la galerie arrière. Comme on n'avait pas d'escalier, je sautai directement du deuxième dans la cour en bas, pour passer par la ruelle jusqu'au coin de la rue, d'où je pourrais voir quand ils sortiraient de la maison. Ça n'a pas été long, je vis les deux policiers descendre l'escalier et embarquer dans une voiture noire. Aussitôt qu'ils eurent tourné sur la rue Notre-Dame, je me mis à courir jusqu'à la maison, je montai l'escalier quatre marches à la fois, j'étais assez essoufflé que c'est juste si mon souper ne m'est pas sorti par les oreilles. Ma mère m'attendait, bien détendue, j'ai dit :

— C'était pour qui, la police montée ?

— Pour qui veux-tu que ce soit d'autre que toi ?

— Maman, j'ai rien fait.

— C'est pas grave, ils ont eu un rapport sur toi parce que tu vendais des cigarettes, il paraît que c'est défendu. Quand j'ai dit ton âge, ils ont dit qu'ils oublieraient la plainte, mais qu'il ne fallait pas recommencer.

— Maudite police, encore une bonne affaire à l'eau... si ça continue, on n'aura jamais notre bateau.

— Paolo, fais pas de bêtises, je vais m'arranger pour que tu l'aies ton bateau.

Quand l'été arriva, ma mère loua un petit chalet à la plage Bissonnette dans l'île Sainte-Thérèse. Alors, toutes les fins de semaine, on partait en tramway, les bras pleins de provisions et on courait au bout de l'île de Montréal pour prendre le bateau qui nous y amenait. Pendant la traversée, quand le bateau passait à travers le petit chenal pour arriver au fleuve, je rêvais au jour où je pourrais réaliser mon rêve : partir à tout jamais sur un voilier vers une mer bleu pastel où je pourrais vivre ma vie jusqu'au bout de mes rêves. De toute façon, dans l'île, la vie était bonne et ma mère embellissait tout ce qu'elle touchait. Nous étions très heureux de pouvoir nager à cœur de jour, de courir dans les champs pour nous endormir le soir, crevés de fatigue. Le lendemain, ça recommençait et les étés passaient sans qu'on les voit. Le contact avec la nature me changeait beaucoup et ma mère qui vivait seule avec nous trouvait le moyen de faire des miracles avec l'argent qu'elle gagnait durement, même si mon frère et moi l'aidions en travaillant tous les deux. Un beau matin, il est arrivé notre bateau ; il n'était pas gros mais il était à nous. C'était un petit « doris » de 14 pieds avec des voiles et un moteur. On le baptisa le *Tamaric*. À cette époque, avoir un bateau, c'était quelque chose. Et nous partions, mon frère et moi sur un fleuve qui, à cette époque, avait encore sa jeunesse et sa beauté. L'eau était si pure qu'on s'y lavait.

Et nous apprenions à connaître les lois du vent et des courants dans une douceur de vivre que je ne peux décrire parce que je ne suis pas un grand poète, mais Dieu sait si je suis amoureux de tout ce qui est beau et grand. Et enfin je savais ce que voulait dire le mot « liberté », assis au gouvernail de ce minuscule bateau où j'y baignais mon âme déjà pleine de rêves de voyages lointains. Mais la vie n'est pas faite que de rêves, elle a aussi ses réalités. Ma mère, pour nous rendre heureux, s'était endettée. Et pour payer ce bateau, je la voyais partir, chaque matin pour travailler, avec son manteau de drap, sans bas dans ses chaussures, et pire que ça, elle y allait avec le sourire, beau temps, mauvais temps. Je ne disais rien, mais j'aurais bien voulu qu'elle soit plus heureuse. Mais que peut-on faire quand on a le cœur pris entre l'amour et la haine, et que l'on gagne 15 dollars par semaine ? Le temps avait passé et l'hiver aussi. Avec le printemps, le mois de mai, le mois du muguet, la fête de ma mère approchait. Ça me travaillait l'esprit, chaque fois que je passais devant cette bijouterie où j'avais remarqué dans la vitrine un collier en pierres du Rhin, j'aurais bien voulu l'offrir à ma mère, elle qui n'avait pour bijou que des bagues du 5-10-15, une idée folle me vint à l'idée. Comme tous les jours, je marchais ou courais jusqu'à mon travail, je devais passer devant cette même vitrine. Je m'arrêtai et je calculai le temps et les mouvements qu'il me faudrait faire pour arriver jusqu'au collier, pendant que le bijoutier serait occupé, comme il l'était chaque fois que je m'y arrêtais.

Un soir, sans penser aux conséquences de mon geste, j'ouvris la porte pendant que le bijoutier était occupé au fond du magasin et, avec une rapidité et une agilité qui m'étaient naturelles, je sautai derrière le comptoir et je me trouvai derrière la vitrine : je pris le collier et, au moment où j'allais faire le saut pour retourner de l'autre côté, une voix se mit à crier. Je tenais le collier dans ma main droite, appuyée sur le comptoir, pendant que ma gauche me servait de ballant pour sauter le comptoir. Mes deux jambes se trouvaient donc dans les airs et une main attrapa le bord de mon pantalon. Je tombai par terre de l'autre côté ; mon coude, en frappant le plancher avec la pesanteur de mon corps, me fit échapper le collier. Je me précipitai vers la porte. En sortant je me mis à courir et j'entendis le bruit d'une moto derrière moi. C'était bien ma chance : un policier qui passait m'avait vu sortir de la bijouterie. Je tournai à la première rue pour m'enfiler dans la ruelle. J'arrivai face à face avec un camion qui faillit me frapper, car son garde-boue avant me toucha. Heureusement, du même coup, il avait coupé la route à mon policier. J'entrai dans un hangar et je montai l'escalier jusqu'au troisième, mais toutes les portes étaient fermées. Je m'appuyai contre le mur pour reprendre mon souffle, sans bouger pour ne pas attirer l'attention. J'étais là depuis un bon moment, en me disant : « Quel beau cadeau je vais faire à ma mère si je me fais prendre ! » Je me voyais déjà à la cour juvénile avec un gros juge qui me condamnerait à l'école de réforme et j'entendais les gens dire : « Ça se voyait bien qu'il serait un voyou comme son père… » Tout à coup j'entends des pas dans l'escalier de bois en tire-bouchon qui aboutit infailliblement où je suis. Les pas approchent doucement après avoir sondé chaque porte. Que faire ? J'ouvre le carreau qui donne au-dessus de la ruelle ; il y a un madrier qui dépasse la cloison extérieure et au bout duquel il y a une poulie qui sert l'hiver à monter le charbon. Je me tiens par une main, le corps dans le vide pendant qu'avec l'autre je referme le carreau. Heureusement qu'il commence à faire noir sinon quelqu'un m'aurait sûrement vu suspendu par les deux mains, les jambes pendantes. J'espérais que ce ne serait pas trop long. Ma prière fut exaucée, le carreau s'est ouvert et j'ai eu juste le temps de voir une casquette et ça été la descente sans parachute. Je me suis retrouvé dans un tas de vidanges (c'est sûrement ce qui a amorti le coup), à la grande surprise des curieux qui étaient là. Ils sont restés figés, mais pas moi... J'étais étourdi mais surtout pressé de partir à toute vitesse avant le retour de mon ami, le motard.

C'est en passant par les ruelles que je connaissais comme le fond de ma poche que j'ai fini par aboutir dans la cour des Houde qui donnait juste derrière chez moi. Au deuxième étage, pour monter, il n'y avait pas d'escalier. Je devais d'abord grimper sur la clôture, faire un saut pour rattraper le plancher de la galerie, puis les barreaux pour me hisser avec mes bras jusqu'en haut et enjamber le « bastingage » pour enfin rentrer par la cuisine, où ma mère était en train de repasser du linge. C'est un garçon essoufflé, déçu et heureux à la fois, qu'elle vit entrer. Elle me regarda en disant :

– J'espère que t'as pas fait encore un mauvais coup, toi ?

– Bien non maman. Je voulais jouer un tour à un gars et je suis passé par en arrière pour l'égarer.

– Tu serais mieux de souper et d'aller te coucher, je pense que tu en as besoin.

Et c'est ce que j'ai fait. Rendu dans mon lit où je dormais avec mon frère, tout ce qui venait de se passer tournait sans arrêt dans ma tête avec des versions différentes et je me trouvai bien heureux d'être où j'étais. Et je me disais : tout est bien qui finit bien, le bijoutier a son collier, moi, ma liberté... Plus, un policier déçu de ne pas avoir attrapé un pauvre imbécile qui croyait avoir le talent de son père, un garçon qui avait dû, au lendemain de cette aventure, faire le sacrifice de ses cheveux longs « à la Tarzan », pour une coupe « en brosse » pour ne pas être identifié, car il vaut mieux perdre ses cheveux que la face. Ma mère, pour son cadeau de fête, avait dû se contenter de la seule richesse que j'ai jamais eue : mon amour.

Dans les journaux de l'époque, le grand sujet était la guerre. Les Américains et les Alliés avaient pénétré en Allemagne et on disait qu'elle tirait à sa fin. Pendant ce temps, ma mère recevait des lettres d'amour de Paul qui était toujours en Angleterre. Et si par malheur elle rêvait qu'il l'avait trompée, le pauvre, il recevait pour réponse une de ces lettres qui n'était pas nécessairement un poème. Et nous, on s'amusait beaucoup quand ma mère l'engueulait devant nous, comme s'il était là. Mais tout ça, c'était encore de l'amour et elle espérait que tout se terminerait bientôt. Pour nous, la guerre c'était un sport et on s'amusait à jouer dans les chars d'assaut qui attendaient, sur les quais, l'embarquement sur les barges, même qu'un jour on s'y fit prendre par la police du port, et c'est nous qu'on embarqua pour le poste de police.

Mais il a bien fallu qu'il arrive ce jour tant attendu, la reddition sans condition de l'Allemagne. La ville de Montréal et le pays tout entier devinrent un terrain de carnaval ; ça chantait, dansait dans les rues. Je n'avais jamais vu autant de monde en ville. Dans le quartier chinois, on avait sorti le dragon qui faisait lui aussi sa parade. Mais tout n'était pas terminé, il restait encore le Japon qui, lui, ne lâchait pas. Mais il y avait déjà beaucoup plus d'espoir en la victoire finale. Pendant ce temps, on continuait à harceler les déserteurs de l'armée. On voyait arriver les MP avec leurs camions et leurs Jeep à des heures inattendues par essayer d'attraper le grand frère de l'un ou l'autre de mes amis. Alors là, on entrait en action. Pendant que les vrais déserteurs allaient se cacher, les plus grands d'entre nous couraient sur les toits poursuivis par les policiers militaires, tandis que les plus petits dégonflaient les pneus des véhicules de l'armée en stationnement dans la rue. Il s'en suivait des coups de pied dans le cul quand un de nous se faisait attraper par l'un de ces colosses.

Un jour, comme si la terre avait eu un frisson, on parla d'une bombe qui pouvait détruire la terre entière et qu'on avait laissé tomber sur le Japon, peu de temps après ce fut la victoire finale et la paix dans le monde. Mais la paix n'arrangeait pas tout le monde, d'abord les industries qui fabriquaient des armes à St-Paul-L'Ermite venaient de fermer, les fabriquants de trains qui avaient changé pour des chars d'assaut retournaient à leur travail normal et congédiaient beaucoup de personnel. Même chose dans les chaussures où je travaillais toujours, on avait arrêté de faire des bottines de soldat et, d'un seul coup, tout changea : plus de couvre-feu qui nous obligeait à rentrer de bonne heure à la maison, fini le rationnement du beurre et du sucre !

On pouvait recommencer à manger du gâteau au chocolat dont ma mère était une spécialiste. On attendait avec anxiété la démobilisation, beaucoup de femmes espéraient le retour d'un mari ou d'un garçon qu'on avait envoyé à la guerre sans demander l'avis à qui que ce soit. Certains ne sont jamais revenus à la maison. On se posait des questions car on était depuis un bon moment sans nouvelles de Paul, l'armée était très discrète sur ce qui se passait vraiment.

Un jour, ma mère reçut un télégramme lui annonçant que Paul serait à la gare vers quatre heures de l'après-midi. Elle était très heureuse et nous aussi, alors on s'est tous préparés, on a mis nos habits du dimanche et on est parti pour la gare, en tramway. Nous sommes arrivés un peu en retard car nous n'étions pas les seuls à attendre le retour d'un soldat. La gare était bondée de monde et on cherchait, parmi les habits kaki, un homme qui ressemblerait à Paul. On en a trouvé plusieurs ; avec les années de séparation, on finit par changer les traits des personnes et on avait beau chercher, on ne trouvait pas. Ma mère était déçue, il était déjà tard quand nous nous décidâmes à retourner à la maison, chemin faisant dans le tramway personne ne disait mot, ma mère avait son regard des jours tristes, avec des larmes dans les yeux. Moi, j'étais insulté pour ma mère et si j'avais eu une bombe dans mes poches, j'aurais fait sauté la gare et le train avec, mais encore une fois, je ne pouvais rien faire d'autre que garder ma rage à l'intérieur. Lorsqu'on est descendu du tramway au coin de la rue Cuvillier et Ste-Catherine, mon frère Claude et ma sœur Lucile marchaient devant avec ma mère, je les suivais les mâchoires serrées, en pensant à ce qui venait de se passer.

On a croisé un homme de bonne taille qui, en passant a frôlé ma mère, quand il est arrivé à ma hauteur, m'a regardé, je n'ai pas aimé sa gueule et c'est parti tout seul. Je l'ai frappé en pleine figure d'abord de la droite et après de la gauche. Il ne s'est pas défendu et il est parti en courant… personne n'a rien vu.

Mais moi, j'étais redevenu calme ; pendant ce temps, ma mère avait eu le temps d'arriver à l'escalier de notre logement et j'ai cru remarquer qu'il se passait quelque chose, je suis parti en courant pour les rejoindre et quand je suis arrivé, ma mère pleurait dans les bras d'un soldat qui la serrait très fort avec des larmes de joie dans les yeux. Je me suis arrêté pour regarder ces deux amants dont je ne pouvais mesurer la tendresse et la force d'aimer, et autant j'ai pu frapper sur cet inconnu, autant mon cœur se serrait. J'ai éclaté en sanglots comme un imbécile et je n'ai rien fait.

Je venais de perdre une belle occasion de prouver mon amour à cet homme à qui je devais tant. Avec une aussi longue séparation, pas besoin de vous dire qu'après le souper, on s'est couché très tôt et que la porte de la petite chambre de ma mère, où nous entrions à volonté puisque c'était toujours ouvert, s'est refermée ce soir-là jusqu'au lendemain matin. Dans la matinée, on a su ce qui s'était passé à la gare. Paul était arrivé par un autre train beaucoup plus tôt que prévu et il s'était rendu à la maison, pensant nous y trouver, alors que nous étions déjà partis. Comme il n'avait plus les clés pour entrer, il était assis dans l'escalier avec son sac de soldat à côté de lui, quand ma mère l'a aperçu, et le reste, vous le savez.

Or après, il y eut beaucoup de problèmes à régler : la réadaptation à la vie civile pour Paul, d'abord reprendre son travail, puis se retrouver devant des enfants qui avaient changé et qui n'étaient plus aussi obéissants, surtout moi. Quant à Claude, il a toujours été plus docile, ma sœur Lucile avait son petit caractère mais c'était une fille et, de plus, « le bébé ». Mais ce n'était jamais bien grave ; comparée à moi, c'était un ange et on tenait à ce qu'elle le reste, malheur à celui qui aurait voulu lui couper les ailes, on s'en serait occupé. Entre Paul et moi, ça n'allait pas ; peut-être étais-je, sans m'en rendre compte, jaloux de ma mère et de ce fait, je creusai un fossé entre lui et moi, qu'il essaya bien souvent de franchir, mais sans beaucoup de succès.

Le petit chien

Si mon caractère ne changeait pas et si j'étais toujours aussi agressif, mon physique, lui, me jouait des tours et je grandissais de jour en jour. Ma mère qui avait de la misère à joindre les deux bouts était découragée de voir mes jambes et mes bras allonger démesurément. Pour m'habiller elle m'amenait sur la rue Craig où elle marchandait avec les Juifs de *pawn-shop* en *pawn-shop* pour payer moins cher des pantalons et des chemises qui ne duraient pas bien longtemps, parce que je passais mes soirées à me tirailler dans les rues et que je revenais souvent à la maison avec du linge déchiré, au grand découragement de Paul qui essayait bien de me convaincre de penser à mon avenir et de cesser de passer mon temps à faire des mauvais coups : « Tu vas finir par avoir des ennuis », mais je ne l'écoutais pas et si, par hasard, un de mes compagnons avait eu des problèmes avec d'autres gangs du quartier, je me faisais un plaisir d'aller régler le tout à coups de poing ou de bâton quand il le fallait, mais ce n'est peut-être pas la meilleure façon de se faire des amis ; on ne peut pas toujours être gagnant et il y en avait qui me cherchaient, et ce n'était pas pour me faire l'amour… Ils ont fini par me repérer et savoir que je demeurais sur la rue Cuvillier. Ils sont venus un soir, une dizaine de gars du boulevard Morgan, pour me régler mon compte. J'étais dans la maison, en train de souper, quand on a sonné à la porte : c'est ma sœur qui a répondu parce qu'elle attendait quelqu'un. Elle m'a dit : « Paolo, y'a un gang qui te fait demander, et ça n'a pas l'air d'être pour jouer à la mère. » Paul travaillait ce soir-là ; il y avait mon frère et ma mère. On s'est tous levés de table et on a regardé par le rideau de la porte. J'ai dit : « Bon, y faut y aller », parce que il y avait aussi « les gars du boutte » qui attendaient pour voir ce que j'allais faire. Si je ne me défendais pas, je perdais la face devant mes *chums* et même si je devais manger une volée, ça n'était pas grave, au moins je ne serais pas un lâche.

Alors je vais chercher mes gants de gala ; c'était une paire de gants avec, à l'intérieur, des bagues de plomb à chaque doigt et, au milieu, à l'intérieur de la main, une tige de fer sur laquelle je refermais la main, ce qui donnait à mon poing une force de frappe dangereuse pour mon adversaire. Je ne m'en servais que dans des cas comme celui-ci. Je n'avais pas le choix. Pendant ce temps, ma mère était sortie dans l'escalier pour engueuler les gars du boulevard Morgan. Et elle leur a dit : « Vous êtes un gang de maudits lâches, vous êtes même pas capables de vous défendre un par un. » Il y en a un qui a crié : « Toi, la bonne femme, mêle-toi pas de ça. » Là, il s'est passé quelque chose d'inattendu ; mon frère Claude, qui était fort comme un cheval, mais qui ne se battait jamais, se mit en colère en entendant les gars insulter notre mère. Alors là, ce fut le spectacle ; on est rentré dans le tas, moi à coups de poing (et j'avais pas besoin de frapper deux fois), les Anglais tombaient sur le cul en se demandant ce qui venait de les frapper, et mon frère les prenait par les chevilles, les faisait tourner pour les envoyer voler sur « les chaînes de trottoirs ». Mais il y en avait un gros, rouge carotte, dont je ne venais pas à bout. Lui, on l'a fini à deux. Naturellement la police est arrivée et, comme nous étions chez nous, nous sommes remontés jusqu'au milieu de l'escalier. Quand un des policiers est venu pour nous attraper, ma mère est arrivée en criant : « Si tu touches à un de mes gars, j'te garroche en bas de l'escalier… t'as compris… pis, au lieu d'essayer d'attraper mes gars, occupe-toi donc des osties d'Anglais… y étaient dix contre deux. » Durant ce temps, le policier avait redescendu l'escalier en voyant une femme aussi décidée à nous défendre. L'autre policier essayait bien d'attraper quelques-uns de nos adversaires qui s'étaient sauvés dans les rues avoisinantes. Faut dire que dans le temps, la police n'était pas aussi bien organisée qu'aujourd'hui et, aussi, qu'il n'y avait presque pas d'assauts avec des armes. Dans ce temps-là, c'étaient les bras. C'était meilleur pour la santé de toute façon.

Tous les voisins avaient été témoins de ce qui venait de se passer et la grosse Lucienne s'était fait une réputation de bonne femme qui n'a pas froid aux yeux, et s'était attirée l'admiration et l'amitié de tous les gars de la rue. Une amitié qui dure toujours d'ailleurs parce que, en dehors de ses colères, si elle pouvait faire quelque chose pour aider quelqu'un, elle le faisait avec plaisir. L'incident s'est terminé en queue de poisson, puisqu'il n'y a pas eu de plainte de part et d'autre. Il y a juste moi qui ai dû manger de la soupe pendant quelques jours à cause de mes mâchoires et de mes lèvres qui étaient amochées. Mais ça valait le coup ; je venais de me faire un partenaire de classe en la personne de mon frère qui avait éprouvé des sensations nouvelles à se défendre. Et tout ça n'empêchait pas ma mère de chanter le matin en faisant le déjeuner. En effet, depuis le retour de Paul, elle avait beaucoup changé ; c'était un véritable rayon de soleil dans la maison. Et cette année-là, les fêtes furent particulièrement joyeuses. Ma mère commençait à préparer sa mangeaille et à cirer ses planchers une semaine à l'avance, en plus de travailler. Je me demande où elle prenait cette énergie.

La veille de Noël, j'avais terminé mon travail à quatre heures de l'après-midi. Je m'en retournais chez moi à pied en passant à travers le marché Maisonneuve. J'avais dans le cœur une espèce de douceur de vivre, d'allégresse, qui me faisaient voir les choses d'une façon toute différente, et je réalisais combien la vie pouvait être belle lorsque je vis, en train de fouiller dans les poubelles, un petit chien. Je me suis d'abord arrêté pour le regarder, il était blanc avec des taches brunes. Quand il a senti quelqu'un derrière lui, il s'est arrêté lui aussi pour me regarder. Comme je m'approchais pour le flatter de la main, il voulut partir en courant et je m'aperçus qu'il boitait.

Je ne suis pas allé bien loin ; il s'est couché dans la neige pour lécher sa patte blessée. Il faisait « un froid du diable ». Je me suis approché doucement pour ne pas lui faire peur et je l'ai pris dans mes bras, d'abord pour le réchauffer, ensuite je me suis dit que, pour lui aussi, c'était Noël. Et je suis parti avec le chien dans mes bras jusque chez moi. Mais, rendu à la maison, comme je savais très bien que ma mère ne voulait pas d'animaux et, aussi, que c'était défendu dans le bail de la maison, puisqu'on était au deuxième étage, je suis passé par la ruelle et j'ai grimpé par l'échelle pour rentrer dans la maison par la *shed*, toujours avec mon petit chien dans les bras. Ça n'était pas facile avec mes doigts presque gelés mais j'y suis arrivé. Rendu à l'intérieur, j'ai pris du vieux linge pour lui faire une niche, juste en dessous de l'établi de Paul ; puis, je suis rentré. Ma mère me demanda :

— Par où es-tu passé, pour l'amour du ciel ?

— Je suis passé par derrière.

— J'espère que t'as pas renversé les tartes et les tourtières que j'ai laissées là ?

Dans ma tête, ça s'est allumé ; j'ai pensé au chien. Je suis retourné dans la *shed* un peu trop tard. Mon invité était en train de fêter Noël en dégustant une belle tourtière à pleines dents. Je me suis dit : « Ça y est, je vais me faire engueuler. » Alors j'ai placé l'autre tourtière en sécurité. J'ai flatté mon chien… et puis, on verra. Je suis rentré dans la maison. Ma mère avait son beau tablier blanc sur lequel elle avait brodé ou flazé de jolies fleurs. Ses cheveux bien coiffés, elle était en train de brasser son ragoût de pattes de cochon et elle chantait comme toujours. Je l'ai embrassée et je lui ai dit :

— Dis-moi que tu ne seras pas fâchée contre moi !

— Non… Pourquoi je devrais être fâchée contre toi ?

— Comme ça, t'es pas fâchée ?

— Non.

– Et puis, est-ce que tu m'aimes ?

– Ben oui, je vous aime tous les trois.

– OK d'abord… Je me suis trouvé le plus beau des cadeaux de Noël ; je vais te le montrer.

J'ai ouvert la porte de la *shed* et mon chien est apparu. Ma mère a failli tomber par terre en le voyant. Puis elle s'est écriée :

– Pas un chien !

– Ben oui… il est beau, hein ?

– Mais ton chien, je pense qu'il boite.

– Je voulais te demander de l'argent pour aller le faire ramancher par Boily sur la rue Moreau.

– Ça commence bien !

N'empêche qu'elle m'a souri. Elle est allée dans la chambre pour revenir avec un « deux dollars ». Je l'ai embrassée en lui disant :

– Tu vas voir, maman, maintenant que j'ai un ami à moi tout seul, je vais être tranquille.

Ça n'a pas traîné, je suis reparti avec mon chien dans les bras et tout le long de mon chemin, sur la rue Sainte-Catherine, j'avais le cœur battant. Je croisais les gens qui avaient déjà commencé à fêter, d'autres avaient les bras chargés de cadeaux. À cette époque, les gens marchaient beaucoup ; je n'enviais personne en me disant que, sûr, le Bon Dieu avait tout arrangé pour que je rencontre mon compagnon. Enfin, je suis arrivé à la rue Moreau qui était quand même à six ou huit rues de chez moi. Je souhaitais que Monsieur Boily soit là. J'hésite un instant avant de sonner, de peur d'être déçu. Et la porte s'ouvre. C'est une dame qui me répond :

– Oui, qu'est-ce qu'il y a ?

– C'est pour faire réparer mon chien, Madame.

– C'est fermé ce soir, c'est Noël.

En entendant la réponse, j'avais les larmes aux yeux. Alors elle a enchaîné :

– Attends un peu, je vais aller voir.

Et Monsieur Boily est apparu dans la porte avec son air sévère, de prime abord. Puis il m'a souri en regardant mon cabot avec ses oreilles abattues ; puis, il m'a demandé :

– Qu'est-ce qui ne va pas avec ton chien ?

– Il a une patte qui marche pas.

– Tiens-le bien, je vais regarder ça.

Il a mis sa main sur la patte en question et ça n'a pas été long ; le chien a lâché un petit cri et tout était réparé. J'ai dit : « Merci beaucoup et combien ça va coûter ? » Il s'est mis à rire en me disant : « Joyeux Noël, ça ne coûte rien ! »

Je suis reparti, heureux, et presque en courant. En arrivant à la maison, mon frère Claude était aussi très heureux de notre nouveau compagnon que nous avons baptisé Coco.

Cette nuit de Noël en fut une très belle. Tout le monde y était : ma grand-mère, les tantes, les cousins ; ça dansait, ça buvait et surtout ça mangeait. Et le clou de la soirée, ce fut quand mon grand-père demanda à ma mère de chanter. Tout le monde s'arrêta et on écouta maman chanter : Si tu reviens, Le gamin de Paris et Quand il nous regarde avec ses yeux noirs. Mes tantes avaient les larmes au bord des yeux, puis ça revenait à la gaieté avec des chansons qui n'étaient pas des cantiques d'église. Et ça durait jusqu'au matin. Toute la famille repartait heureuse et ça durait jusqu'aux « Rois », d'une maison à l'autre. Aujourd'hui, je me demande si les commodités de la vie ne nous enlèvent pas le vrai sens des valeurs.

Pendant ce temps, en dehors de tous ces mouvements de ma vie, je continuais de travailler dans les chaussures, sans beaucoup d'intérêt. Tous les jours, je poinçonnais en entrant et en sortant. Et, comme un automate, toute la journée, j'enlevais les formes dans les chaussures de femmes. À l'heure du lunch, je parlais de musique et de chansons avec deux de mes compagnons de travail. Arthur étudiait le chant et faisait partie d'une chorale, il connaissait tous les grands chanteurs classiques et je l'écoutais avec intérêt. Il parlait de la façon dont on doit respirer en chantant et de techniques vocales que je ne connaissais pas encore. L'autre garçon, c'était Bruno, un grand mince, à l'air un peu chétif mais qui, en fait, ne l'était pas. Lui, c'était tout le contraire ; il jouait de la guitare en chantant du western. Ça faisait des discussions intéressantes, pour le garçon au caractère controversé que j'étais. Un jour, Bruno me dit :

– Viens chez moi vendredi, je t'apprendrai à jouer.

– Je n'ai pas de guitare.

– Ça fait rien, tu prendras la mienne.

Le vendredi suivant, je me suis rendu chez lui sur la rue Marie-Anne, je l'ai regardé et écouté attentivement et je trouvais merveilleux que l'on puisse chanter et s'accompagner seul. De retour chez moi, avant de m'endormir, je rêvai d'une guitare pendant que Coco, notre petit chien, dormait entre mon frère et moi, à l'insu de ma mère. Mais comment avoir une guitare quand on a une piastre de dépense par semaine ? Je réfléchissais à tout ça pendant que mon frère ronflait comme un bon. Et j'eus tout à coup une idée : comme il était inutile de rêver d'une guitare neuve, pourquoi pas aller dans les *pawn-shops* de la rue Craig où on peut échanger et barguainer n'importe quoi. Je me suis dit : « Demain on verra » et me suis endormi le cœur content. Dans les semaines qui suivirent, je continuai tous les vendredis d'aller pratiquer la guitare chez mon ami Bruno. Le samedi, je faisais la rue Craig en quête de guitare. Il y en avait une que je trouvais très belle, mais aussi très chère : 30 dollars ! Comment trouver une somme pareille ou encore quelque chose en échange ? Je trouvai la solution en passant devant le magasin de l'Armée du Salut. J'y allai quand il y avait beaucoup de monde, avec quelques copains pas nerveux. Pendant que l'un occupait la vieille anglaise, moi et les autres, on sortait des paires de patins. On en a sorti au moins cinq paires à chaque fois. Ça faisait beaucoup de patins pour un gars qui ne savait même pas patiner, mais qui était quand même vite sur ses patins. Le samedi suivant, je suis arrivé avec mon bagage sur la rue Craig pour marchander ma guitare : je ne l'ai pas eue. Les valeurs n'étaient pas égales. Je suis reparti avec ma poche de patins sur le dos et, à force de chercher et de barguainer de *pawn-shop* en *pawn-shop*, je suis revenu chez moi avec une guitare, car je savais de par ma mère qu'un Juif doit à tout prix vendre à son dernier client de la semaine et, même si cette guitare n'était pas celle dont je rêvais, elle ferait bien mon bonheur, mais beaucoup moins celui de mon frère et de ma sœur à qui je cassais les oreilles à pratiquer les quelques accords que je connaissais à longueur de soirée. Ma mère, comme toujours, me trouvait très bon car elle aimait mieux me voir à la maison le soir plutôt que de ne pas savoir ce que je faisais de mes soirées. Je continuai d'aller chez Bruno tous les vendredis pendant le reste de l'hiver et je pris goût à la musique sans penser à devenir professionnel. Un jour, en revenant de travailler, juste au coin de la rue Cuvillier, quelqu'un, assis dans un taxi, m'appelle ; je m'approche alors pour m'apercevoir que c'était mon père. Il était bien vêtu et j'eus un peu de difficultés à le reconnaître car il avait un peu vieilli et ça faisait quelque temps que je ne l'avais pas vu. Il me demanda si je voulais aller au restaurant avec lui ; je lui ai dit « oui », en me sentant un peu coupable car ma mère ne tenait pas à ce qu'on lui parle, car naturellement il était la source de tous nos embêtements et dangereux à fréquenter. De toute façon, j'y suis allé et on a parlé de ce que je faisais ; il était ravi de savoir que je me battais bien et qu'en plus, je ne me gênais pas pour aller chercher ce que je voulais où il se trouvait. Il m'a dit : « Tu vas voir, un jour, toi et moi, les passes qu'on va faire. Tiens, regarde le taxi qui est à la porte, tout ce qu'il a à faire c'est de me conduire d'une banque à l'autre, nous sommes sur une affaire qui rapporte beaucoup. Je travaille avec un comptable juif qui fait les rapports d'impôts des gens riches, et comme ils sont obligés de signer des chèques pour faire leurs paiements, de cette façon on connaît leur numéro de compte et par leur rapport d'impôts, leur façon de dépenser ; je n'ai qu'à imiter leur signature à la perfection et contrôler le mouvement des sorties d'argent. À date, tout va bien. »

On a parlé de ma guitare, de celle que j'avais et surtout de l'autre que je ne pouvais avoir. Il m'a dit : « Samedi, je viens te chercher et on va aller sur la rue Craig magasiner. OK ? » Après avoir fait un peu de *shadow-boxing* avec moi devant le restaurant, on s'est quitté.

En arrivant à la maison, je ne me sentais pas bien dans ma peau lorsque ma mère me regardait. J'avais l'impression qu'elle devinait ce qui venait de se passer.

Le samedi suivant, tel que prévu, je m'arrangeai pour être seul et je retrouvai mon père, au même coin de rue, dans le même taxi. J'avais emporté ma guitare en disant : « Je m'en vais pratiquer chez Bruno. » Et on est parti. Rendus sur la rue Craig, j'ai repéré le bon *pawn-shop* où était l'instrument de mes rêves. J'y suis entré avec mon père qui m'a dit : « Laisse-moi parler. » Il s'est adressé au Monsieur derrière le comptoir. Il avait vraiment une tête de cinéma avec ses lunettes sur le bout d'un nez qu'on ne pouvait pas manquer de voir, des bretelles qui retenaient des pantalons gris sale qui avaient l'air de vouloir tomber.

Mon père lui dit, en montrant la guitare blanche pendue au milieu de toutes sortes de choses qui n'avaient aucun rapport avec la musique :

– Combien d'argent tu veux en échange de cette guitare-là ?

Il lui montrait celle que je tenais dans mes mains. Il a répondu

– 30 piastres.

J'ai dit :

– Papa, y demande le même prix que l'autre fois sans échange.

Mon père changea de regard et serra les poings, puis lui dit :

93

– Tu m'fourreras pas, moi, t'as compris… parce que je vas t'faire partir la tête de dessus les épaules, mon ostie de Moïse… pis t'auras rien, si tu prends pas sa guitare pis 10 piastres, t'as compris ?

Le Juif recula un peu et dit avec un accent :

– Fâche-toi pas, missieur, moi je fais juste la *biseness*… si tu veux la guitare, tu me donnes 15 piastres, puis l'autre guitare, pis tout est correct.

Mon père a dit :

– Non, 12 piastres, pis c'est tout.

– OK c'est parfait, je veux pas faire la peine à ton garçon.

Et on est sorti en riant comme des fous avec ma guitare. On est allé au restaurant manger des hot dogs, mon mets préféré. Mon père est venu me reconduire au coin de chez moi en prenant bien soin de ne pas être vu. En partant il m'a dit :

– Je vais revenir te voir bientôt.

– OK, salut papa.

Le taxi est parti et j'ai été sans nouvelles de lui pendant longtemps. De toute façon, il a fallu que je me trouve une histoire à dire à ma mère à propos de ma nouvelle guitare. J'ai raconté un peu ce qui venait de se passer, en excluant mon père et l'argent, et en me donnant quelque talent d'acheteur que je n'ai jamais eu. J'ai gardé cette guitare pendant des années et je l'avais encore quand je devins plus tard un chanteur connu. Il y avait entre elle et moi un secret que je n'avais jamais dévoilé avant aujourd'hui. Je le fais avec des raisons bien précises, pour que tu saches bien qui j'étais avant d'être le chanteur que tu connais.

Ces rencontres avec mon père qui, pourtant n'étaient pas fréquentes, arrivaient quand même à déranger mon esprit. D'abord parce que j'avais l'impression de trahir ma mère et, aussi, parce que je faisais des comparaisons entre Paul et lui. Paul était un homme calme et honnête qui affrontait les problèmes de la vie avec une certaine sagesse qu'il essayait bien de m'inculquer, comme il l'avait fait avec mon frère Claude. Émile, mon père, était un révolté contre la société et ses lois. Il avait déjà, à l'époque, un casier judiciaire chargé, et il était connu de la police comme un récidiviste endurci. Mes sentiments à son égard étaient un mélange d'admiration et de méfiance. Toutes ces questions auxquelles je cherchais une réponse, je n'avais personne à qui les poser ; donc j'enfermai tout en moi pour détruire un besoin intense d'amour et j'avais une agressivité dont je ne pouvais me défaire. Si Paul disait blanc, je disais noir et vice versa. Pour me libérer j'allais passer mes samedis et mes dimanches chez mon grand-père Therien qui avait pour moi beaucoup de tendresse et chez lui je me sentais bien. Ma grand-mère avait une façon de me serrer sur son gros ventre en me passant la main dans les cheveux et en me disant :

– Qu'est-ce qu'y t'ont fait encore mon p'tit chien ?

Et elle avait toujours dans les poches de son tablier quelque surprise ; elle murmurait :

– Si tu m'dis comment gros tu m'aimes, j'ai un beau cadeau pour toi.

Je lui disais, la tête appuyée sur sa poitrine qui sentait le camphre (elle mettait ça pour éloigner les microbes) :

– Mémère, je t'aime gros comme la terre entière !

Et le petit cadeau qu'elle me donnait était matériellement simple mais pour mon cœur, il prenait des proportions immenses. Cette sainte femme avait une patience avec les enfants ! Avec le recul du temps je ne me rappelle pas l'avoir vue autrement qu'avec un ou deux de ses petits-enfants dans les bras. Elle les berçait et les consolait sans jamais se lasser ou perdre patience. La maison était toujours pleine de monde. Il y avait mes oncles et mes tantes, en plus des cousins de la Gaspésie qui arrivaient à Montréal pour tenter la chance. Ça faisait beaucoup de monde autour de la grosse table ronde de la cuisine. Il y avait en permanence une grosse théière toujours pleine sur le poêle chauffé au bois. Et ça parlait en buvant du thé ou du petit blanc, et ça sentait bon la fricassée dans le gros chaudron de fonte. J'écoutais ce qu'on racontait sur la parenté qui était toujours à Saint-Joachim de Tourelle, et je me demande comment ils arrivaient à nourrir tout ce monde avec les maigres salaires qui rentraient dans la maison. Mon grand-père avait le dos courbé par les années de travail. Il réparait des machines à tisser le coton à la Dominion Textile. Il travaillait presque toujours de nuit et les salaires de l'époque n'étaient pas extraordinaires. Il y avait aussi mes oncles Paul et André qui travaillaient, mais quand même je trouve que ce monde-là faisait des miracles. Il régnait continuellement dans cette maison une atmosphère de gaieté ; il y avait, tout comme chez moi, un piano automatique dans lequel on passait des rouleaux qui tournaient à la condition de pédaler. Pendant qu'ils se déroulaient, on pouvait lire le texte des chansons. C'était en majorité des chansons de Tino Rossi. Longtemps, les soirs je pédalais et je chantais avec mes oncles qui chantaient bien et avec qui j'apprenais des chansons qui, auparavant, m'étaient inconnues. Et quand je retournais chez moi, je m'enfermais dans la *shed* avec ma guitare et mon chien, assis entre l'établi de Paul où dormaient des canards de bois à moitié terminés et le carré de charbon. Je prenais goût à chanter des chansons dont les mots me faisaient rêver. Mon chien Coco me regardait avec un air triste comme pour me dire : « Tu ne sais pas dans quoi tu t'embarques mon gros. »

Ça n'a pas été long pour que je donne des petits concerts à mes copains : Ti-Zair, Ti-Cul, Babine de velours, Ti-Coq, Ti-Zoune, Ti-Jacques, puis les autres. Sans le savoir, j'avais devant moi mon premier public qui m'écoutait attentivement. Et je chantais quelquefois tard dans la soirée et j'appris rapidement qu'on a beau avoir une voix, on ne se fait pas que des admirateurs. Il y avait d'abord les voisins qui se couchaient tôt, qui me criaient : « Ferme ta gueule, Tino Rossi, pis va te coucher... on veut dormir. » Ou c'était la bonne femme du troisième qui nous lançait une chaudière d'eau sur la tête. Mais elle, il a fallu lui régler son problème parce que si son mari rentrait soûl, là elle se vengeait sur nous. Alors un soir où « Laurenssel », le marchand de fruits du coin, avait jeté des caisses de tomates pourries, on a amené les caisses dans le bas de l'escalier et, quand la bonne femme nous a arrosés, on l'a bombardée de tomates. Et si moi, je n'étais pas champion à la balle molle, j'avais des copains qui étaient excellents. Ça a fait un beau dégât. Et, comme de raison, la police est venue et on a eu des histoires à expliquer au poste de police. Il a fallu changer de salle de concert. Mais cette même femme qui nous donnait des douches à tort et à travers ne savait pas qu'un jour je lui sauverais peut-être la vie. Son mari buvait au point de devenir dangereux. Un soir, on entendit des cris venant du troisième, je montai l'escalier trois marches à la fois. Rendu en haut, la porte était ouverte et il y avait à cause du passage une vue complète jusqu'au fond de la maison : je vis le bonhomme tenir sa femme par la gorge avec un couteau de cuisine dans les mains. J'entrai sans qu'il me voit venir et le pris par derrière. Il devait être gaucher car il tenait le couteau dans sa main gauche. Je le saisis immédiatement, il n'y a pas de chance à prendre avec un couteau et, avec mon avant-bras droit, je lui serrai le cou. Il ne résista pas beaucoup car je l'avais pris par surprise. C'est là que j'appris, pour le reste de ma vie, de ne jamais me mêler des troubles de ménage. À travers les mouvements que je devais faire pour l'obliger à lâcher le couteau, j'oubliai la bonne femme. Je sus où elle était quand je reçus un bon coup de bâton sur la tête. Heureusement que j'ai une tête de cochon. Je m'en tirai avec une bosse, quand la police, alertée par les voisins, arriva. Pour comble de bonheur, un peu plus c'était moi qui me faisais embarquer pour assaut. Après avoir reçu le coup sur la tête, je partis en courant vers la porte pour me frapper le nez sur la police qui me saisit. Une chance qu'il y avait mes copains et les voisins comme témoins, qu'il s'agissait d'une querelle de ménage qui aurait sûrement mal tourné si mes amis et moi n'avions pas été là.

Si, aujourd'hui je peux écrire les souvenirs que j'ai gardés de ma jeunesse et le faire avec amour, il m'arrive de rire ou bien d'avoir des serrements de cœur en le faisant.

C'est peut-être que j'ai gardé de mes copains des souvenirs merveilleux de la seule richesse que nous avions : notre amitié. Nous étions tous sans exception des garçons élevés au moment où la vie n'avait pas les facilités d'aujourd'hui. Mais je me demande si ce n'était pas la bonne façon de devenir de vrais hommes à qui les embêtements et les vrais problèmes de la vie ne font pas peur. Dans notre jeunesse, les dépressions nerveuses dues à l'abus d'alcool ou de drogue nous étaient inconnues, l'argent étant rare. Les seules gâteries qu'on se payait, c'étaient les liqueurs douces et la crème glacée que nous empruntions aux camions livreurs du quartier ou, encore, les pages de comics des journaux dont les paquets traînaient un peu trop à la portée de nos mains. Les centres récréatifs n'existaient pas dans le quartier et comme il fallait bien se distraire, on n'avait pas le choix. Écrivant ces lignes, il me revient à la mémoire une petite aventure bien amusante qui nous est arrivée à mes copains et à moi : celle de la Boulangerie Rivet qui était située sur la *darling*. Le propriétaire et boulanger, Monsieur Rivet, ressemblait étrangement au docteur Shweitzer, avec sa moustache et ses cheveux blancs. Cet homme faisait les meilleurs beignes que j'ai jamais mangés de ma vie. Mais comme il fallait naturellement les acheter et que nos poches, comme nos estomacs, étaient toujours vides, il a bien fallu se débrouiller. Nous connaissions très bien l'intérieur de la boulangerie parce que nous allions y porter les pots de fèves au lard des gens de la rue le samedi et nous allions les rechercher le lendemain matin. Ça nous donnait cinq sous du pot et on regardait avec gourmandise les tablettes pleines de beignes qui attendaient d'être livrés. Alors on revenait le soir car on avait pris soin de débarrer la fermeture de la fenêtre qui donnait sur la ruelle. Il y avait bien à l'extérieur une grille mais ça n'était pas un problème et on pénétrait dans la boulangerie sans rien briser. Il faut toujours penser au lendemain nous disait-on et c'est ce que nous faisions ; on se payait une traite de beignes à en avoir des indigestions. Monsieur Rivet, était une bonne personne, mais il dut s'apercevoir de la diminution de son *stock* de beignes !

Un soir où nous étions encore entrés dans la boulangerie pour dévorer les beignes, nous avons été surpris de ne pas pouvoir les avaler : ils avaient un goût de suif mélangé de savon. Je pense que Monsieur Rivet avait su se débarrasser de ses voleurs de beignes. Plus tard, on a bien ri en se rappelant cette petite mésaventure, assis dans la cuisine chez nous, car la maison de ma mère était le rendez-vous de tous les gens du bout et, bien des années après, mes copains continuaient de venir voir ma mère avec leur blonde ou leur femme. En parlant de femme, je dois dire qu'à cette époque je n'avais rien d'un don Juan. Je connaissais bien quelques filles par-ci par-là, mais jamais pour me sentir attaché, et mes relations n'avaient rien de sexuel ou de sensuel avec elles, j'oubliais facilement un rendez-vous pour un film ou une petite bagarre. J'étais beaucoup plus amoureux de ma petite chienne Coco que je trimballais partout avec moi, et même que le jour où elle a eu sa première relation avec un affreux mâle, je me suis senti blessé, insulté et j'ai pleuré au grand plaisir de mes copains qui me traitaient d'amoureux jaloux et possessif. Peu de temps après, j'eus beaucoup plus de peine, et avec raison cette fois, je venais de sortir de la maison pour aller faire une commission pour ma mère. J'avais laissé Coco à la maison car je n'avais qu'à traverser la rue et revenir, mais quelqu'un ayant ouvert la porte, Coco est sortie pour me rejoindre : il fallait bien que ce soit son destin parce qu'il passait très peu de voitures dans notre rue. Juste au moment où elle traversait, une auto est arrivée, qui l'a frappée sans s'arrêter. Je suis sorti de l'épicerie en criant et en rageant. Cette fois, personne n'avait envie de rire en voyant notre petite mascotte mourante dans le milieu de la rue. Quand j'ai vu qu'il n'y avait plus rien à faire, mon frère, les larmes dans les yeux, ayant emporté Coco dans la maison, je suis parti vers la voiture qui était stationnée juste en bas de la rue. Je suis allé frapper à la porte de la maison où le conducteur s'était arrêté et, lorsque la porte s'est ouverte, j'ai vu un homme évaché dans un fauteuil. Lui n'a rien vu, je suis entré sans demander et je l'ai frappé avec mes pieds en pleine figure. Je suis ressorti aussi vite pour aller me chercher un bâton de baseball et je me suis « désenragé » en frappant la voiture. Il était mieux de ne pas sortir, car je serais mort pendu. J'étais devenu dangereux à approcher. Mais tout ça n'a rien arrangé, bien au contraire, ça a été des embêtements pour Paul et ma mère. Pour bien des gens, la mort d'un chien est une chose bien banale, mais pour moi, ça ne l'était pas car j'avais enfin trouvé vivant, le petit chien de porcelaine qui m'avait apporté tant de joie et aussi tant de peine lorsque j'étais à l'orphelinat. Et cet imbécile de conducteur de mes couilles venait de tout détruire encore une fois. Je fus quelque temps sans parler à personne. Je n'avais pas le goût de chanter et ma guitare sonnait faux comme ma tête. C'est dans ces moments que ma mère me prouvait sa force. Sans désapprouver en rien mon geste, elle savait avec beaucoup de douceur trouver les mots qu'il fallait, elle me disait : « tout au long de notre vie il faut souffrir pour vivre nos amours, on n'a jamais l'un sans l'autre » et je sais maintenant combien elle avait raison.

Le printemps, cette année-là, fut très beau. Et le soleil avait commencé à réchauffer les chaînes de trottoirs sur lesquels on s'assoyait pour parler de mille et une choses, entre autres de voyages sur la mer car Claude avait déniché à la bibliothèque municipale un livre racontant les aventures d'un navigateur solitaire qui avait fait le tour du monde sur un vieux voilier. Il s'appelait Alain Gerbault et ça nous passionnait de savoir que l'on pouvait vivre en toute liberté sur des océans grands et bleus à n'en plus finir, et d'aller d'île en île sans jamais se lasser. Et nous, on faisait des grands rêves, des petites réalités car nous avions un petit bateau et, à défaut d'océan, un fleuve qui n'était pas encore pollué et sur lequel dormaient de nombreuses petites îles très peu fréquentées, mais que nous, nous connaissions. On faisait des projets de voyages à la grandeur de notre imagination. Quand l'été arriva, notre bateau, le *Tamaric*, repeint à neuf, nous emporta vers la « plage Bissonnette » où maman avait son petit camp d'été. La vie reprenait sa douceur, Claude et moi, nous passions nos journées et nos soirées à faire de la voile et à chanter. Rien ne nous troublait, ni fumer ni boire ni passion, puisque je ne voulais d'aucune fille sur notre bateau.

C'est écrit dans tous les livres de marins que les filles apportent la malchance à un bateau. Mon frère n'était pas d'accord avec cette légende et souvent on discutait sur la plage, devant une petite sirène inoffensive qui ne comprenait rien à mon entêtement. Et la discussion finissait toujours par : « Je suis capitaine ou non ? » Et mon frère qui avait un bon caractère finissait toujours par être d'accord ; heureusement pour moi car il aurait pu, s'il s'était fâché, faire deux moitiés de capitaine de ma personne. Et je ne me doutais pas que Claude aurait sa revanche tout au long de ma carrière de chanteur, en me rappelant ces discussions à propos des femmes ; je ne savais pas encore combien je dépendrais d'elles toute ma vie. De toute façon, aussitôt parti sur le fleuve, on oubliait tout et les jours n'étaient jamais assez longs pour rassasier notre appétit de liberté.

Au cours de l'été, ma mère avait eu un accident ; elle s'était coupée les veines du poignet avec une vitre brisée dans un des carreaux de la porte du camp. Il avait fallu la transporter d'urgence à Varennes. Ça aurait pu être grave s'il n'y avait pas eu sur la plage un yatch rapide pour le faire. Elle était revenue avec une main enveloppée pour un bon moment. Et Paul avait dû engager une jeune fille pour l'aider dans le camp et à la maison. C'était une petite blonde assez jolie qui souriait presque toujours. Elle avait pour nom Gisèle. Elle ne désembellissait en rien la maison. Un vendredi soir, après le travail, j'avais hâte de partir pour la plage et tout le monde ayant une bonne raison pour rester à la maison, je décidai de partir seul. Alors ma mère me dit d'emmener Gisèle avec moi pour qu'elle puisse faire le ménage dans le camp. Je lisais à la lueur d'une lampe à huile pendant qu'elle préparait les lits dans la petite chambre. Nous étions couchés depuis un bon moment, elle, dans la chambre à coucher et moi, sur le divan de la cuisine, lorsqu'un orage électrique commença. Il ventait, pleuvait à verse, pendant que le tonnerre résonnait partout. À tout moment j'avais l'impression que le toit allait se fendre en deux. À la lueur d'un éclair qui illumina le petit camp, je vis apparaître une fée ou une sorcière, je ne savais plus, dans mon demi-sommeil, mais je sentis une main très douce caresser mon visage et j'entendis une voix me dire : « J'ai peur toute seule, est-ce que je peux dormir avec toi ? » Je ne pus répondre tellement j'étais ému. Et elle se faufila sous les couvertures qui, dans leur mouvement, m'apportaient le parfum de sa peau. J'ai respiré profondément, comme respire un nouveau-né, car je venais de naître à l'amour, et, pour la première fois, je sentis la chaleur d'un corps de femme. Avec ce corps soudé à ma peau, mon cœur battait si fort que j'eus peur qu'il ne s'arrête, quand mes mains tremblantes et maladroites caressèrent les épaules, les seins et les hanches de cette jeune femme aux lignes douces et fines. J'avais déjà essayé d'imaginer et d'inventer ce moment, mais jamais rien dans mes rêves n'avait approché la réalité du moment où je me suis perdu en elle. La pluie pouvait tomber et le tonnerre gronder, je n'entendais rien d'autre que les battements de son cœur sur ma poitrine et je ne sais pas à quel moment je me suis endormi, car je n'ai pas entendu ma mère lorsqu'elle est arrivée. Heureusement pour moi, Gisèle avait changé de lit et cela a évité des questions inutiles. Après m'être levé, assis à la table devant ma tasse de chocolat chaud, je regardais à travers les moustiquaires de la véranda le soleil qui avait depuis longtemps séché la rosée du matin. J'étais encore sous le charme de ma première nuit d'amour et j'étais à la fois heureux et malheureux, car je me sentais coupable de je ne sais quoi. À l'époque il y avait tellement de tabous sur le péché et l'amour, comme si l'amour, quelle qu'en soit la forme, eut été plus péché que se battre comme je continuais de le faire.

Au lendemain de cette relation, il me semblait que tout avait changé ; ma rue, ma ruelle n'avaient plus la beauté que mon imagination de grand enfant leur donnait, que les champs où je courais n'avaient plus sur moi le même attrait et je regrettais déjà d'avoir pris sans m'en rendre compte le chemin tourmenté des adultes. Cette aventure dura un certain temps mais comme mon frère et moi partagions depuis notre enfance nos peines et nos joies, il en fut de même de la première femme. Paul était soupçonneux et répétait sans cesse à ma mère : « Je trouve que tes gars ont changé depuis quelque temps. » Et ma mère, qui nous voyait toujours comme des enfants qui n'ont pas grandi, nous défendait en disant : « Voyons, Paul, tu t'fais des idées… c'est encore deux p'tits gars qui jouent aux matelots. »

Jusqu'au soir où Paul, pour comble de malchance, surprit mon pauvre frère en flagrant délit avec la petite servante et pendant que Claude tout gêné se faisait sermonner, moi je pouffais de rire la tête dans mon oreiller. De toute façon, la servante fut congédiée et nous eûmes un petit déjeuner-causerie sur la sexualité et ses conséquences.

Le couteau de la destinée

L'automne était pour moi, depuis quelques années, une saison comme les autres avec cette différence que les arbres changeaient de couleurs, que les gens désertaient les plages qui durant l'été fourmillaient de monde, ou encore fermaient leurs chalets pour le retour des enfants à l'école.

Mais cette année, tout était différent. Le mois de septembre s'était habillé de mélancolie. Est-ce le regret que m'avait laissé cette aventure amoureuse avec cette femme-enfant ou les souvenirs de ma tendre enfance qui me trottaient dans la tête, quand j'étais seul le soir, assis dans le salon et que j'écoutais des chansons en regardant la lumière rouge du faux foyer, que ma tête devenait une salle de cinéma ? Je regardais un petit garçon à la tête blonde courant à travers les champs où se mélangeaient le foin et des fleurs aux couleurs jaunes qui entouraient une cabane au bord de l'eau, je revoyais ma mère, blonde et chétive, nous embrasser avant de nous coucher et le tout s'entrecoupait de moments d'amour charnel que j'avais vécus durant l'été pendant que la voix de Tino Rossi, dont j'écoutais une chanson, parlait d'amour et de bateaux perdus en mer. Je m'imaginais être le capitaine de ce voilier, toutes voiles ouvertes, que j'attendais. Je m'en allais sur l'océan en emmenant une fille au regard de l'infini vers des îles où tout n'était qu'amour. Quand mes yeux fatigués devenaient trop lourds, j'allais me coucher sans parler à personne de ces rêves que je cachais en moi. Le lendemain matin, c'était toujours la même routine, déjeuner et course à pied jusqu'à cette maudite manufacture de chaussures que je détestais. Avec mon degré d'instruction, je n'avais pas tellement le choix et je me disais qu'il fallait bien que je fasse quelque chose un jour ou l'autre. Je n'allais sûrement pas tripoter des chaussures de femme toute ma vie. Ce n'est pas avec ce métier que j'allais pouvoir réaliser mon rêve obsédant : avoir un vrai voilier avec une cabine où je pourrais dormir, aimer et rêver. Un jour que j'étais chez mon grand-père, ma tante Juliette m'avait fait une remarque concernant ma voix, elle m'avait dit : « Paolo, tu as dans la voix quelque chose de bien spécial et tu devrais chanter plus souvent. »

Je suis resté figé car je n'étais pas habitué à ce genre de compliment, je n'ai pas su quoi répondre mais lorsque je suis revenu chez moi, j'ai commencé à m'enfermer dans le salon, la porte fermée, pour écouter des disques de Tiro Rossi, Perry Como, Frank Sinatra, sur notre nouveau tourne-disque électrique. À l'époque, c'était tout nouveau de ne pas avoir de manivelle « à crinquer ».

Moi qui auparavant n'avais chanté que des chansons de style western, il m'arrivait même quelquefois de mimer les chansons et si par hasard, quelqu'un entrait, je restais gêné comme si je venais de faire un mauvais coup.

La seule personne devant laquelle je me sentais à l'aise, c'était ma mère. Souvent le dimanche, quand nous étions seuls et qu'elle faisait le repassage dans la cuisine, je m'assoyais près de la porte avec ma guitare et je lui chantais des chansons. Un jour, je lui demandai : « Crois-tu qu'un jour, je pourrai chanter assez bien pour que d'autres puissent m'écouter ? » Ma mère s'arrêta de repasser et me regarda avec son beau sourire et me dit : « Moi, j'trouve que tu chantes aussi ben que n'importe quel vrai chanteur. » Naturellement, c'était ma mère, mais ça me fit du bien quand même, et je m'appliquais en secret à étudier d'autres chansons.

Un soir en rentrant à la maison, je trouvai sur le plancher, dans le portique, une carte (parce que dans le temps, le facteur passait le courrier par une petite ouverture dans la porte et celui-ci tombait par terre). Cette carte nous enjoignait d'aller à la douane chercher un paquet en provenance des USA. Je me doutais bien de ce que c'était et on est parti, mon frère et moi, en tramway, le cœur battant pour aller chercher ce qui était le plan de notre nouveau voilier. Après les formalités de douane, nous sommes revenus à la maison tout exaltés comme s'il était déjà bâti, on a regardé ce plan de long en large, devant tous nos amis. C'était bien beau de voir ces lignes blanches sur papier bleu, mais malheureusement, nous n'y comprenions rien ; je me suis rendu compte combien j'étais ignorant de ne pas pouvoir déchiffrer une table de mesure. Mais j'avais un copain qui était encore aux études et qui savait ; c'était Jacques, et il se fit un plaisir de me faire faire des devoirs et à partir de ce jour, je me levai une heure plus tôt le matin pour étudier avant d'aller travailler, et ça ne fut pas bien long pour que je sois prêt à commencer la construction de ce bateau. Il ne restait qu'un problème à résoudre, et non le moindre, celui de l'argent, évidemment. Ma mère voulait bien nous aider, mais ce n'était pas assez. Je connaissais bien un moyen mais c'était dangereux et je risquais d'avoir des histoires, mais quand la vie ne veut pas, il faut vouloir pour elle, et à force de chercher ici et là, je finis par trouver. Je ne peux pas donner de détails, mais je peux vous dire que si j'avais été un véritable malfaiteur, j'aurais aujourd'hui une petite fortune en ma possession. Je ne sais pas d'où venait cet argent, mais je l'ai vu et touché, il était là, devant moi, dans de vieilles valises, à portée de ma main, au milieu d'un tas de vieilles cochonneries, et je ne prenais que ce que j'avais besoin pour payer le bois du bateau.

Mais un soir, j'ai bien failli me faire prendre. J'étais en train de compter l'argent quand la lumière s'est allumée, je n'ai eu que le temps de refermer rapidement le coffre et de disparaître derrière des boîtes, la face écrasée sur le mur de ciment, sans bouger ni même respirer. Je ne voyais pas, mais c'était probablement un homme et une femme que j'entendais parler. Ça m'a semblé durer une éternité ; alors quand ils sont partis, je n'ai pas voulu pousser sur ma chance et avant de repartir, je me suis servi généreusement en faisant bien attention de ne pas être vu en sortant. Rendu dans ma rue, il était assez tard et il n'y avait personne. J'ai caché le tout pour la nuit, sous une des pierres qui formaient la chaîne de trottoir et que je pouvais bouger et replacer.

Je ne voulais pas être pris avec ça dans mes poches, surtout par ma mère, je me serais fait assommer. Souvent, par après, les copains et moi, on s'assoyait sur le bord du trottoir pour jaser et pas un ne se doutait qu'il avait le cul assis sur ma mini-fortune. Et si en lisant ces lignes, certains de mes anciens amis doutent de moi, qu'ils se rappellent simplement les fois où au restaurant c'était toujours mon tour de payer.

Plus tard, j'ouvris un compte à la banque et j'allais y déposer mes économies. J'en rajoutais par petites tranches pour ne pas attirer l'attention, de cette façon lorsque ma mère me donnait 20 dollars pour acheter du bois pour le bateau, j'en rajoutais 20 et personne ne s'apercevait de rien. Pour être à l'abri, nous avons loué un vieux garage et tout l'hiver durant, nous avons travaillé au froid, les doigts à moitié gelés, à la construction de notre voilier. Comme on était jeune, on n'en souffrait pas beaucoup ; n'empêche qu'au printemps suivant, toutes les membrures, la coque, le tableau arrière et le nez étaient assemblés. Il fallut transporter le tout dans la cour de mon ami Ti-Guy Houde, juste en bas de chez nous, pour le terminer. Il y avait quand même une distance de quatre à cinq milles entre la cour et le garage, alors on s'est mis à plusieurs pour le transporter et ça n'a été qu'une raison de plus pour avoir du plaisir.

Un soir, je revenais de travailler, je descendais la rue avec sous le bras un sac de papier contenant le pot vide dans lequel j'apportais ma soupe pour le lunch, ma casquette de marin sur la tête, je pensais à mon bateau, quand je fus tiré de la lune par les cris d'un garçon qui courait vers moi, le visage tout pâle. « Paolo, viens vite, les deux Grecs, y vont tuer Ti-Coq, si tu y vas pas, il y a un des deux qui a un couteau, fais ça vite. »

Je laisse tomber le pot sur le ciment et pars en courant. Comme de fait, je vois mon copain étendu sur le trottoir avec un gars embarqué sur lui et qui le frappe sans arrêt. L'autre, le plus grand, regarde mais il ne me voit pas arriver. Je ne dis rien et je frappe celui qui est sur mon *chum* avec un coup de pied dans la figure, il tombe à la renverse, se sauve à quatre pattes pour se réfugier derrière l'autre qui fonce sur moi avec son couteau dans la main droite. Je fais un bond en arrière et sa lame me frôle le visage, je lui crie : « Mon ostie de Grec, tu penses me faire peur avec ça, ben, tu vas voir. » Je lui envoie un direct sur la gueule, il branle un peu et je pense l'avoir étourdi. Je m'approche alors pour le rattraper, mais je ne suis pas à l'aise dans le veston de marin que je porte, il est serré et ça ralentit mes mouvements. À ce moment, je sens comme une brûlure dans le ventre, du côté du foie.

Je réalise que je me suis trop approché de mon adversaire, il en a profité pour me frapper avec son couteau qui est resté planté dans mon abdomen. Je l'arrache et je le jette par terre, pendant qu'il reste figé devant moi, cette fois, je perds mon sang-froid et je lui envoie un crochet qui le fait tomber de côté, la tête entre les barreaux d'une petite clôture de parterre, et il y reste coincé, sans hésiter. Je saute la clôture en allant vers lui, je le prends d'une main par les cheveux et le frappe sans arrêt au point que je ne vois presque plus son visage tellement il saigne. Personne n'ose s'en mêler, excepté une bonne femme qui, de son balcon, me crie : « Lâche-le donc, maudit christ d'écœurant. » Tout à coup, j'ai les jambes comme de la guenille et je tombe à genoux, tout devient blanc autour de moi. Ma blessure a tellement saigné que ma chemise et la jambe droite de mon pantalon sont imbibées de sang. J'essaie de me relever quand je vois arriver en courant mon frère Claude, là je ne me rappelle plus très bien, j'ai dû perdre connaissance, je me suis réveillé dans les bras de mon frère qui traversait la rue en pleurant de rage. Il m'a dit : « J'veux pas que tu meures, t'es mon frère, pis j't'aime, si jamais y t'arrive quelq'chose, y vont payer cher, les osties de Grecs. »

En rentrant dans la maison, je ne devais pas être beau à voir car ma mère s'est mise à crier : « Dis-moi pas que tu t'es encore battu, maudit que tu comprendras jamais ! » Claude lui dit : « Maman, c'est pas le temps de le chicaner, là, il vient d'manger un coup de couteau dans le ventre, tiens regarde le sang, c'est pas écœurant ! »

Claude m'étendit sur le sofa du salon, puis alla chercher un paquet de guenilles propres pour mettre sur ma blessure qui saignait encore. Maman m'essuyait le visage avec une débarbouillette froide, je devais être pâle. C'est à ce moment que la police est entrée dans la maison, car la porte était restée ouverte.

Le policier est arrivé en tenant par le bras celui qui m'avait poignardé, il n'était pas plus beau que moi à voir. Le policier m'a demandé : « Est-ce que c'est lui ? » Mais je dois dire qu'il n'était pas dans nos habitudes de répondre rapidement aux questions de la police. Alors il m'a dit : « Décide-toi, c'est lui ou c'est pas lui ? » J'ai fini par dire : « Ouais » (pour ne pas dire « oui »).

Le policier : « De toute façon, on va le savoir. » Et puis, ils sont partis et les ambulanciers sont arrivés. Me v'la enveloppé et *strappé* à une civière pendant qu'ils me descendent dans l'escalier, je ferme les yeux pour ne voir personne. Mais j'entends des voix qui murmurent des choses à mon égard, des bonnes, des mauvaises, comme : « Je savais bien que ça y arriverait un jour » ou « Pauvre Lucienne, elle doit être tannée. »

Je suis parti en ambulance avec ma mère et mon frère sous le regard des curieux que le bruit de sirène avait attiré et on a démarré avec ce même bruit de sirène qui résonnait dans ma tête. Je ne me sentais pas très bien et je regardais ma mère qui pleurait en silence pendant que mon frère avait sa main appuyée sur ma tête. Le cœur me faisait beaucoup plus mal que ma blessure et j'aurais voulu mourir tellement je me sentais diminué.

Rendus à l'hôpital St-Luc, à l'urgence, les médecins se sont aperçus que même si j'avais perdu du sang, la blessure était beaucoup moins grave qu'on pensait, parce que la lame du couteau avait dévié sur un des boutons de cuivre de mon veston de marin, et qu'au lieu de toucher le foie, ce qui aurait été fatal, elle avait pénétré pour s'arrêter sur une côte. C'était douloureux, mais pas dangereux. Après m'avoir désinfecté la plaie et fait des points de suture, et m'avoir bandé les côtes bien serrées, je suis reparti, faible, mais sur mes deux pieds avec la police qui m'attendait dans le passage avec ma mère et mon frère, et on nous a conduits au centre de la police municipale sur la rue Gosford. Je dois dire que les policiers ont été très polis avec ma mère.

Je suis entré bien encadré entre deux policiers et j'ai retrouvé une senteur qui est bien spéciale à tous ces endroits, un mélange de vieille poussière avec du désinfectant et ça me donnait mal au cœur. Faut dire que j'avais de la misère à bouger et à chaque respiration, ma blessure me faisait mal, et je ne me sentais pas tout à fait dans mon assiette. Je me posais des questions sur ce qui m'attendait et je l'ai su quand nous nous sommes arrêtés devant une porte sur laquelle était écrit « Inspecteur ».

On nous a fait entrer ma mère et moi et on a dit à mon frère d'attendre dans le couloir. Derrière un bureau, un homme aux cheveux très courts avec un regard d'officier allemand nous a fait asseoir, puis a dit : « Allez chercher le Grec. » Ils sont entrés ; d'abord le père, qui pleurait, et celui au couteau, attaché avec des menottes. On l'a détaché puis fait asseoir de l'autre côté. Nous avions l'air aussi malheureux l'un que l'autre et ce fut l'interrogatoire. Ils en sont venus à la conclusion que même s'il s'était servi d'un couteau, il était en état de légitime défense puisque c'était mes amis qui avaient attaqué et que ce n'était pas la première fois.

Le père en sanglotant a supplié ma mère de ne pas porter plainte contre son fils parce qu'il était seul pour élever ses enfants et que c'était très dur d'arriver à tout faire pour un homme. De toute façon, ce n'était pas nécessaire qu'il le fasse puisque nous n'aimions pas mêler la police à nos problèmes. Alors le dossier fut fermé et on laissa repartir nos deux oiseaux. Quand nous fûmes seuls avec l'inspecteur, il se retourna vers moi et il me dit : « Je regrette que le Grec t'ait manqué, comme ça nous aurions été débarrassés d'une pourriture comme ton père. »

J'espère que le policier dont je parle lira ces lignes, parce que moi, je ne les ai jamais oubliées. Au retour dans le taxi, ma mère m'a regardé avec des yeux tristes à vous fendre l'âme en deux : « Je ne peux pas croire que je vais avoir un autre homme comme ton père dans ma vie. »

Cette parole était aussi cinglante qu'une gifle en pleine figure. Sur le coup, je n'ai pas répondu parce que j'avais la gorge trop serrée, puis j'ai éclaté. Pendant que les larmes coulaient sur mes joues, je lui ai dit : « Maman, j't'e demande pardon, à partir d'aujourd'hui, plus jamais tu n'auras à avoir honte de moi, parce que j't'aime et que j't'aime plus que tout au monde. »

Une nouvelle passion : chanter

Après cet accident, je restai à la maison en convalescence et je me rétablis facilement, mais j'eus le temps de réfléchir et je m'aperçus que la blessure que m'avait faite le Grec n'était pas celle qui me faisait le plus souffrir, j'avais dans l'âme et dans le cœur une déchirure qui me faisait beaucoup plus mal : c'était les paroles que m'avait dites le policier devant ma mère. Si j'écris la vérité, je dois dire que j'ai pensé au pire en pensant à lui, mais n'était-ce pas justement la meilleure façon de lui prouver qu'il avait raison en faisant ce genre de conneries, qui ne mènent qu'à un seul chemin : la prison ? Mais que faire pour lui prouver qu'il avait tort, ce justicier de mon cul qui m'empêchait de dormir, le soir quand j'étais seul et que les choses prenaient des dimensions étranges dans mon esprit.

Je me sentais pris dans un étau entre l'amour que j'avais pour ma mère et cette haine de l'autorité qui, depuis mon enfance, ne m'avait apporté que des déboires.

À cette époque, il n'était pas question pour moi de chanter, j'en rêvais quelquefois, mais entre mes rêves et la réalité, il y avait un monde. Mais je ne voulais pas passer ma vie à faire des chaussures à moins d'être un pied. Mon frère Claude travaillait dans l'imprimerie, Paul était maître lithographe et même ma sœur Lucile y travaillait aussi, alors pourquoi ne pas m'essayer dans ce domaine, peut-être que j'aurais une chance ? Je le laissais entendre quelquefois à Paul quand nous étions à table. Mais nous avions tous les deux un problème de communication et je pense qu'il ne tenait pas tellement à m'avoir dans ses jambes au travail ; avec le temps, je lui donne raison, mais à cette époque, je ne comprenais pas que ma façon d'agir n'était pas toujours très agréable. Et de toute façon, pour rien au monde, j'aurais supplié quelqu'un pour quoi que ce soit. Sur ce point, je n'ai pas changé.

Mais depuis quelque temps, ma sœur s'était fait un ami de cœur qui, lui aussi, était imprimeur, il s'appelait Pierre, il n'était mon aîné que d'un an. Avec lui, c'était plus facile de communiquer, nous avions d'ailleurs quelque chose en commun, nous aimions tous les deux nous battre avec nos poings. Lui dans l'arène puisqu'il était un excellent boxeur amateur et moi avec un peu moins de classe. Mon domaine, c'était la rue et on s'entendait bien. Il passait plus de temps à parler avec mon frère et moi dans la cuisine qu'à essayer de faire des passes à ma sœur, à son grand désappointement d'ailleurs, et elle lui disait quelquefois : « Est-ce que tu sors avec mes frères ou avec moi ? »

Et c'est à Pierre que j'ai demandé de me trouver du travail dans l'imprimerie. Il m'a dit : « Je veux bien essayer mais il faudrait d'abord que je te donne des leçons sur le fonctionnement d'une presse. »

À partir de ce jour, que ce soit après un combat de boxe ou un soir de sortie avec ma sœur, on s'assoyait dans la cuisine et tout en mangeant comme de beaux salauds d'immenses morceaux de gâteau au chocolat que ma mère faisait et dont nous étions friands, il essayait de m'apprendre les bases de son métier d'imprimeur.

Et un jour, il m'a déniché une place dans une petite imprimerie, rue St-Jacques. Je suis parti ce matin-là avec mes deux sandwiches de fèves au lard sous le bras en me disant : « Ça y est, c'est moi le champion des faiseurs de cartes de visite et de menus » et quand le patron m'a demandé des références sur mon travail passé, ça n'a pas été compliqué. J'avais travaillé où travaillait mon frère à la « Ronald Federated » et aussi à la « Canadian Printing » où travaillait Paul.

Mais quand je suis arrivé devant cette machine avec des rouleaux et des suces à papier, je suis resté figé un instant puis je me suis repris, je me rappelais que Pierre m'avait expliqué comment placer le papier, mais quand ce gros engin noir s'est mis à bouger, ça a fait un joli dégât et le patron s'est bien vite aperçu que je n'y connaissais rien du tout, mais que j'avais du culot, alors il m'a dit : « Je vais te garder quand même pour faire les livraisons et le nettoyage le soir à l'occasion, et je te ferai apprendre le métier. »

Je me suis dit : « Au moins, je suis sorti de mon trou et au début je me trouvais heureux de gagner 25 piastres par semaine pour me promener dans les rues avec des boîtes sur le dos et d'aller d'un édifice à l'autre, et de m'arrêter de temps en temps devant la vitrine du magasin « John Leckey » où on vendait tout ce qu'il fallait pour les bateaux. Et je rêvais d'être quelqu'un, un jour ; ce quelqu'un qui ferait dire à ma mère : « Ce garçon est mon fils. » Mais je me suis vite fatigué de faire les commissions et de balayer les planchers. Je sentais bien que ce n'était pas de cette façon que j'allais atteindre mon idéal, et je me suis posé une question : « Pourquoi lorsqu'il s'agit de faire des mauvais coups es-tu si débrouillard mon Paolo et alors qu'il te faut maintenant te résoudre à gagner convenablement ta vie, es-tu si dépendant des autres ? »

Un après-midi, je revenais d'aller porter un colis dans un bureau d'avocats et on m'avait donné 25 cents de pourboire. Je décidai de prendre le tramway pour me rendre à la Canadian Printing où Paul travaillait et je me présentai au surintendant qui était un de ses amis intimes. C'était un homme assez spécial ; autant que je me rappelle, il a toujours eu l'air vieux. C'était un Américain d'origine allemande qui venait souvent à la maison avec sa maîtresse et était toujours entre deux verres.

Il aimait chanter et rire très fort comme tous les Saxons, mais il avait un sens de l'humour très sarcastique que je détestais et il le sentait bien. Je ne lui adressais même pas la parole lorsqu'il me lançait des mots dans lesquels il y avait toujours des petites pointes et c'est pourquoi il me reçut assez froidement.

Je lui expliquai que j'aimerais travailler dans la lithographie. Il s'arrêta, il me regarda avec son regard étrange car il avait un œil plus petit que l'autre, comme s'il avait déjà porté un lorgnon comme les officiers Nazi du cinéma, et il me dit : « Je pense que tu fais une erreur, toi, tu es né pour être artiste, soit sculpteur, soit peintre ou chanteur, mais sûrement pas imprimeur. »

Je pensais vraiment qu'il voulait rire de moi (il paraît que la vérité choque) mais il a enchaîné : « Je veux bien te prendre à l'essai pour un mois, puis après on verra, je t'avertis à l'avance, tu n'as aucune faveur à attendre de moi, ici je ne suis l'ami de personne. »

J'eus envie de lui cracher dans la figure et de lui dire : « T'es bien content de venir à la maison te soûler avec ta maîtresse aux frais de Paul, qui a peur de toi, et de ma mère, qui a pas le choix, alors que maintenant tu joues le grand patron prétentieux derrière ton bureau ! »

Puis je me suis dit : « Paolo, ferme ta grande gueule, et avale ta salive, il faut que tu apprennes à être un homme » ; mais ce n'était pas facile. Il m'a dit : « OK tu commences ce soir sur la presse de Paul mais sur l'équipe de nuit. » J'ai fait un effort et j'ai murmuré : Merci.

Je suis reparti vers la maison, heureux d'avoir trouvé du travail, mais déçu de l'attitude de Frank à mon égard. Si c'est ça un ami dans le grand monde, alors je préfère mes copains qui n'ont rien mais qui sont sincères. Ma mère était très heureuse de la nouvelle mais je pense que Paul l'était un peu moins. Je pense qu'il croyait que j'allais lui compliquer la vie, lui qui était respecté par tout le monde à cause de sa connaissance approfondie de son travail. Je commençai le soir même tel que convenu et ça n'a pas été long pour me faire un nom et monter en grade car j'aimais beaucoup ce travail et j'y travaillai assez longtemps pour me faire des amis et naturellement quelques ennemis.

Je reviendrai sur ce sujet en temps et lieu, pour le moment, ma pensée s'oriente vers le souvenir de quelque chose qui a eu beaucoup d'importance sur l'orientation de ma vie. À cette époque, il y avait tous les lundis à la radio une émission très populaire, qui était diffusée du Théâtre Château à Montréal, sur les ondes du poste CKAC. C'était un concours d'amateurs qui s'intitulait : « En chantant dans le vivoir. » Un nouveau concours y avait été organisé pour connaître les meilleurs imitateurs d'artistes ou de musiciens qui étaient les vedettes du temps. Tous mes amis dans la rue, qui étaient les seuls à connaître mes talents de chanteur, me disaient : « Pourquoi n'irais-tu pas, nous on est sûr que tu gagnerais. » Mais moi, je n'étais pas aussi sûr, car aussi fantasque que je pouvais l'être dans la rue, je tremblais à l'idée de chanter devant un public. Mon frère, qui était allé voir un film de Tino Rossi m'a dit : « Je ne sais pas exactement ce que tu as de commun avec son physique, mais l'autre jour en le voyant au cinéma, je n'ai fait que penser à toi, est-ce le regard ou la façon d'être, vous avez la même voix, et tu as quelque chose de lui ou c'est lui qui a quelque chose de toi. Je pense que tu devrais te peigner les cheveux comme lui. » Et c'est ce que je fis.

J'arrivai à CKAC pour passer l'audition, les cheveux collés, avec une tonne de Bril-cream, une chemise noire que j'avais dû teindre moi-même et un complet bleu poudre, acheté dans un *pawn-shop* de la rue St-Laurent. Je n'avais jamais mis les pieds dans une station-radio de ma vie et j'étais impressionné, quand les portes de l'élévateur s'ouvrirent au troisième étage où était situé le studio d'audition, je m'aperçus que je n'étais pas seul, il y avait là autant de Tino Rossi qu'il y a aujourd'hui d'Elvis.

Je dis à mon frère :

– On s'en va.

– Y'en est pas question, t'as qu'à les regarder, c'est toi le plus beau, pis t'es le seul avec une guitare.

– Tu sais pas ce que tu dis, ils vont rire de moi.

– Si quelqu'un rit de toi, je vais m'en occuper pis y s'amusera pas longtemps.

Je suis allé donner mon nom à la demoiselle qui m'a dit de m'asseoir et d'attendre que l'on m'appelle.

Assis sur le banc, j'essayais de prendre un air détendu comme l'artiste qui en a déjà vu d'autres mais au fond de moi, je mourrais de peur à l'idée de ce qui m'attendait. Pendant une heure, on vit entrer et sortir des musiciens et des chanteurs qui, comme moi, venaient tenter leur chance. Tout à coup, j'ai entendu : « Paul-Émile Noël, s'il vous plaît ? »

J'ai failli perdre connaissance et mon frère m'a poussé : « Vas-y et montre-leur que c'est toi le meilleur. »

La porte du studio s'est ouverte et j'ai vu le pianiste qui attendait nonchalamment. Je n'avais pas fait deux pas à l'intérieur que j'entendis une voix qui, pour moi, semblait sortir des murs mais que je reconnus puisque c'était celle de Bernard Goulet qui s'est écrié en me voyant : « Mais ma parole, c'est le fils de Tino Rossi. » Je me suis retourné et je l'ai vu, derrière la vitre qui sépare le studio de la chambre de contrôle, me regarder en souriant et il m'a dit : « Allez, M. Noël, on vous écoute. »

C'était la première fois qu'on me parlait aussi poliment, j'étais très impressionné et je sortis ma guitare pour réinstaller devant le micro un autre machin que je ne connaissais pas. Je me mis à chanter, tout en m'accompagnant, une samba qui s'intitulait *La Marquinia*.

Quand j'eus terminé, je les entendis rire et je me suis demandé si c'était avec moi ou de moi. Il me dit : « Est-ce que vous pourriez chanter une chanson plus sentimentale avec le pianiste ? » Je répondis : oui.

Sans savoir ce que je disais, car je n'avais jamais chanté avec autre chose que ma guitare, mais j'avais dans ma poche une feuille de musique toute pliée que je tendis au pianiste. C'était une chanson extraite d'un film de Tino Rossi qui était très en vogue et qui s'intitulait *Maria*. Je dois dire que déjà, je me sentais plus à l'aise et que j'avais la voix moins tremblante. Quand j'eus fini, Bernard Goulet est entré dans le studio avec le sourire et il m'a dit : « On ne vous téléphonera pas, c'est vous qu'on a choisi pour représenter Tino Rossi. Alors revenez la semaine prochaine pour pratiquer avec l'orchestre. » Je suis sorti du studio pour retourner vers mon frère qui m'attendait et je me demandais si j'allais rire ou pleurer. En voyant mon regard, mon frère a compris que c'était gagné et il m'a pris dans ses bras forts pour me serrer en m'embrassant sur la joue. Tout le monde nous regardait, on devait avoir l'air de deux belles tapettes, mais on s'en fichait parce qu'on était heureux.

Rendus à la maison, on s'est emparé du téléphone et toute la famille a été mise au courant de mes débuts de chanteur à la radio. Le soir de l'émission, toute la rue Cuvillier était branchée à CKAC et tous mes copains, eux, étaient mélangés au public dans la salle, car on jugeait par la densité des applaudissements.

Moi, je suis entré par l'entrée des artistes avec mon frère et j'avais un sentiment de grandeur pour la première fois de ma vie. J'étais très impressionné par la hauteur du plafond d'où descendaient d'immenses rideaux, pendant que les musiciens ajustaient leurs instruments et tout à coup, j'ai entendu : « La Living Room Furniture présente, directement du Théâtre Château : En chantant dans le vivoir ». Et l'orchestre d'entamer le thème de l'émission pendant que le rideau s'ouvrait sur les feux de la rampe qui s'allumaient. J'avais vraiment l'impression d'être dans un autre monde, moi qui n'avais jamais vu que les lumières des lampadaires de ma rue Cuvillier et j'ai vu défiler les artistes débutants sous les applaudissements d'une salle pleine à craquer.

Il y avait un Georges Guétary en la personne du jeune Jean Claveau qui devint un réalisateur à CFTM, un petit garçon qui jouait des tambours, comme le chef d'orchestre-batteur Gene Krupa, sur des bidons de tôle et qui est devenu ensuite un des meilleurs batteurs de jazz à Montréal, son nom Guy Nadon, et ce fut mon tour. Le régisseur était le comédien Roger Turcotte, dont le public a vu les performances à l'émission de Claude Blanchard plusieurs années après. Il me fit placer derrière le grand rideau, puis j'entendis la voix de Bernard Goulet dire : « Voici le Tino Rossi canadien avec Paul-Émile Noël. » Les jambes tremblantes je me suis rendu au milieu de la scène où était le micro, j'entendais des murmures dans la salle et la tête me chauffait comme un volcan.

Maurice Mirte, le chef d'orchestre, m'a regardé avec son sourire paternel pour me donner confiance et il m'avait dit à la répétition : « Ne regarde que moi, je vais te guider pour que tu n'aies pas de problèmes avec ton tempo. »

Il y avait 20 musiciens et ce n'était pas le temps de me tromper. J'ai entendu l'introduction débuter sur les violons qui apportaient à mes oreilles un son merveilleux. J'ai ouvert la bouche pour laisser passer ma voix sur les premières phrases de ma chanson : « Maria, quand je vois tes yeux, pour moi, la vie est plus belle et tout est merveilleux… », et j'ai entendu la chose la plus grisante pour un artiste, des applaudissements, si forts et si violents qu'on aurait dit qu'une vague immense de la mer m'avait transporté dans un monde merveilleux.

Je me suis réveillé à la fin de ma chanson, encore ivre de cette joie, que je venais de connaître et j'ai dû revenir saluer le public trois ou quatre fois avant que cette marée ne s'arrête. J'ai été le gagnant, à égalité avec le petit batteur. Donc, on devait revenir la semaine suivante chercher notre montre Bulova et interpréter une autre chanson. De retour à la maison avec tous mes copains, nous avons mangé le gâteau au chocolat de la victoire. Ma mère me dit quand nous fûmes seuls : « Tu vois, je te l'avais bien dit, que c'était toi qui étais le meilleur. »

Pauvre maman, ce que j'ai pu travailler pour te le prouver par après, mais au moins j'avais atteint une parcelle de mon but : « Tu étais enfin fière de moi ! »

Qui suis-je ?

Le succès, si petit soit-il, change votre façon de voir les choses. Il faut vraiment ne pas être prétentieux pour ne pas le devenir, car il est terriblement grisant de se voir ovationner par une foule de gens, quand la veille, vous marchez dans la rue et que c'est à peine si quelqu'un déplace son regard pour vous regarder passer.

Et je me croyais vraiment lancé dans cette jungle qu'est le *show business*. Je ne savais pas encore qu'il me faudrait travailler encore 20 ans pour pouvoir me payer la Place des Arts avec les 20 musiciens que j'avais eu au début ; mais pour le moment, ma première émission de radio m'avait apporté des joies comme de me faire dire : « Je t'ai entendu à la radio, c'était bien beau », ou encore « Tino Rossi n'a qu'à bien se tenir, il a un bon compétiteur ! »

Mais une médaille a toujours deux côtés, et il y a aussi le mauvais comme se faire dire à l'ouvrage, quand il faut nettoyer des rouleaux d'encre, « M. la Vedette ne veut pas salir ses belles mains de chanteur ? Dans ce cas-là, tu peux mettre tes deux mains dans la marde, c'est pas demain que tu vas remplacer Tino Rossi. »

Et toutes sortes de mots tout aussi gentils qui donnent envie de leur casser la gueule, mais il ne faut pas, quand on essaie de devenir un Monsieur bien élevé. D'ailleurs, je m'étais acheté, dans ce but, un livre de bienséance pour apprendre les bonnes manières que personne ne m'avait apprises car avec les religieuses, je n'avais appris que deux choses : enlever ma casquette en entrant dans une église et m'agenouiller devant un Dieu que je devais craindre plutôt qu'aimer. Et si je devenais ce que j'avais décidé d'être : un artiste, il me faudrait au moins avoir un minimum de savoir-vivre.

À cette époque, j'avais déjà eu quelques « romans d'amour » et je précise que c'était avec des filles car beaucoup de gens ont souvent tendance à croire que tous les chanteurs sont homosexuels ou bisexuels. Dans mon cas, je n'ai jamais pu regarder une femme sans lui trouver un charme quelconque et avoir dans mon fort intérieur un petit désir de la posséder. Surtout que, depuis mes premiers succès comme chanteur, elles étaient beaucoup moins rebelles à mes approches qui, à l'époque, n'étaient pas très dangereuses.

J'étais encore très timide et j'avais tendance à placer les femmes sur un piédestal, c'est une habitude que j'ai encore aujourd'hui de croire que les femmes sont toutes des « enfants de Marie. » Ça m'a d'ailleurs attiré quelques mésaventures dont je parlerai plus tard. Je fréquentais toujours mon ami Bruno qui m'avait appris la guitare et, depuis mon départ de la manufacture de chaussures, il s'était marié et semblait très heureux.

Un jour, il m'avait invité à une petite réception intime qu'il avait organisée pour fêter l'anniversaire de sa jeune belle-sœur. Et elle portait bien son nom puisqu'elle était très jolie, avec un visage d'enfant naïf qui ne sait rien des embêtements de la vie. Elle était si petite qu'on aurait dit une poupée de porcelaine avec des yeux gris vert qui changeaient de couleur selon l'intensité de la lumière et qui se baissaient si on les regardait avec insistance. J'aurais bien voulu embrasser cette bouche qui souriait discrètement.

Mais je n'aurais jamais osé, de peur de la décevoir. Après la soirée quand je suis retourné chez moi, j'avais l'impression que les trottoirs étaient des nuages tellement je me sentais léger, je ne m'étais pas rendu compte que j'étais tombé amoureux d'une fille de 16 ans qui allait, sans que je le veuille, chavirer ma vie.

De toute façon, je pense bien que dans la vie, rien n'est parfait car si depuis cette rencontre merveilleuse, je vivais dans les nuages, une triste nouvelle me fit revenir sur terre. Ma grand-mère que j'adorais était gravement malade et allait mourir. Je partis la voir avant qu'il ne soit trop tard et pendant que je marchais, je pensais à toute la tendresse qu'elle m'avait donnée depuis que j'étais enfant et tout à coup, je fus pris d'une sensation de crainte, je m'imaginais arrivant près d'elle et qu'elle était déjà partie. Je me mis à courir car de la rue Cuvillier à la rue L'Espérance, il y avait un bon bout de chemin et je ne pris pas le tramway à cause des détours qu'il devait faire.

Je courais toujours quand, arrivé devant l'église de la Nativité, je m'arrêtai un instant en voyant la statue de la Sainte Vierge en qui j'avais confiance ; je sais que pour les athées, je vais avoir l'air d'un beau cave, mais je lui ai demandé quand même de faire en sorte que je puisse voir ma « mémère » avant qu'elle ne meure et je suis parti en courant sur la rue Ontario. En arrivant dans la maison de mes grands-parents, cette maison, qui jadis respirait le bonheur, était devenue si sombre, qu'on aurait dit que le soleil n'y était jamais entré. Tous les membres de la famille étaient là, le regard triste attendant la fin de cette sainte femme, qui allait partir en leur laissant pour héritage, le souvenir d'un amour qu'ils ne retrouveraient plus jamais. Je demandai à ma tante Juliette si je pouvais voir mémère. En entrant dans la chambre, une odeur très forte me fit presque lever le cœur, ça sentait le médicament et une odeur « de je ne sais quoi ». Je vis ma grand-mère couchée sur le dos avec sa jambe allongée. Elle avait le visage crispé par la douleur, la gangrène ayant fait son œuvre de destruction causée par le diabète négligé ou mal soigné. Avoir un médecin à son chevet à ce moment était un luxe réservé aux gens riches. Je m'approchai de mon grand-père qui était à côté du grand lit de cuivre et je me mis à genoux pour prendre la main de ma grand-mère. J'approchai mon visage du sien pour l'embrasser sur la joue et je lui murmurai à l'oreille : « Bonjour ma belle mémère. » J'ai respiré profondément la senteur de sa peau qui sentait le camphre, je n'osais plus parler quand elle a passé sa main sur mes cheveux comme elle le faisait chaque fois que j'avais du chagrin et qu'elle me disait avec son accent de Gaspésienne : « Qu'est-ce que t'as encore mon p'tit chien ? »

J'avais le cœur trop gros pour lui parler, j'aurais eu tellement de choses à lui dire, je suis parti de la chambre avant d'éclater, et je suis sorti dehors pour pleurer. J'ai frappé le mur de briques avec mon poing pour faire passer cette rage qui m'envahissait en pensant à cette femme que j'aimais et qui allait mourir sans que je puisse faire quoi que ce soit, car je l'ai déjà dit, je suis un mauvais perdant. Je n'accepte pas la défaite qu'elle vienne de Dieu ou du diable et encore une fois, je détestais la terre entière. Encore aujourd'hui, je me demande pourquoi les femmes que l'on aime nous quittent d'une façon ou d'une autre.

En mourant, ma grand-mère laissa derrière elle beaucoup de tristesse mais il fallait que la vie continue, la mienne se partageait entre mon travail à l'imprimerie, la construction de mon voilier et les concours d'amateurs où j'essayais de me faire un nom, mais c'était beaucoup moins facile que je l'avais cru. Une chose bizarre que je me rappelle, c'est que si c'était le public qui était juge, j'étais alors gagnant, mais si j'étais jugé par des professionnels, j'arriverais deuxième ou troisième ; mais gagnant ou pas, je m'en foutais du moment que je chantais.

À la maison, il y avait du changement : un garçon qui travaillait avec mon frère, qui n'avait jamais connu sa mère ni son père et qui semblait très malheureux venait quelquefois, le dimanche, manger avec nous. Et un beau jour, comme de raison, ma mère qui a toujours eu le cœur plus grand que son compte en banque a fini par le garder à la maison qui n'était pas très grande et ça nous a fait un garçon de plus dans la famille qui ne s'en portait pas plus mal. C'était un gars avec des épaules de débardeur fort comme un bœuf, mais doux comme un agneau.

On l'appelait Ti-Guy, on passait notre temps à le faire enrager et nous ne sommes jamais arrivés à le faire fâcher. Avec un grand enfant de plus, notre chambre à coucher avait pris l'allure d'une caserne à soldat ou d'une cabine de matelot. On couchait dans des lits superposés qui avaient été achetés au surplus de l'armée. Paul nous avait construit d'immenses garde-robes qui étaient au pied de nos lits et qui bloquaient presque l'entrée de notre chambre. Mon frère dormait sur un côté dans le lit du bas avec ma sœur au-dessus, moi j'étais de l'autre côté dans le lit d'en bas et Ti-Guy au deuxième.

Il y avait quelques problèmes de circulation quand ma sœur qui était scrupuleuse devait changer de vêtements, alors il fallait sortir tous les trois de la chambre ou elle nous faisait des scènes, ou lâchait des cris qui réveillaient même les voisins. Faut dire que mon frère et moi « n'étions pas piqués des vers » pour faire le genre de farce qu'elle n'appréciait pas tellement à propos de ses seins ou de ses fesses. C'est alors que Paul, qui malgré une situation bien mal vue à l'époque où le concubinage n'était pas admis, venait nous engueuler parce qu'il était malgré tout très puritain. Mais le pire, c'était lorsqu'il fallait dormir, que l'un ou l'autre commençait à faire le clown ou à jouer des tours à Ti-Guy comme de placer nos bas qui sentaient ce que tous les bas des jeunes garçons sentent (pas tellement bon) en-dessous de son oreiller, ou encore de placer une grenouille vivante sous ses couvertures, lui qui avait peur des petits animaux ; Paul se fâchait, il nous criait de dormir pendant que nous, on se tordait de rire.

Mais malgré tout, à bien y penser, c'était peut-être les jours les plus heureux de ma jeunesse que je vivais. En plus, j'avais décidé de rester tranquille, et je pense que ma mère était très heureuse. Souvent je restais à la maison pour pratiquer des chansons avec ma guitare. Un soir, ma mère me demanda si je voulais lui faire une commission sur la rue Chambly. J'ai dit « oui » et je suis parti avec Ti-Guy qui avait une qualité : il était désennuyant. Il n'arrêtait jamais de parler et on marchait tous les deux sur la rue Ste-Catherine lorsqu'en arrivant au coin de la rue Joliette, j'aperçus, appuyés à la vitrine de la quincaillerie, sept ou huit gars dont la réputation de faiseurs de troubles était connue et de plus, ils avaient comme chef un lutteur dérangé qui faisait peur à tout le monde dans le coin ; alors je me suis dit : « Paolo, fais attention à toi pour le moment, tout va bien, mais fais en sorte que ça continue. Évite les troubles. » Et je fis un détour pour leur laisser le trottoir.

Mais en passant, c'est à Ti-Guy qu'ils s'en prirent en le poussant assez fort, pour qu'il tombe sur le dos dans la rue. Je me retournai assez rapidement pour voir venir vers moi ce monstre dont tout le monde avait peur. Et je pense qu'ils avaient raison car moi aussi j'eus peur en voyant ce gros crâne écrasé entre deux épaules et qui semblait ne pas avoir de cou, avec deux yeux vicieusement agressifs cachés derrière d'épaisses lunettes appuyées sur un nez écrasé, encadré de deux oreilles en chou-fleur.

J'eus envie de me sauver, mais je me dis : « Non, mon gros si tu veux ma peau, perdant pour perdant, tu vas la gagner. » D'autant plus que les autres avaient déjà fait un cercle autour de moi, ce qui ne me donnait pas le choix. Je me mis en position de défense, et j'analysai mon adversaire. Il avait des bras très courts qui dégageaient une certaine force, mais je m'aperçus aussi qu'il était lent et bougeait comme un gorille, je me dis : « Il faut que je le tienne à distance, sinon je suis fait. » Alors je fis un mouvement comme pour frapper de la droite mais je frappai de la gauche sur son nez ce qui fit voler ses lunettes, car je n'étais pas sans savoir, vu leur épaisseur, que sans celles-ci il ne voyait pas plus loin que le bout de son nez, et je continuai de le frapper sans arrêt en lui criant des injures pour lui faire perdre son sang-froid et c'est ce qui lui arriva.

Il essayait sans succès de m'attraper car j'étais plus rapide que lui. La nature m'a gratifié d'un beau cadeau en me donnant une longueur de bras qui l'empêchait de m'approcher et je l'entendais grogner comme une bête enragée. Pendant que le sang lui sortait de la bouche et du nez, ça faisait peut-être 10 minutes qu'on se bagarrait et il ne m'avait pas encore touché, je reçus un coup derrière la tête. Ça ne m'a pas tellement fait mal mais ça m'a fait enlever les yeux de dessus mon adversaire qui en a profité pour me donner un magistral coup de pied dans les couilles.

C'était comme si on m'avait enfoncé une barre de fer dans le ventre tellement ça me faisait mal. Je tombai à genoux, en me tenant le ventre avec mes deux mains et là, c'est venu de partout. Et ils se sont tous jetés sur moi à coups de pied et à coups de poing partout dans le visage et sur le corps.

Je suis tombé la face sur le trottoir et « le gorille » m'a retourné, s'est assis sur moi avec une main sur la gorge en continuant de me frapper avec l'autre dans la figure et en me disant : « Tu le diras quand t'en auras assez, Ti-Christ de baveux. »

Je l'entendais, je ne pouvais pas répondre, j'avais la bouche pleine de sang qui m'étouffait. J'entendis Ti-Guy, qui n'avait rien fait pour m'aider, paralysé par la peur et qui pleurait, dire : « Lâchez-lé, vous voyez bien qu'y en a assez. »

Je restai quelques instants par terre quand mes yeux purent voir, il ne restait que Ti-Guy qui m'aidait à me relever. Il n'y avait pas un coin de mon corps qui ne me faisait pas mal. J'avais de la misère à marcher et je rageais quand tout à coup, je me mis à vomir le sang que j'avais avalé, sûrement pendant que j'étais sur le dos.

Encore aujourd'hui, quand il m'arrive de saigner des gencives après m'être brossé les dents, je pense à ce goût affreux que m'avait laissé, ce jour-là, le sang dans ma bouche. Et si parfois quelqu'un doute de ce que je viens d'écrire, celui qui a été témoin et qui m'a transporté chez moi après la bagarre vit toujours et ne l'a sûrement pas oublié, lui non plus.

En descendant la rue Cuvillier, il me semblait que ma rue était devenue terne et triste. Je marchais à côté de Ti-Guy et mes jambes étaient molles. En arrivant devant chez moi, j'eus une faiblesse, je m'assis dans le bas de notre escalier et je me mis la face entre les mains pour sangloter.

Je regardais à travers mes doigts le ciment du trottoir éclairé par la lumière jaunâtre du lampadaire et je me demandais pourquoi cette connerie venait de m'arriver. Comment vouliez-vous que je me présente aux amateurs de Billy Monroe à CKVL avec la tête que j'avais ? Il va bien falloir que je fasse quelque chose pour que ça change. Ou bien je change de quartier ou je m'engage sur un bateau comme matelot, et salut, Paolo Noël, le chanteur.

J'en avais plein le dos d'expliquer à tout le monde si c'était moi ou pas qui avait commencé la bagarre. De toute façon, je m'étais fait un mauvais nom et je payais pour. Pendant que dans ma tête qui me brûlait, j'essayais d'analyser le cauchemar que je venais de vivre, le visage d'une jeune fille dont je commençais à ne pas vouloir me défaire apparut pour me redonner un peu de courage.

J'ai craché le sang qui coulait dans ma bouche, par mon nez, complètement congestionné et je me suis levé pour monter chez moi. La porte n'était pas barrée parce que Guy était entré avant moi. On aurait dit qu'il n'y avait personne dans la maison. Ma mère et Paul étaient couchés. C'était mieux comme ça, je n'aurais pas d'explications à donner à personne. Mon frère et ma sœur étaient sortis. J'allai chercher un bassin dans la chambre de bains pour retourner m'étendre sur le divan car j'avais encore la nausée et je ne me sentais pas bien, ma peau me faisait mal. Étendu sur le dos, je regardais le plafond du salon que ma mère avait peint bleu ciel et sur lequel elle avait collé de petites étoiles. J'essayais de penser à un autre ailleurs pour oublier ce qui se passait en moi, car j'avais peur de mourir. Et je vomis du sang. J'avais envie de dormir mais je ne voulais pas, de peur de ne pas me réveiller. J'entendis la porte s'ouvrir et vis apparaître mon frère qui me demanda : « T'es pas encore couché ? » N'ayant pas obtenu de réponse, il alluma la lumière. Quand il me vit, il s'écria : « Pour l'amour du Ciel, qui est-ce qui t'a fait ça ? »

Il s'approcha de moi et je me sentais en sécurité en voyant mon frère qui était, je l'ai déjà dit, « la moitié de moi ». Je lui racontai brièvement ce qui c'était passé, puis ma sœur est entrée et en me voyant, elle s'est mise à pleurer : « Mon Dieu, ça aucun bon sens ! »

Naturellement avec le bruit que nous faisions, ma mère s'est levée pour venir voir ce qui se passait. Claude s'est dépêché d'expliquer mais ma mère s'est fâchée et s'est mise à engueuler Ti-Guy : « Toé, t'as regardé sans rien faire ? T'as pas l'air de savoir que les bras que t'as là, c'est pas fait rien que pour porter des paquets. »

Et mon frère partit sur-le-champ pour aller trouver les gars de la rue Joliette, accompagné de ma sœur Lucile, qui n'avait pas froid aux yeux, elle aussi. Elle s'était armée d'un bout de chaîne en cas de besoin, pendant que ma mère essayait de me soigner comme elle le pouvait. Ils sont revenus à la maison sans les avoir trouvés. J'étais couché dans mon lit quand mon frère est entré, il a mis ses grosses pattes sur moi et il m'a dit : « Fais-toi-z-en-pas, Paolo, y perdent rien pour attendre les osties quand y auront passé entre mes mains y pourront pu battre personne. J'vais les étouffer un par un, pis toute le gang ensemble si y veulent. »

Je dois dire merci à quelqu'un pour la santé et la force de récupération que j'ai toujours eues car je mis très peu de temps à me rétablir, et ce, sans médecin. On n'y pensait même pas.

Aujourd'hui en écrivant ces lignes, je sais toutes les complications qu'aurait pu provoquer cet incident. Ce qui prouve que moins on en sait, mieux on est.

Mais le moment des règlements de compte vint, après avoir laissé passer le temps, pour faire croire que tout était oublié. Nous partîmes un soir Claude et Pierre, l'ami de ma sœur qui venait de se rendre avec succès jusqu'en finale des « Golden Glove » (Le Gant d'Or). J'avais les adresses de chacun, les restaurants et les salles de billard ou de *bowling* où ils se tenaient.

Nous les avons tous trouvés un ou trois à la fois, et même celui qui était en train de faire du *necking* avec une fille, quand on a eu fini avec lui, il n'avait plus la gueule qu'il fallait pour continuer. Notre ami, le lutteur, ou plutôt le malade mental, eut droit à un traitement spécial. C'est d'abord mon frère qui l'attrapa au moment où il ouvrait la porte pour venir voir qui frappait avec autant d'insistance. C'est par la gorge que mon frère le sortit du portique, pour l'envoyer en bas de l'escalier. Le département de l'air aurait été jaloux de voir un homme voler sans ailes et atterrir juste devant Pierre qui achevait son entraînement de boxe à même son monstrueux petit minois. Et le tout se termina par les quelques savates que je lui devais bien. Je pense au curé qui disait en chaire : « Quand on vous frappe une joue, il faut tendre l'autre. » Il n'avait sûrement pas mangé la même volée que j'avais eue. Mais tout ce qui se passait ne m'aidait pas à devenir ce que je voulais être : un Monsieur. Et les parents de la jeune fille dont j'étais amoureux voyaient d'un très mauvais œil nos fréquentations qui, malheureusement pour moi, n'étaient pas très fréquentes.

Je demandais souvent à ma mère, pourquoi nous ne trouverions pas un autre endroit où nous pourrions être heureux tous ensemble. Un coin où il y aurait des arbres et des fleurs comme lorsque nous étions enfants et que nous vivions dans cette cabane au bord de l'eau. Elle me disait qu'il fallait, pour réaliser notre rêve, beaucoup d'argent. Mais si chacun de nous continuait de donner à ma mère sa paye au complet avec celle de Paul, ça ferait quand même cinq salaires qui rentreraient dans la maison et si on se forçait à économiser, on y arriverait. De toute façon, ma mère était une optimiste née. Le contraire de Paul, qui était toujours inquiet, et j'étais sûr que si elle le voulait, elle y arriverait. Durant cet été, je n'allais plus avec la famille à la plage Bissonnette car une chose me troublait.

Les parents de Thérèse, cette fille que j'aimais, l'avaient envoyée pour l'été dans un camp de vacances dans les Laurentides, pour l'éloigner de moi. Alors je me consacrai exclusivement à la finition de mon voilier, qui fut terminé à la fin de l'été. La mise à l'eau fut faite juste à côté des quais d'où partaient les bateaux de la plage Bissonnette à

Pointe-aux-Trembles. Et ce fut pour nous la réalisation d'un grand rêve qui n'allait jamais se terminer : l'amour des bateaux.

Nous étions très heureux, mon frère et moi, de faire comme les vrais marins : manger, dormir et vivre dans notre bateau. Et nous avons fait de la voile jusque dans les jours froids de novembre. Avec le temps, Thérèse et moi malgré bien des objections, nous nous étions retrouvés, mais nos amours n'étaient pas faciles. J'allais souvent chanter le dimanche dans d'affreux cabarets à putains de la rue St-Laurent pour trois dollars, ou encore dans les théâtres où ça sentait les pieds et le *pop-corn*. Elle avait raison de ne pas me suivre et ça donnait raison à ses parents, pour de nouvelles séparations. Mais pendant ce temps, je devenais la vedette de la famille. Pendant les fêtes de Noël, à toutes les « parties », il fallait que je chante quelques chansons. Comme je ne buvais pas et que je ne fumais pas, j'attendais avec impatience qu'on me demande de chanter. Si par hasard pour une raison ou pour une autre, on m'oubliait, je retournais chez moi complètement déçu, car au fond de moi, j'ai toujours détesté les parties où tout le monde se soûle la gueule. Encore aujourd'hui, je n'ai pas changé sur ce point.

C'est pourquoi on ne me voit pas souvent dans les cocktails mondains. Bien qu'étant amoureux, je commençais à avoir pas mal de succès avec les femmes, ce qui m'attirait bien quelques jalousies masculines. Un soir chez mon grand-père, durant les fêtes, je venais de chanter, les mains appuyées derrière une chaise, mes deux chansons préférées, « Destin » et « Maria ». Tout le monde m'applaudissait et j'avais droit aussi aux baisers chaleureux des dames. La fête s'était enchaînée avec une danse carrée et pendant que j'entendais le « calleur » crier demi-tour à gauche, demi-tour à droite, j'étais compressé dans le passage entre la cuisine et le salon, et appuyé sur la porte de la toilette. Quand un de mes cousins, qui était juste devant moi, appuyé sur le mur d'en face, me dit, avec un accent bien gaspésien : « Tu s'ras jamais un chanteur, t'es t'un calisse de bum comme ton père. » Et il met sa main sur ma cravate pour m'attirer vers lui. J'avais beau, avec toute la bonne volonté du monde, vouloir être un Monsieur, ça c'était trop. La réponse fut rapide malgré le peu d'espace que j'avais pour bouger ; il y avait des parents qui nous tournaient le dos, mais avec le bruit de la fête, ils n'entendaient rien de ce qui se passait derrière eux.

Pendant que je sentais ma cravate se serrer autour de mon cou, je lui donne un bon coup de poing dans les dents que je vis tomber par terre. Ses genoux se plièrent pendant que je continuais de le frapper sur la tête. Il était toujours pris après ma cravate et je commençais à manquer d'oxygène, mais il finit par lâcher quand il fut bien sonné.

J'ai ouvert la porte de toilette, je l'ai assis sur le bol et je suis sorti de la maison sans que personne ne se soit aperçu de rien. Je suis allé me promener dans la rue. Le silence de la nuit me fit du bien, j'avais l'impression d'entendre tomber la neige qui, de temps en temps, caressait la peau de ma figure. Je me sentais bien, mais je me demandais en moi-même pourquoi j'avais agi de cette façon, au lieu de partir en oubliant les paroles venimeuses de cet imbécile qui ne savait pas, sûrement, le mal qu'il m'avait fait. Je marchai assez longtemps pour avoir les pieds glacés, mais j'avais peur que mon grand-père ne soit fâché contre moi.

Je revins dans la maison croyant que tout était terminé. Mais non, mon cousin était encore là dans la cuisine, à crier des injures à mon égard, assis dans la chaise berçante, tenant dans ses mains les deux dents que je lui avais arrachées. Mon grand-père, pour la première fois de ma vie, me regarda avec un air sévère. Il me demanda pourquoi j'avais fait ça. J'essayais de lui expliquer pendant que l'autre criait. Mon grand-père qui avait de l'autorité, lui dit : « Ferme ta grande gueule, pis laisse le p'tit parler. » J'ai dit, avec des larmes qui me venaient aux yeux de rage ou de peine, je ne sais plus : « Pépère, tu l'sais que j'suis pas un bum comme mon père. » Et l'autre s'est levé, pour venir vers mon grand-père qui lui tournait le dos. Il n'avait peut-être pas l'intention de le toucher, mais je ne pris pas de chance. Je lui redonnai un bon coup de poing sur le nez, il retomba dans la chaise berçante et il culbuta les pattes en l'air. Là mon oncle André le ramassa pendant que mon grand-père se mit devant moi. Il cria : « J'veux pas de chicanes dans ma maison, toi vas-t'en chez vous ! » et il me dit d'aller me coucher. Ça terminait bien mal une belle fête de Noël. J'étais à la fois gêné et humilié de ne pas avoir respecté la demeure de mon grand-père. Car dans cette maison j'ai toujours été un peu l'enfant gâté et j'ai toujours trouvé beaucoup d'amour et de compréhension auprès de mes tantes Yvette, Jeannette, Simone, Cécile et Juliette.

Si j'avais des problèmes, c'est à elles que j'allais me confier. Il y avait aussi mes oncles, dont un était presque de mon âge ; il se nommait Roméo mais on l'a toujours appelé Ti-Méo. Il y avait André, le *Playboy*, qui changeait de blonde toutes les semaines. Et mon oncle Paul, lui c'était le don Juan parfait, toujours très élégant, il sortait toujours avec des femmes dont la beauté faisait penser à celle des actrices de cinéma.

J'admirais sa façon d'agir avec les femmes, toujours poli et courtois et le mot flatteur au bout des lèvres. Je l'avais pris comme modèle, s'il portait un complet rayé style « mafiosi de classe », il fallait absolument que je trouve le moyen d'en porter un aussi.

Cette influence fut bonne pour moi, car il fit du petit bohème que j'étais un garçon qui essayait d'être élégant comme son oncle, et je lui demandais souvent : « Comment fais-tu pour toujours sentir si bon et avoir des cheveux toujours si bien coiffés ? »

Je pris ainsi l'habitude d'être un peu plus fier de moi et j'allais dans un petit salon de barbier italien, juste en face de l'église de la Nativité d'Hochelaga sur la rue Ontario, chez Antonio Soro. Et là pendant que je me faisais couper les cheveux, j'écoutais son neveu, Michel Soro, nous jouer à l'accordéon la sérénade italienne. Il était accompagné à la guitare par un grand garçon mince qui avait pour nom, Tony Romandini (ni moi ni Tony ne savions qu'un jour nous ferions des disques et des émissions de télévision ensemble). Après c'est papa Soro, le cordonnier, qui cirait mes chaussures et je repartais tout « chromé » pour aller veiller chez ma petite blonde dont j'étais jalousement amoureux.

Je passais mes mardis et mes jeudis dans le salon d'une petite maison de la cinquième avenue à Rosemont à me faire débattre le cœur à tout rompre si son père arrivait à rester dans la cuisine le temps de l'embrasser et de la serrer très fort contre moi. « Un moi » qui se mourait d'amour passionné toujours inassouvi, car à part ses lèvres et ses mains, c'est tout ce que j'arrivais à posséder. Néanmoins, chaque fois que je retournais chez moi, la tête dans mon oreiller, je composais pour elle mes premières chansons d'amour et je m'endormais heureux en rêvant de mes étoiles et de mes voiliers perdus en mer.

À l'imprimerie, pendant le travail, je continuais à travers le bruit infernal que font les grosses machines, d'être dans la lune et de composer des chansons. Ça m'attirait des engueulades de la part des pressiers qui n'avaient pas le cœur à la romance.

Même qu'un jour, j'en pris un à la gorge, je faillis bien l'étouffer parce qu'il m'avait traité de bâtard de chanteur. Je ne l'ai pas frappé mais je lui ai crié que j'avais une mère pendant qu'il essayait de sortir de mes mains sans succès.

Ça m'a valu une petite rencontre avec les patrons qui m'ont averti de ne pas recommencer sinon, ce serait la porte. Mais il a dû être heureux car, quelque temps après à force de ne pas être présent à ce que je faisais, je me suis fait écraser un doigt entre les rouleaux, et si je n'avais pas été rapide dans mes mouvements, c'est ma main qui y serait passée.

Je porte encore aujourd'hui la cicatrice de cet accident au majeur de la main gauche. Je fus un certain temps sans pouvoir jouer de la guitare et ça m'embêtait beaucoup car j'attendais des nouvelles d'une compagnie de disques.

Quelque temps auparavant, après avoir écrit quatre chansons, j'étais allé au magasin de musique « Maradza » qui était situé dans le temps, sur la rue Ste-Catherine en face de « Dupuis Frères », où j'avais enregistré dans un petit studio mes quatre chansons directement sur un acétate (disque temporaire qui sert souvent d'audition). Quand j'eus terminé l'enregistrement, M. Maradza me fit remarquer la ressemblance frappante de ma voix avec celle de Tino Rossi. Avec, en plus, un trémolo trop prononcé que je devrais corriger, mais il me dit que je devrais quand même essayer d'envoyer ces épreuves à des compagnies de disques qui seraient peut-être intéressées.

Il me donna l'adresse de la compagnie RCA Victor et aussi celle de Decca Compo, et toutes les deux étaient situées à Lachine. Ça n'a pas traîné pour que je me présente chez RCA Victor avec mes disques sous le bras. Après l'audition, la réponse fut directe : « Nous ne voulons pas d'un deuxième violon parmi nos artistes. Votre voix ressemble trop à celle de Tino Rossi. »

Je suis reparti déçu, mais pas découragé, j'étais en route vers Decca Compo où on m'a reçu poliment mais en anglais. Je ne comprenais absolument rien et on a fait venir une dame, qui avait plutôt l'allure d'une vieille fille avec ses cheveux attachés en chignon et ses lunettes au bout du nez, pour me servir d'interprète. On écouta mes chansons avec intérêt et on me dit qu'on me donnerait une réponse par écrit dans quelque temps. Ce qui me fit penser que peut-être ce serait « oui ». Et je repartis tout heureux vers mon faubourg en rêvant que je serais peut-être un jour un grand artiste. Cette réponse arriva un beau matin par le trou de la porte où le facteur laissait tomber les lettres sur le plancher du portique. Heureusement encore une fois, j'étais guéri de mon accident au doigt assez rapidement car on me proposait d'enregistrer deux de mes chansons dont je cédais les droits pour la somme de 0,01 $ du disque vendu.

Naturellement je m'accompagnerai seul à la guitare. L'enregistrement pourrait avoir lieu dans une semaine si j'acceptais les conditions. Toute la maison était enchantée à la pensée que j'allais faire un disque. Naturellement, ce n'était pas avec ce contrat que j'allais devenir millionnaire, mais ce que je voulais avant tout c'était chanter, et pour ce qui était des conditions, je n'avais pas le choix.

Je leur avais raconté que j'étais un professionnel débutant alors qu'en vérité, je n'étais qu'un pauvre chanteur à trois dollars qui devait, en plus, travailler du soir au matin dans l'encre et les rouleaux de papier.

Je n'avais aucun intérêt à compliquer les choses, le bonheur et l'argent ne vont pas toujours de pair. Le studio d'enregistrement était situé sur la rue Bleury entre Ste-Catherine et Ontario dans un édifice qui n'avait rien d'artistique. Il y avait à chaque étage des manufactures de linge et je me retrouvai coincé dans un élévateur entre des chariots de linge et des bonnes femmes qui sentaient la sueur, quand l'élévateur s'arrêta au troisième. J'étais heureux d'en sortir en me disant que les artistes ne sont pas gâtés comme je le croyais. Je m'engageai dans le corridor encombré de boîtes de toute sorte et je vis la porte du studio. Je frappai avant d'entrer et j'entendis une voix qui semblait venir de loin me crier en anglais *Come in*. J'ouvris la porte pour apercevoir derrière une cage de verre un homme qui me regardait avec un sourire rassurant. Je me posais bien des questions : « Vais-je être à la hauteur de ce qu'ils attendent de moi ou suis-je assez distingué pour qu'ils ne décèlent pas en moi l'ouvrier que je suis ? »

J'avais d'ailleurs nettoyé minutieusement mes mains et mes ongles habituellement noircis par l'encre. Pendant que je me dirigeais vers lui, l'émotion me donnait comme un mal de cœur, à moins que ce soit cette senteur de goudron ou d'huile chauffée qui en ait été la cause. De toute façon, je n'étais pas gros dans mes culottes quand ce Monsieur, qui était occupé à travailler sur une machine qui ressemblait à un tourne-disque, s'est retourné pour me dire *Hi*. Moi j'ai répondu à ce que je croyais vouloir dire bonjour : « Bonjour, Monsieur ».

Il est venu vers moi sans se défaire de son sourire pour me dire en anglais : *I am Phil Rose* (Phil Rose qui est aujourd'hui directeur de la compagnie MGM à Hollywood, Californie). Comme à cette époque, je ne parlais pas un mot d'anglais, j'étais bien embêté et malheureux de ne pouvoir répondre ; s'apercevant de mon manque de vocabulaire à la Shakespeare, il fit des efforts pour me parler en français. Il me fit comprendre de me préparer à l'enregistrement et que le grand patron devait arriver d'un instant à l'autre.

Pendant que je sortais ma guitare de son étui, je regardais ce studio qui ne ressemblait en rien à ce que j'avais déjà vu au cinéma. Il y avait sur les murs à plusieurs endroits de la paille attachée avec des broches et sur le plancher un feutre à tapis, pour absorber le son.

J'étais perdu dans mes pensées quand la porte du studio s'est ouverte et j'ai vu apparaître un petit vieillard au visage ridé et aux cheveux blancs qui semblait venir d'un autre temps. Il est entré avec derrière lui une espèce de géant habillé en chauffeur privé. Il s'est dirigé vers moi et je lui ai souri pour alléger l'atmosphère, mais rien à faire, il m'a regardé de haut en bas avec un regard sévère et froid sans broncher. C'est à ce moment que le technicien, Phil Rose, est venu faire les présentations : *Mr Burliner, meet Paolo Noël.*

J'ai tendu la main et j'ai senti entre mes doigts ce qui devait être une main, elle était petite et froide, comme ce regard qui était toujours braqué sur moi. Et il est allé s'asseoir dans un gros fauteuil de cuir rouge, que j'avais remarqué en entrant à travers le désordre de ce studio. Après s'être assis, il s'est adressé au technicien qui lui s'est adressé à moi, dans un français cassé : « Mr Burliner veut vous entendre chanter ». J'avais déjà ma guitare dans les mains, alors devant le micro je me mis à chanter, j'ai été interrompu par le vieux Monsieur qui a dit : *Very good.*

Je me suis retourné vers lui, et là j'ai vu une image que je n'ai jamais oubliée : ce petit homme fantomatique tout habillé de noir, assis bien droit dans ce fauteuil, l'air digne et dominant, les deux bras appuyés de chaque côté avec une jambe croisée. C'est pourquoi j'ai remarqué qu'il portait des bottines lacées qui montaient très haut au-dessus de la cheville, avec derrière lui cette espèce d'armoire à glace, habillé comme un soldat russe qui ne le lâchait pas d'un pouce.

Mr Burliner a levé la main sans dire un mot et le technicien m'a dit avant de fermer la porte de la cage de verre : « OK, on enregistre ». Tout ça se passait si rapidement et si étrangement que je me demandais s'il y aurait assez d'espace, dans ma gorge qui se serrait, pour laisser passer ma voix. Quand le technicien me fit signe de commencer, je jouai sur ma guitare ce qui devait être l'introduction de ma chanson et « youp », c'était parti. La chanson terminée, je me préparais pour la deuxième pendant qu'il changeait l'acétate sur la machine. Dans ce temps-là, il n'y avait pas encore de bande sonore, c'était en direct sur le disque.

À la deuxième chanson, je crus faire un mauvais accord et je voulus recommencer et on m'a dit : *No it is good, you sing very well*. Et Mr Burliner en me regardant m'a fait quelque chose dont je ne le croyais pas capable : sourire. Il m'a donné la main et il est reparti comme il était venu. Je ne l'ai jamais revu. Après son départ, Phil Rose est venu vers moi en souriant pour me dire : « Quand Mr Burliner fait un compliment, faut l'accepter, car il en est aussi avare que de son argent. »

Dans ce temps-là, je ne savais pas quel moment important de ma vie je venais de vivre, car très peu d'artistes ont eu la chance de rencontrer en personne Mr Burliner qui était un pionnier dans le monde du disque. C'est lui qui avait importé au Canada les premiers gramophones à cornet et les bobines à son qui faisaient la joie des gens riches à l'époque où la radio était presque inexistante. Mais ce que je savais, c'est que j'étais heureux.

Je venais d'enregistrer mon premier disque, un 78 tours sur étiquette Star : *Thérèsa* et *Belle étoile d'amour*.

Entre l'enregistrement et la sortie de mon disque, il s'est écoulé un certain temps, un temps que je ne voulais pas perdre

146

car je savais que je n'étais pas une vedette, et que si je voulais qu'il se passe quelque chose, il faudrait que je le provoque. Et je me suis improvisé vendeur de disques.

Ce que j'ai dû être emmerdant pour les gens, hommes et femmes, qui travaillaient à l'imprimerie. Ils n'avaient pas le choix, ils n'avaient qu'une façon de se débarrasser de moi pour ne plus entendre mon baratin sur la valeur de mon disque, c'était de me donner leur nom, pour l'achat de mon disque que j'inscrivais sur un calepin et de me remettre la somme de 50 sous. Après ce fut les gens de la rue Cuvillier, mes oncles et mes tantes, tout le monde y passa. N'empêche, j'en ai vendu plus de deux cents.

Après ce furent les discothécaires des postes de radio que j'allais embêter. Ils m'écoutaient presque tous avec beaucoup de gentillesse sans oser me dire que mon disque était au fond un mauvais western ; même qu'à CKAC un très jeune discothécaire, Guy Lepage, l'avait fait passer sur une émission animée par un couple très populaire à la radio, Jean Lajeunesse et Janette Bertrand.

Et je faisais le tour des 5-10-15, des Woolworth, des Greenberg. Et tout ça avec mes souliers pointus qui m'écrasaient les orteils. Et ma boîte de disques sous le bras. Je rentrais à l'imprimerie pour travailler le soir, brûlé avant de commencer.

Malgré tous mes efforts, le disque ne fut pas un grand succès et un coup la fièvre passée, tout redevint comme avant, aussi monotone. Mes amours allaient bien, allaient mal et j'étais à l'âge où je me posais beaucoup de questions. Ma mère essayait de m'encourager en me disant : « Tu sais bien que tu as du talent, ce sont tous des crétins qui ne connaissent rien. »

J'aurais bien voulu la croire et lui donner raison, mais j'avais des doutes. Heureusement les beaux jours de l'été étaient revenus et comme toujours, tout au long de ma vie, la vue d'un bateau me redonna le goût de vivre.

C'est durant cet été-là que ma mère dénicha un terrain en pleine campagne au bord de l'eau à Repentigny. Il était la propriété du capitaine Simard, commandant du bateau de croisière, *Le St-Laurent*.

Il y avait sur ce terrain, pour ne pas dire ce marécage, une espèce de cabane perdue entre les joncs et le foin. Mais pour nous, c'était notre île de paradis, perdue dans le Pacifique, et ça n'a pas été long pour que je m'y installe. Il n'y avait ni eau courante ni toilette. Il fallait aller chercher l'eau à la chaudière dans un puits qui était au bord du chemin.

Quant à la toilette, c'était une jolie petite « bécosse » doublée de carton, et si le vent venait du nord, une légère petite brise fraîche vous caressait les fesses quand vous faisiez vos besoins.

J'y passais mes semaines seul avec mon chien, je voyageais à mon travail en prenant l'autobus, ce qui était beaucoup plus long que si j'étais resté sur la rue Cuvillier. Mais pour respirer l'air pur ou le parfum d'une femme, je n'ai jamais mesuré la distance qu'il me fallait franchir pour y arriver et je me sentais très bien avec moi-même.

Comme on n'avait pas les moyens de tout garder, il fallait éliminer des dépenses. Il nous a fallu abandonner, au grand regret de Monsieur Bissonnette, qui nous avait vu grandir depuis l'âge de 12 ans dans son île, notre camp d'été à la plage.

Toutes les fins de semaine, la famille se retrouvait entassée dans la cabane, et mon frère et moi, nous couchions dans notre bateau qui était à l'ancre juste en face, car avec les amis qui venaient, nous manquions d'espace pour dormir tous dans la cabane. Après le déjeuner du matin qui, avec ma mère, était toujours un déjeuner de bûcheron, on se mettait tous au travail pour essayer d'améliorer le seul bout de terre qui nous ait jamais appartenu. Il fallait couper le foin à la faux, arracher à la main les brins qui collaient à notre linge, creuser des drains pour égoutter la boue dans laquelle nous nous enfoncions jusqu'aux chevilles.

Ma mère n'avait pas l'intention de passer le reste de sa vie dans cette cabane. Elle gardait de ses années passées dans une cabane de très mauvais souvenirs, pour moi c'était le contraire. Et on parlait de bâtir une maison, il ne nous manquait qu'une chose, de l'argent.

Le crédit à la portée de tout le monde comme aujourd'hui étant inexistant, il fallut trouver un autre moyen, comme il y avait pénurie de logis à cette époque, on pouvait sans être tout à fait dans la légalité vendre la clé d'un appartement ou d'un logement à condition qu'il y ait des meubles.

Je connais quelques agents d'immeubles qui sont devenus riches à vendre des clés d'appartement, contenant une chaise et une table. Mais les gens n'avaient pas le choix : pas de crédit, pas de construction et pas de maison.

On a décidé qu'il fallait nous aussi vendre notre logement de la rue Cuvillier, mais nous c'était avec beaucoup de regret ; ça n'était d'ailleurs pas aussi facile que ça en avait l'air. Car à travers les gens honnêtes cherchant une maison, il y avait les requins de l'immeuble qui essayaient leur petit chantage. Mais ils ne furent pas chanceux car derrière toute l'honnêteté de notre présent, nous avions quand même un passé qui nous avait enseigné comment se débarrasser de la vermine.

Nous avons tellement eu de visites pour faire pression sur nous que ma mère ne prenait même plus le temps de remettre dans son étui le fusil de chasse de Paul, qui servait de réponse aux intrus. Nous, on s'amusait d'entendre ma mère dire : « Je reviens avec la réponse dans un instant ». Elle leur mettait le douze entre les deux yeux. Il y en a même un qui partit sans sa serviette. Comme disait ma mère : « à la guerre comme à la guerre ». Elle entendait bien ne pas donner ce qu'elle avait gagné si durement, et ce fut long avant de pouvoir vendre la clé de notre maison.

Pendant ce temps, Paul, mon frère Claude et Ti-Guy avaient commencé les fondations de notre future maison. Quand je pense aujourd'hui à la façon dont on bâtit les maisons, je ne peux m'empêcher d'avoir pour eux de l'admiration. Car eux, c'était à la pelle qu'ils creusaient et brassaient leur ciment sous l'écrasant soleil de l'été. La sueur leur coulait de partout. Et ça du matin au soir, toutes les fins de semaine.

Ils ne s'arrêtaient qu'à midi pour dévorer d'immenses plats de toutes sortes de choses que ma mère leur préparait : du macaroni, du spaghetti, ou des pleins chaudrons de fricassée. Ils ont tant travaillé qu'à l'automne, le solage et les cloisons étaient montés mais il fallait absolument fermer le toit et les murs avant l'hiver, qui lui, ne se ferait pas attendre. Comme l'argent nous manquait et que nous commencions à en avoir grand besoin, le logement de la rue Cuvillier n'étant toujours pas vendu, il fallait donc que quelqu'un d'entre nous sacrifie ses fins de semaine pour attendre les acheteurs éventuels qui, habituellement, ne se présentent que les samedis et les dimanches. Et comme j'étais le moins bon constructeur de maison, la famille venait de trouver en moi son vendeur. Je passais donc mes fins de semaine seul au logement, attendant avec impatience ces visiteurs de toute sorte qui venaient mettre leur nez dans nos affaires, sans rien acheter.

Je m'embêtais royalement. De temps en temps, je téléphonais à Thérèse, cette petite blonde que j'aimais, au point d'en oublier de chanter. Je la suppliais de venir me rejoindre et elle me répondait : « Je ne peux pas car, si mes parents l'apprenaient, ce serait épouvantable pour moi et pour toi parce qu'ils me défendraient définitivement de te revoir ! »

Mais à force de la supplier, elle finit par inventer des sorties de cinéma pour venir me rejoindre. Là tous les deux dans la solitude de cette maison dont les plafonds, les murs, les planchers étaient tissés de bonheur, nous étions les vedettes d'un film d'amour où deux enfants insensés, mais éperdument amoureux l'un de l'autre, jouaient aux amants sans jamais se donner vraiment, oubliant les dangers qui entouraient les amours dites défendues. Nos cœurs et nos corps s'aimaient si bien que même le monde autour de nous n'existait plus.

Les visiteurs pouvaient toujours frapper, nous n'entendions que le battement de nos cœurs et nous y étions sans y être, donc pas de réponses. Mais le tout fut découvert quand ma mère reçut un appel téléphonique d'un couple très intéressé qui s'était présenté à la maison à trois reprises, sans avoir de réponse.

Alors ma mère leur dit de venir à la maison, qu'elle les attendrait et j'eus droit au petit déjeuner-causerie. J'expliquai à ma mère que je me faisais chier toutes les fins de semaine et que je m'ennuyais, alors j'avais demandé à Thérèse de venir passer la journée avec moi. Mais avec la grosse Lucienne, pas besoin de faire de dessins, elle avait déjà tout compris et elle me demanda : « J'espère que tu as fait attention, elle est jeune et ça pourrait t'attirer des embêtements. » (La pilule n'existait pas encore).

Ce à quoi je répondis : « Tu m'as déjà expliqué depuis longtemps les problèmes des relations sexuelles entre homme et femme et nous n'avons fait que frôler de près le bonheur car elle est toujours vierge, et ce n'est pas avec des illusions qu'on fait des enfants. »

Ma mère dit : « C'est mieux ainsi parce que tu connais son père, y serait capable de t'faire arrêter si y fallait. »

Moi : « J'espère que cette fois, tu vas pouvoir vendre le logement parce que moi j'aimerais mieux être avec vous autres à Repentigny. Je me sens bien, moi, dans ta cabane, j'adore respirer l'odeur du fleuve, regarder les canards nager à travers les joncs, entendre le coq de l'habitant chanter le matin et regarder les moutons et les vaches paître doucement le gazon dans l'île. La ville, pis son béton, je l'ai assez vue. »

Comme de raison, le couple en question acheta la clé du logement avec les meubles, moins notre piano automatique auquel nous tenions tous. Et quand tout fut réglé et qu'il ne nous resta qu'à partir avec notre linge, nous eûmes tous le cœur gros à la pensée de ne plus revoir cette maison.

C'est souvent lorsque l'on quitte une maîtresse qu'on s'aperçoit de la grandeur de son amour pour elle. Il est terriblement vrai qu'on ne peut mettre son cœur dans une valise. En quittant cette rue, j'y laissais beaucoup de souvenirs, des bons et des mauvais. C'est presque toujours quand on s'en va d'une place qu'on s'aperçoit que malgré tout, on y a été très heureux.

Salut mes copains, Ti-Cul, Ti-Coq, Coco, Babine de velours, Ti-Zair et tous les autres qui se reconnaîtront en lisant ces lignes. Je vous quitte comme une femme qu'on a trop aimée. Adieu marchands de mon quartier, l'Armée du salut et merci pour les choses que le petit voyou que j'étais vous a empruntées pour essayer de devenir un homme. Salut au policier essoufflé de courir après ces petits gamins qui sont devenus, depuis, des hommes d'affaires, des gérants de banque, des policiers, des pompiers ou des ouvriers.

Ce qui prouve qu'au fond, aucun de nous n'était méchant à l'intérieur et qu'à travers la vie de bohème que j'ai choisie, je vous garde un coin de mon cœur et mon amitié.

Quand l'amour paraît

Quand nous fûmes définitivement installés à Repentigny, l'automne était déjà avancé. Ce fut pour nous un changement de vie radical, car si la maison de la rue Cuvillier n'était pas un château, comparativement à cette cabane, couverte de papier brique et doublée à l'intérieur de boîtes de carton où nous étions obligés de vivre en arrivant, puisque la maison n'était pas terminée.

Il fallait donc se dépêcher avant l'hiver de couvrir au moins les murs de la maison, car le froid apporté par les grands vents nord-est sur le fleuve, augmentait de jour en jour. Il fallut donc travailler sans arrêt car le coup de la cabane sous la neige, si je le trouvais moi bien romantique, ma mère, elle, ne le connaissait que trop.

Entre temps, je reçus un message de ma sœur qui demeurait chez mon grand-père : il fallait absolument que je voie Thérèse, car ma petite blonde semblait avoir des problèmes.

Le lendemain, en arrivant chez mon grand-père, Thérèse était déjà là, assise dans la cuisine avec mes tantes Juliette et Simone. Je remarquai qu'elle avait le teint pâle et les traits un peu tirés, après l'avoir embrassée, je lui demandai ce qui n'allait pas, elle me répondit : « Je pense que c'est mon foie qui fait des siennes. »

Ma tante Juliette nous demanda : « Vous êtes sûrs de ne pas avoir passé la limite de sécurité dans vos relations, car

ça ressemble étrangement aux symptômes d'une grossesse ? »
Ce à quoi je répondis : « Je te jure, ma tante, qu'à aucun moment,
nous n'avons véritablement fait l'amour, donc l'histoire de
la grossesse ne m'inquiète pas, et ce n'est pas d'aujourd'hui
qu'elle a mal au foie. » Et tante Juliette de répliquer : « Ça ne
fait rien, de toute façon, ne prenons pas de chance, il faut avoir
un test d'urine avant qu'il ne soit trop tard. »

Mes tantes avaient, déjà à cette époque, où tout était tabou,
cette force d'aimer sans juger et sans poser de questions et j'en
étais heureux, car malgré mes certitudes, l'inquiétude s'empa-
rait de moi, il ne fallait absolument pas que cette chose arrive.
Ça n'était vraiment pas le bon moment, il se passait trop de
choses autour de moi, et malgré mon amour pour Thérèse, je
n'étais pas prêt pour le mariage. Après avoir passé l'après-midi
avec mes tantes, nous sommes repartis tous les deux réconfortés
en pensant que nous n'étions pas seuls avec notre problème.

À partir de ce jour, je me tins en contact plus étroit avec
Thérèse et je décidai, moi aussi, de demeurer quelque temps
chez mon grand-père, car à Repentigny nous n'avions pas
d'eau ni de toilette, encore moins de téléphone. En écrivant
ces lignes, je pense à la bonté que pouvaient avoir mon grand-
père et mes tantes de nous accepter dans leur maison déjà
pleine de monde, comme si nous étions leurs propres enfants.
Ils nous trouvaient une place pour manger autour de la grande
table et quelque part un coin pour dormir sans jamais nous
faire de reproches ou nous demander quoi que ce soit.

Pour avoir le rapport d'une analyse d'urine, il fallait au
moins une semaine. Une semaine qui me parut une éternité.
À l'ouvrage, je ne trouvais plus le moyen de rire ou de faire
des blagues avec mes compagnons. J'étais inquiet, j'avais peur
des réactions des parents de Thérèse qui, s'ils ne m'aimaient
pas tellement, étaient très attachés à leur fille et pour qui, son
père lorsqu'elle était enfant, avait donné son sang, pour la
sauver d'une mort certaine.

S'il fallait qu'il lui arrive quelque chose, je me demandais
jusqu'à quel point il irait contre moi. Et elle arriva, cette analyse

tant attendue : ma tante Juliette me prit par le cou et me dit avec un rire qui faisait sauter ses seins volumineux :

– Mon beau Paolo, tu vas être papa, l'analyse est arrivée, c'est positif.

Je sentis mes jambes fléchir, je devais être blanc comme un drap car mon sang s'était arrêté de tourner, j'ai dit :

– Non, ma tante, ça se peut pas, je te jure qu'elle est vierge, et si Thérèse n'était pas la fille que je sais, je te dirais qu'il n'est pas de moi.

– De toute façon, c'est définitif qu'elle est enceinte et tu n'as pas le droit de la laisser se défendre toute seule contre ses parents.

– Mais qu'est-ce que je devrais faire ?

– C'est pas compliqué, tu vas aller voir son père, avec un témoin pis y dire : vot' fille est enceinte, on s'aime et j'veux la marier ! Sans ça y peut t'faire arrêter.

– Bon, puisqu'il le faut, je vais le faire le plus vite possible, mais avec qui comme témoin ?

– Amène ta sœur Lucile, elle est pas trop peureuse.

Le lendemain, je partis donc avec ma sœur après le souper pour aller chez Thérèse. C'était le soir et, chemin faisant, ma sœur me dit de ne pas avoir peur mais c'était plus facile à dire qu'à faire dans mon cas, car avec tous les adversaires que j'avais rencontrés dans mes batailles de rue, jamais un ne m'avait fait trembler comme ce petit homme aux cheveux gris que j'allais affronter verbalement plutôt qu'avec mes poings, ce qui aurait sûrement été plus facile. Je me rendais compte à quel point je n'étais pas encore un homme.

En arrivant devant la porte de cette petite maison de la 5e Avenue à Rosemont, le cœur me débattait au point que j'avais de la misère à avaler ma salive. À ce moment, je frappai à la porte où j'avais pris l'habitude d'entrer. En ouvrant, je vis Armand, son père, qui était assis au bout de la table en train

157

de lire son journal. Il a levé les yeux pour me regarder et j'eus l'impression qu'il savait déjà ce que j'allais lui dire. Quand il a vu Lucile, il a quand même souri.

Nous nous sommes assis, ma sœur et moi, sur les autres chaises qui étaient autour de la table. Je lui ai dit : « Bonsoir » et il m'a demandé le pourquoi de cette belle visite, en regardant ma sœur. Je voulais répondre, mais je n'y arrivais pas, les mots ne sortaient pas de ma bouche. J'étais figé comme si tout à coup un contact ne se faisait plus entre mon esprit et mon corps.

Alors ma sœur qui n'a jamais eu la langue paralysée dit :

– Bon voici, nous avons la certitude que Thérèse est enceinte de Paolo et y veulent se marier avec vot' consentement, naturellement.

Nous étions deux à ne plus parler mais à nous regarder dans les yeux comme dans les films western au moment où les deux adversaires vont se tirer dans la gueule.

À ce moment-là, voici la mère qui arrive et qui demande :

– Qu'est-ce qui se passe, Armand ? Y'a quelque chose qui va pas, t'as pas digéré ton souper ?

À cet instant, c'est parti comme un boulet de canon :

– Imagine-toi donc, Fredda, que ce maudit bum-là a mis ta fille enceinte et qu'y'a l'front de vouloir la marier, puis venir « tacher » la fierté d'une famille honorable comme la nôtre. Ça a pas une cenne, ça se prend pour un chanteur qui ira jamais à la cheville de Tino Rossi, pis y pense qu'on va y laisser faire c'qu'y veut avec une enfant sans défense comme Thérèse !

– Ça, je l'avais deviné depuis quelque temps, parce que même si je suis sa mère, j'suis pas une imbécile parce que moi aussi j'ai eu des enfants. Mais Thérèse, c'est pas la même chose, elle est trop faible pour avoir des enfants, ça prend un écœurant pour avoir fait ça à une fille de cet âge-là !

J'écoutais sans rien dire, mais je ne peux pas écrire combien je me sentais minable et malheureux, en écoutant ces paroles qui m'étaient adressées.

Mais ma sœur s'est mise, elle aussi, à crier :

– Vous saurez, Monsieur, qu'on est peut-être pas riche, mais Paolo est pas un bum parce qu'imaginez-vous donc, que depuis l'âge de 14 ans, il se lève tous les matins pour aller travailler et pis, si y aime vot' fille comme il me l'a dit, y est capable de la marier pis d'en prendre soin, comme n'importe quel quêteux monté à cheval comme vous autres que vous auriez voulu qu'elle marie. Pis de toute façon, faite-la examiner par un docteur pour savoir s'il l'a débauchée oui ou non. Pis maintenant que le message est fait, je rest' pas icit plus longtemps. Parce que si vous faites peur à mon frère, à moi vous m'faites pas peur. Pis toi Paolo, si t'as du cœur, sors d'icit pis tu reviendras pour venir chercher Thérèse pour la marier, on n'a pas assez de classe pour rester avec c'te monde-là !

Elle a crié « Bonsoir » à Thérèse qui était restée cachée dans le salon. Nous sommes partis et c'est dans l'autobus que Lucile s'est mise à pleurer de rage et elle m'a dit :

– J'espère qu'un jour, tu vas leur montrer que tu peux aller à la cheville de Tino Rossi. C'que j'déteste c'te maudit monde-là qui s'prennent pour des gens de la haute parce qu'y ont une maison pis une grosse voiture !

En revenant chez mon grand-père, tout le monde était assis dans la cuisine, naturellement nous n'étions pas aussitôt rentrés, qu'on nous a demandé comment ça c'était passé chez Thérèse. Personnellement je n'avais pas tellement envie de parler, alors c'est Lucile qui a tout raconté et une de mes tantes m'a dit :

– Il va falloir que t'ailles voir Lucienne pour lui dire ça, c'est très important, parce que ta mère a son mot à dire, elle aussi, là dedans.

Moi, je dis :

– OK, j'irai demain à Repentigny après mon ouvrage.

Je ne dormis pas tellement bien cette nuit-là et quand mon grand-père se leva très tôt pour mettre du charbon dans le poêle, je me levai aussi, car j'étais réveillé depuis un bon moment. Mon grand-père me dit :

– Tu peux te faire des rôties sur le poêle, il y a du thé de fait, mets-en dans une tasse avec du sucre pour tremper des rôties ça va te donner de l'énergie, puis l'affaire de la petite, c'est pas grave, tu vas te marier, puis ça ne sera pas long et tu vas avoir un beau petit bébé. C'est ça la vie.

Mon grand-père était un homme qui ne parlait pas beaucoup, mais ce qu'il venait de me dire, j'y ai pensé pendant que je marchais à mon travail ce matin-là, il tombait une petite neige fondante qui me donnait une certaine mélancolie mêlée de joie. Était-ce les paroles de mon grand-père ou la neige, de toute façon, je crois qu'il avait raison et qu'on ne peut pas échapper à son destin.

À Repentigny, ma mère fut heureuse de me revoir, elle était seule et j'en profitai pour lui expliquer ma situation. Quand j'eus fini, elle laissa ses chaudrons pour s'asseoir au bout de la table et elle me regarda sans dire un mot. Elle avait son regard triste des mauvais jours et j'étais malheureux d'en être encore une fois la cause.

Après quelques minutes de silence, elle me dit :

– Bon, tu vas te marier, mais avec quel argent mon pauvre Paolo, tout ce qu'on avait a été investi dans la construction de la maison, y va falloir que tu empruntes de l'argent, je pense bien que Paul va accepter de t'endosser et je vais aller avec toi voir le père de Thérèse, j'ai pas envie qu'y t'fourre c'te vieux maudit-là.

Les paroles de ma mère ne contenaient pas d'agressivité, c'était sa façon à elle de dire les choses : claire et précise.

Quelques jours plus tard, quand nous sommes arrivés chez mon futur beau-père, l'atmosphère était plus détendue et on a discuté de la date du mariage. Quand Fredda, la mère de Thérèse, arriva en disant :

— Vous savez, Madame, qu'on a fait examiner notre fille par un médecin, pour plus de certitude, c'est définitif qu'elle est enceinte, mais il y a une autre certitude qui est un problème, c'est qu'elle est vierge.

— Mais voyons faut tout de même pas exagérer, comme ça, mon fils va se marier avec une Sainte Vierge qui attend un petit Jésus ?

— Écoutez un peu, Madame Noël, je ne veux pas vous raconter des histoires mais c'est la vérité et le médecin m'a dit que c'est une chose qui arrive très rarement mais qui arrive.

— Moé ces affaires-là j'cré pas à ça, t'es pas un p'tit peu vierge pis t'es pas un p'tit peu enceinte ; moé de toute façon, j'me rappelle même pas d'avoir été vierge.

— De toute façon, si votre fils n'est pas en amour avec ma fille, je ne l'oblige pas à la marier.

Armand, qui sentait chauffer la dynamite, entre ces deux femelles qui défendaient chacune leur instinct maternel, dit :

— Bon, les enfants est-ce que vous vous aimez, oui ou non ?

Nous, les deux intéressés qui n'osions pas ouvrir la bouche, nous avons répondu : « Oui ». Alors il enchaîna :

— Il faut choisir une date vers la fin de janvier, tant qu'à faire autant bien le faire, j'ai pas envie de me faire dire que ma fille s'est mariée enceinte. Il faut s'arranger pour que le bébé ait l'air d'être né prématurément. Je vais appeler le curé de la paroisse pour arranger ça.

Et sur ce, on se laissa, en attendant des nouvelles du beau-père. La date fut fixée au 21 janvier 1950 à St-Philomène de Rosemont. Ça me donnait le temps de trouver de l'argent.

Je suis allé à la HFC pour emprunter de l'argent, soit 200 dollars ; à l'époque, c'était assez pour meubler un petit appartement.

Paul avait signé pour moi, chose qu'il n'avait jamais faite pour qui que ce soit. Et il me disait souvent : « Dans la vie, tu n'as qu'un seul véritable ami, ton compte en banque. »

Je me sentais beaucoup plus en sécurité et je faisais des projets de chambre de nouveaux mariés, rose et bleue, mais tout s'effondra le jour où ma future belle-mère me dit :

— Vous savez que ça va être un grand mariage et que la cérémonie va nous coûter très cher et qu'y serait pas de mise que ma fille sorte de l'église avec une grande robe blanche et un manteau de lainage. On est fier de not' fille mais on fait pas de miracles, il lui faudrait absolument un manteau de fourrure et c'est vous qui devriez vous faire un devoir de le lui acheter.

Est-ce que c'était une demande ou une obligation ? Je n'avais pas le cœur aux discussions, j'ai dit :

— D'accord, ça coûte combien ?

— On en a vu un, en magasin, en rat musqué, qui est très beau et pas cher : seulement 200 dollars, taxe comprise.

— Vous êtes sûre que c'était l'moins cher ?

— Elle peut quand même pas sortir de l'église avec un capot d'chat su' le dos.

— C'est parfait, si vous pensez qu'elle va être plus belle, j'vas lui payer.

De retour chez moi, j'ai raconté ça à ma mère et elle a failli tomber par terre en me disant :

— Paolo, y as-tu pensé, non seulement t'as pas d'appartement, pis pas de meubles mais t'as même pas un habit pour te marier !

— Je le sais, maman, mais qu'est-ce que tu veux que j'fasse, j'suis pris entre deux femmes, une qui pense riche, pis l'autre

162

qui pense pratique, si ça continue à être aussi compliqué, j'vas disparaître, là y auront seulement un problème, trouver un autre mari.

– Bon, commence pas à t'énerver pour faire des bêtises, c'est pas le temps, je vas vendre une de mes assurances, pis c'te fois-cit, c'est moé qui va t'habiller.

Et ça n'a pas été long, comme d'habitude, nous sommes allés sur la rue St-Laurent et je suis revenu habillé des pieds à la tête : chemise, souliers, habit, chapeau compris pour le prix des boutons du manteau de fourrure. Il ne me manquait à moi, pour compléter ma toilette de nouveau marié, qu'un manteau d'hiver, car je ne portais depuis longtemps, hiver comme été, que des imperméables. Heureusement, mon oncle Paul me vendit le sien 10 dollars.

Mariage

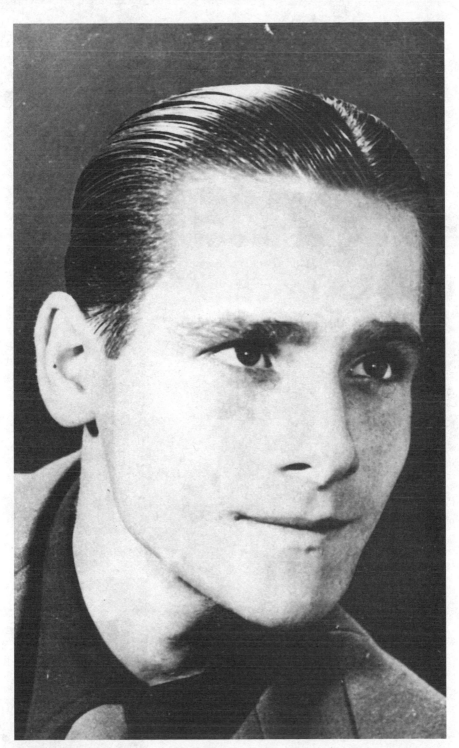

À 18 ans, la première photo comme chanteur.

Les amants qui ont inspiré ma vie : Paul et maman.

Pierre et Lucile

Fernande et Claude

Maman, Lucile et tante Jeanne

Ma sœur Lucile, toujours chaperonnée
par ses deux « emmerdants » de frères.

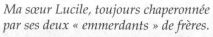

La photo de mariage devant l'église St-Philomène, de gauche à droite : ma mère, Paul, moi, Thérèse, Armand (le beau-père), Fredda (la belle-mère), Denise (la belle-sœur), la grand-mère de Thérèse et derrière, les membres des deux familles.

Thérèse, enceinte de Johanne.

La naissance de Johanne.

*Le petit bateau de mes joies
et de mes peines.*

*Voyage chez la grand-mère de Thérèse.
Au premier plan : Thérèse, Johanne et Paolo.*

« Habillé » de bonheur, de ma femme
et de nos deux premiers enfants, Johanne
et Mario, cachés dans les îles du fleuve.

Thérèse et notre fils Mario,
devant notre dernière demeure commune,
au bord de l'eau, à Pointe-aux-Trembles.

Au moment de la séparation :
Thérèse, Mario, Ginette et Johanne.

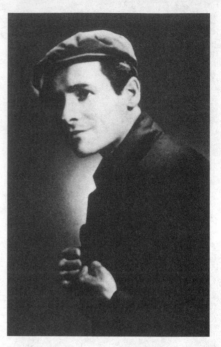

Un jeune chanteur qui n'a pas encore trouvé son autographe.

Le chanteur des rues à CKVL

Au Tourbilllon : 1er plan, Paolo à côté de Jean Raffa (l'homme de la première chance) ; en arrière (au centre), Patachou.

Mon premier gala au Théâtre Canadien : Ti-Gus, Armande Cyr, Paul Thériault, Gertrude Tremblay, Olivier Guimond (tenant son fils dans ses bras), Carole Mercure, Liliane Dawson, Paolo et Juliette Petrie.

À la St-Patrick : Pat Gagnon, Carole Mercure, Olivier Guimond, Louis Bertrand,
René Duval (dit Bazou), Liliane Dawson, Juliette Petri, Paolo, une chanteuse classique,
Manda et, derrière, Paul Thériault.

Où est l'étoile ?

Paolo chantant en italien
Cuore Ingrato.

Entrer dans une église m'a toujours impressionné ; mais ce matin du 21 janvier 1950, je l'étais d'autant plus, que j'y entrais pour me marier et pendant que je descendais la grande allée, tout en respirant cette odeur d'encens, qui me rappelait mes tristes années d'orphelinat, je regardais du coin de l'œil Thérèse qui marchait au bras de son père, et je me disais qu'il avait raison d'en être fier, car si elle était toujours très belle, elle l'était encore plus dans sa robe de mariée toute blanche avec ses cheveux d'un blond cendré qui encadraient un visage d'enfant, dont la timidité habituelle lui donnait un petit air hautain qui lui allait bien.

On aurait vraiment dit une princesse sortie d'un conte de fée.

Pendant que sur notre passage, parents et amis se retournaient pour nous regarder, j'avais vraiment une sensation de grandeur, comme si un immense nuage de bonheur m'enveloppait, et j'étais heureux.

Cette voix de soprano qui chantait l'*Ave Maria* pendant la cérémonie, en d'autres temps, m'aurait agacé, mais aujourd'hui, perdu dans l'écho de cette grande église, elle devenait angélique, et elle m'enivrait, j'ai dit « oui » avec joie, j'ai juré que j'allais l'aimer toute ma vie et j'étais sincère, car je l'aimais ma poupée de porcelaine.

J'allais enfin avoir quelqu'un à aimer sans partage, et à moi seul. Quand elle a pris mon bras pour sortir de l'église, j'ai regardé ma mère qui pleurait et les larmes me sont venues aux yeux ; c'était sûrement la joie ou l'émotion et j'ai essayé de lui sourire.

Rendus sur le perron de l'église, pendant que toutes les cloches sonnaient, une douce neige tombait comme des millions de confettis venant du ciel pour fêter ce jour de notre amour.

Ensuite ce fut la photo traditionnelle et comme tous les nouveaux mariés, la promenade en auto, puis la noce, dans une grande salle où nous attendaient un orchestre et tout le grand service. C'était vrai que le beau-père avait dû mettre le paquet !

Comme c'était de joyeux lurons dans les deux familles, ça n'a pas été long pour que la fête commence. Ça buvait, mangeait, dansait ; c'était ce qu'on appelle une vraie noce et, naturellement, est venu le temps où chacun devait faire sa petite chanson. Quand mon tour arriva, comme j'étais une des deux vedettes de cette journée, je voulus être à la hauteur, mais il n'y eut rien à faire. Je n'arrivais pas à sortir de sons et ma voix semblait scellée en moi.

Encore aujourd'hui, quand je suis trop ému, c'est le même phénomène qui se reproduit. On dit que l'amour donne des ailes mais pas nécessairement de la voix.

Comme il fallait avoir de la classe jusqu'au bout, il fallut faire le coup de la disparition pour le grand voyage de noce. C'était mon oncle Ti-Jean et ma tante Rose qui devaient aller nous reconduire et nous sommes partis, pendant que des mains s'agitaient en signe de bon voyage, mais ce n'était pas à la gare pour prendre le train rose des amoureux que nous allions, car nous n'avions pas un sou en poche.

C'est à l'est de la rue Sherbrooke à l'Hôtel April qui, dans ce temps-là, était perdu au milieu des champs, que nous allions passer, aux frais de mon oncle Ti-Jean, notre première nuit de noce. Quand nous fûmes enfin seuls dans cette petite chambre où il n'y avait que ce qu'il fallait, un bureau, un lit et une toilette, la pauvre petite Thérèse qui avait dû toute la journée retenir son estomac, poussée par ses nausées de future maman, s'est enfin laissée aller, et ce fut la grande séance de vomissements à répétition. Toute cette misère morale pour empêcher quelques commérages qui n'ont aucun effet réel sur la vie !

Il aurait été si simple de dire : « Cette jolie petite femme porte un enfant qui sera aussi beau que notre amour. » J'admire l'audace et la franchise des jeunes d'aujourd'hui qui n'ont plus peur de leurs actes. Comme de raison, dans de telles circonstances, adieu la nuit d'amour tant attendue !

Nous nous sommes contentés de dormir dans les bras l'un de l'autre, comme deux enfants amoureux que nous étions. Nous dormions encore le lendemain dans la matinée quand nous fûmes réveillés par la musique du *juke-box* et la voix des buveurs qui avaient commencé leur journée, juste en dessous de notre chambre.

Mon oncle Ti-Jean vint nous chercher pour nous amener chez lui, où ma tante Rose nous avait préparé un dîner de noce. Ce qui est étrange, c'est que je passais mon premier jour de mariage avec les mêmes personnes qui étaient venues me sortir de l'orphelinat six ans auparavant.

Le soir venu, comme nous n'avions pas de maison, Paul nous invita à aller rester chez eux sans frais pour que nous puissions accumuler quelques sous et pouvoir par la suite nous débrouiller par nous-mêmes.

C'en était fini de la noce pour moi, je devais me reposer, car le lendemain, je travaillais comme d'habitude à l'imprimerie. La maison de mes parents n'était pas terminée mais nous y étions bien. Nous dormions sur un divan à proximité de la fournaise à charbon qui chauffait la maison durant les grands froids d'hiver.

Dans les semaines qui suivirent, la santé de Thérèse ne s'améliora pas ; des nausées continuelles l'affaiblissaient au point qu'elle devait passer ses journées couchée.

Ça inquiétait sa mère qui décida de venir la chercher prétextant qu'il n'était pas sécuritaire pour sa fille de vivre à la campagne, loin des services médicaux, dans cet état.

Alors on refit nos bagages, ce qui n'était pas difficile, car à part le linge que nous avions sur le dos, nous n'avions qu'une petite valise et un sac de papier. Encore une fois, c'était à regret que je quittais mes parents qui avaient essayé de faire leur possible pour nous aider. Avant d'embarquer dans l'automobile de mon beau-père, je jetai un œil sur mon voilier qui était là, enveloppé de neige, près de la maison, et je me suis dit : « T'en fais pas, je vais revenir te chercher avec les premiers goélands du printemps. »

Pendant que nous roulions vers Montréal, je discutais avec ma femme, qui était toujours vierge, quand ma belle-mère s'est retournée pour dire : « Vous autres, les hommes vous pensez rien qu'à vot' plaisir, vous savez pas les souffrances que doit endurer une femme pour se donner à un homme ! »

Je ne répondis pas car je ne voulais pas avoir d'histoires avec mes beaux-parents. Mais j'en avais marre d'être obligé de rejouer à mes jeux de jeune collégien alors que j'étais marié et que j'aurais eu droit aux relations les plus naturelles entre un homme et une femme, mais ça ne servait à rien de s'obstiner avec ma belle-mère qui avait une vraie tête de mule.

Armand, mon beau-père, conduisait et ne disait pas un mot. Il semblait lui aussi, depuis longtemps, avoir compris et il se taisait.

On nous installa dans une petite chambre juste à côté de la cuisine qui était auparavant celle de ma belle-sœur Denise. Je pense bien que Thérèse se sentait en sécurité puisqu'elle était chez elle, mais pour moi ce n'était pas la même chose, j'avais souvent l'impression de vivre dans une espèce de prison où j'étais surveillé et, de plus, comme chez ma mère, on ne payait pas de pension, je me sentais leur obligé. Tant bien que mal, nous y avons vécu jusqu'au jour de la naissance de Johanne, notre première fille.

Tout ne fut pas aussi facile que cela put paraître, car à chaque visite chez le médecin, il répétait à ma femme qu'il serait préférable de me laisser à moi le plaisir sensuel d'ouvrir ce passage si naturel pour l'enfant dont la naissance approchait de plus en plus. Car lui, ce serait avec des instruments beaucoup plus froids qu'il serait obligé de le faire si cela devenait nécessaire.

Ici à la maison, la vie était plutôt monotone ; à l'ouvrage, il n'en était pas de même. Nous, les jeunes, étions bien excités par une nouvelle qui courait, à l'effet qu'il y aurait avant longtemps une chose très nouvelle pour nous : une grève dans la lithographie. C'était grisant et ça nous donnait des sensations nouvelles, car depuis l'âge de 14 ans je travaillais sans avoir le droit d'envoyer promener mon patron.

L'occasion de me défouler était trop belle pour que je m'en prive. Il fallait faire attention à ce que nous disions, car il y avait parmi nous, comme partout ailleurs, des faux jetons, qui se dépêchaient d'aller rapporter nos propos à la direction.

Personnellement, j'aimais la bagarre et j'avais hâte qu'il se passe quelque chose. Depuis quelque temps, je sentais un grand vide dans ma vie. Je ne chantais plus, parce que Thérèse n'avait pas voulu marier un chanteur. Le seul désennui qui me restait, c'était d'accompagner, avec ma guitare, mon beau-père Armand qui jouait du violon le dimanche après la messe.

J'avais hâte de me refaire à autre chose que de placer à la journée longue des rouleaux de papier de deux mille livres sur la presse.

Un jour, je suis demandé à la porte de l'imprimerie par un homme qui se dit être mon père. Je ne sais quoi répondre au gardien, parce qu'ici pour tout le monde, il n'existe pas d'autre père, pour moi, que Paul. L'autre est sensé être mort depuis longtemps. Au fond de moi, je connaissais bien la vérité. J'y vais. En arrivant devant la porte, je suis surpris de ne pas reconnaître l'être qui est là devant moi. Le dernier souvenir que j'ai de mon père remonte à quelques années déjà. C'est celui d'un homme assis dans un taxi, habillé comme un millionnaire, les poches pleines d'argent et criant des ordres au chauffeur.

Devant moi c'est un clochard, le dos courbé, le visage brisé, et ce n'est que par ses yeux malicieux que j'arrive à le reconnaître. Il se met à pleurer en me voyant et c'est presque avec dédain que j'accepte son baiser, qui empeste l'alcool frelaté.

Je suis complètement désarmé devant ce père, dont j'admirais jadis la souplesse et la force. Il me demande si je peux lui donner de l'argent, mais je n'ai que 25 cents et mes billets de tramway dans les poches. Je lui dis : « Attends-moi, je vais revenir. » Je cours demander à mon pressier de me prêter un dollar jusqu'à ma paye et il me dit : « OK, mais grouille-toé l'cul, c'est pas un salon de rendez-vous icit, si t'as des filles à rencontrer, va au Mocambo. »

Je me garde bien de lui dire pour qui j'ai emprunté l'argent, car il est l'ami de Paul, qui est chef-pressier sur l'équipe de nuit. Je repars en courant vers les marches de l'entrée où mon père m'attend assis. Je lui remets le dollar en lui disant que je n'ai pas le temps de flâner et que sinon je vais me faire engueuler. Il prend mes mains dans ses mains crevassées et on se regarde dans les yeux un instant, mais ni l'un ni l'autre n'arrive à dire un mot. Il y a des moments où le silence est plus éloquent que les paroles.

Cette visite me bouleverse vraiment. Tout le reste de la journée à travers le bruit infernal que font ces presses, ma tête est ailleurs, un ailleurs où je me revois enfant sur les épaules de mon père qui, craint de tous, me portait dans les rues d'une taverne à l'autre et je n'arrive pas à croire qu'on puisse tomber si bas.

Dire que malgré tout l'amour que Paul avait pour moi, je voulais à tout prix ressembler à mon père. Je remerciais le destin d'avoir fait que je me sois trouvé une raison de vivre ailleurs que dans la rue et je réalisais que malgré tous mes embêtements, j'étais heureux d'avoir quelqu'un à aimer.

Le printemps et l'été étaient revenus. Thérèse était embellie par une maternité qui devenait de plus en plus visible et nous passions les fins de semaine à Repentigny pour faire de la voile.

Un samedi soir, nous revenions d'une journée sur l'eau bien remplie, avec ma sœur Lucile, son fiancé Pierre, mon frère Claude, ma future belle-sœur Fernande et un autre ami dont je ne me souviens pas du nom, nous regardions du bateau, dans la noirceur de l'eau, les lumières du Pont Le Gardeur, se reflétant dans la baie qui sépare Pointe-aux-Trembles de Repentigny.

Nous fûmes tous pris d'une fringale et comme nous ne buvions toujours pas de boissons alcoolisées, notre grand plaisir était de bouffer. Alors on décide d'accoster le bateau, au quai des yachts qui transportent les gens à la plage Bissonnette.

En approchant, nous entendons l'orchestre de la grande salle de danse de l'Hôtel Vanini qui joue à tue-tête pour faire danser les *Zoot Suit*[3] avec le *Boogie-Woogie*.

Après avoir amarré le bateau, nous marchons en zigzaguant à travers une joyeuse foule qui revient de la plage pour nous rendre à un restaurant dont le propriétaire était Lionel Parent, un chanteur dont la voix avait fait rêver ma mère et ma grand-mère. En ouvrant la porte, une douce odeur de patates frites nous monte au nez ce qui n'arrange rien à notre fringale.

Il y a beaucoup de monde mais nous arrivons à nous trouver une place debout au comptoir. Pendant que le *juke-box*

---

3. Costume excentrique que portaient les jeunes danseurs de l'époque.

joue à pleine capacité, car il y a une salle de danse adjacente au restaurant. Il faut presque crier pour commander nos hot dogs et patates frites.

Nous attendons appuyés tous les quatre sur le comptoir pendant que Lionel s'affaire à la mangeaille et, en tant qu'hommes que nous sommes, la beauté de Madame Parent que nous avons sous les yeux ne passe pas inaperçue et je me dis :

— Les maudits chanteurs de charme ce qu'ils peuvent être chanceux ! Lionel a sûrement d'autres talents que celui de chanteur pour garder une aussi jolie femme !

Lorsque tout à coup, nous sommes dérangés dans notre rêverie admirative par un costaud qui se met à gueuler et sacrer après Pierrette, la petite serveuse aux lignes arrondies, qui lui dit qu'il pourrait lui adresser la parole poliment et sans sacrer. Ce à quoi, il répond :

— Y'a pas un ostie d'homme icit qui va m'empêcher de sacrer !

Je tourne la tête juste au moment où il frappe Pierrette dans le dos. Je sens des chaleurs me monter aux oreilles et je dis à mon ami qui est à ma gauche :

— Va donc y dire qu'y ferme sa grande gueule !

— J'veux ben, mais t'as vu sa grosseur ?

— T'inquiète pas, on l'a à l'œil, vas-y.

Je parle à mon ami sans le regarder pour qu'il ne me voie pas sourire, parce que ceux qui me connaissent savent qu'à chaque fois que je prépare un mauvais coup, j'ai le fou-rire.

Il s'avance vers le gars, qui est au milieu de la place, pour lui parler. Mais il a à peine ouvert la bouche qu'il reçoit un magistral coup de poing dans la gueule qui lui fait lever les pieds de terre, et l'envoie glisser comme un traîneau sur le plancher et tomber ensuite dans la salle de danse qui est trois marches plus bas.

Je ne m'attendais pas à une réponse aussi directe. Il n'a pas l'air de savoir que nous sommes avec lui, car il nous tourne le dos pour se précipiter sur notre ami, lorsque mon frère l'attrape par la chevelure, il fait une motion pour le frapper mais le manque.

Rapidement, Claude lui met une main à la gorge et l'autre au cul, le soulève au-dessus de sa tête, il me crie : « Ouvre la porte ! »

Je me précipite mais je n'en ai pas le temps, je vois le gars passer à travers la vitre pour atterrir de pleine face dans le gravier à côté d'un autobus qui démarre en trombe pour éviter des troubles. Mais il n'est pas seul lui non plus. Car on voit apparaître dans la porte trois, puis quatre gars, ce qui fait sept mécontents de la façon qu'on a traité leur ami. Je ne sais pas tout ce qui s'est passé au moment où la bagarre a commencé, car j'en avais trois qui me tenaient très occupé. J'étais arrivé à les coincer entre la machine à boules et les toilettes. Je frappais le premier qui avançait derrière moi ; ça brassait.

Pierre et Claude étaient très occupés eux aussi et ce n'est pas sans avoir reçu quelques coups, moi aussi, que je suis arrivé à décourager mes trois moineaux.

Au moment où je me retourne, je vois Pierre qui donne un crochet à un gars qui tombe la tête sur une machine à arachides, dont le contenu se répand sur le plancher. Claude me crie : « Derrière-toi, Paolo ! »

Instinctivement, je me penche en me retournant, pour éviter un coup qui m'était destiné, donné par un gars qui s'était caché dans les toilettes depuis le début.

Claude l'attrape par le chignon, d'un coup, il lui frappe la porte dans le front et le pousse dans la toilette en prenant soin de refermer la porte. Là, il était temps de sortir du restaurant avant que la police arrive. Mais c'était drôle de nous voir courir en pataugeant dans les *peanuts* ; adieu hot dogs et patates frites, on avait oublié notre fringale.

En arrivant à l'extérieur, j'aperçois les femmes qui sont là, toutes énervées de voir ce qui se passe.

Thérèse avec son gros ventre se met à pleurer, elle me supplie d'arrêter, je veux bien faire du sport, mais pas voir pleurer ma femme. Je la prends dans mes bras en scrutant à travers les gens pour savoir ce qui arrive avec Claude et Pierre que j'ai perdus de vue depuis notre sortie de chez Lionel.

Je ne sais pas ce qui a pu se passer, mais je vois tout à coup de l'autre côté de la rue, dans un petit comptoir lunch dont les panneaux sont ouverts aux quatre vents, mes deux acolytes qui continuent de se battre, je ne comprends toujours pas pourquoi ils sont là à l'intérieur du comptoir, lorsque j'aperçois, derrière mon frère, un gars qui s'amène avec une pelle. Je n'ai pas le temps d'expliquer à ma femme qui est toujours appuyée sur moi. Je pars en courant, comme si j'avais une fusée au derrière, traverse le chemin, enjambe les deux marches qui mènent à la petite galerie qui entoure le comptoir et je m'élance dans les airs pour atterrir de l'autre côté sur le dos du gars à la pelle et nous tombons tous les deux à travers les chaudières de pommes de terre pelées trempant dans l'eau.

Je tiens mon homme à la gorge et je le frappe sans arrêt quand je sens la pesanteur d'un autre corps qui tombe sur moi, pour rouler lui aussi dans les pommes de terre, assommé. Pierre venait de faire une de ses belles passes de boxeur qui sait quoi faire avec ses poings. Celui que je tenais en profite pour se dégager et sortir en vitesse par une porte que je n'avais pas vue.

J'entends les sirènes des voitures de police qui arrivent. Nous, en un éclair, combattants et combattus, sortons par la même porte afin d'éviter de part et d'autre des problèmes avec la police. Aussitôt sortis, nous arrivons à nous mêler à la foule qui ne sait plus qui est qui.

Et nous rions comme des fous en voyant la police tirer des coups de revolver dans les airs. Même si d'après le son, je crois bien qu'ils étaient chargés à blanc, il ne faut pas trop pousser sur notre chance. Nous nous faufilons jusqu'à notre bateau où nous attendaient les femmes. Ça n'a pas été long pour démarrer le moteur et disparaître dans la nuit.

On avait bien quelques bosses, mais ça ne nous empêchait pas de chanter en descendant le fleuve jusqu'à Repentigny. Notre chanson était toujours la même, une chanson de marin qui disait : « Quel jour, quel beau jour, quel merveilleux jour, tralalalala… »

Rendus à la maison, c'est en riant que nous racontons notre aventure à ma mère, tout en remplissant nos jeunes estomacs affamés de ces bonnes choses qu'elle nous avait cuisinées, notre belle grosse maman.

À l'ouvrage, la grève était de plus en plus évidente et j'étais bien embêté car mon père avait pris l'habitude de venir me voir les jours de paye pour me demander de l'argent. C'est pourquoi il fallut bien mettre Thérèse au courant de l'existence de ce père qu'elle ne connaissait pas.

Elle s'était bien aperçue qu'il manquait de l'argent sur mon salaire, qui n'était pas déjà très gros. Elle en fut très surprise, et elle me demanda : « Pourquoi ne ferions-nous pas quelque chose pour lui ? » Je voulais bien, mais il fallait que le reste de la famille ne soit pas au courant. Pour eux, Émile Noël n'existait plus.

Un dimanche, nous l'avons invité à souper chez mes beaux-parents. Je ne sais pas où il avait pris le linge qu'il avait sur le dos, mais il se présenta convenablement et mes beaux-parents tombèrent en admiration devant ce beau parleur qui leur racontait ses déboires.

La société en prenait un dur coup dans ses discours si bien que mon beau-père décida de l'habiller, le nourrir et l'abriter le temps qu'il se remette à la vie normale.

Selon ce qu'il nous racontait, il venait de passer quelques années en prison, où on lui avait brisé la colonne vertébrale à coups de barre de fer. J'avais beau leur dire : « Méfiez-vous de lui, il est dangereux. » On me répondait : « Un père est toujours un père. »

Et voilà que, peu de temps après, il disparut comme il était arrivé, avec l'argent et le linge de mon beau-père, sans plus donner de nouvelles.

En même temps, la grève avait commencé et s'était propagée à toutes les autres lithographies de Montréal. Je n'avais que deux heures de piquetage à faire par jour, assaisonnées de quelques mauvais coups à l'occasion.

J'étais devenu un gréviste modèle et l'union m'envoyait un peu partout à travers la ville. C'est justement au cours d'un de ces piquetages dans l'ouest, que je rencontrai un garçon que j'avais connu lors de mes débuts à la radio à CKAC. Il se nommait Jean Claveau. Il était comme moi lithographe en grève et, de plus, chanteur-amateur. Il me demanda si je chantais toujours. Je lui dis que j'étais marié et que je ne chantais plus.

– C'est regrettable, car justement Pepsi-Cola organise un grand concours, dont je connais le réalisateur. Je pourrais t'y faire passer facilement.

Je ne savais pas quoi répondre, mais je sentais revivre en moi un besoin aussi important à ma vie, que l'air que je respire. J'ai dit :

– D'accord, je vais m'arranger.

Mais rendu à la maison, tout ne fut pas aussi facile à expliquer à Thérèse. Elle a quand même fini par accepter. Je partis donc un après-midi avec mes feuilles de musique pour le Café St-Jacques où se passaient les auditions. J'étais énervé, presque terrifié à l'idée de chanter de nouveau.

Si bien qu'en arrivant devant le jury qui était là derrière une grande table, feuilles et crayons à la main, avec un sourire genre policier de la circulation, je ne crois pas avoir été en possession de mes capacités. La voix, les jambes, les mains tremblaient, et on me dit : « On vous téléphonera. » J'ai attendu longtemps et j'attends toujours la réponse. J'ai appris par la suite ce que voulait dire cette phrase dans le métier. Il me semble que ce serait moins cruel de dire la vérité, car moi j'espérais en pratiquant mes chansons avec ma guitare sur la galerie.

Pendant ce temps, le bébé bougeait de plus en plus et ma belle-mère, connaissant la maternité, nous avertit que nous serions mieux de rester en ville en attendant le grand jour, si nous ne voulions pas avoir un accouchement sur le bateau.

Ça nous contrariait tous les deux de rester en ville pendant les grandes chaleurs de l'été, mais nous n'avions pas le choix.

Je trouvais le temps long et même très long, car ma femme était toujours vierge. Je l'attendais avec impatience, ce grand jour où s'ouvrirait ce passage des amours permises. J'allais désespérer quand commencèrent les grandes contractions.

Ce fut dans la maison un véritable branle-bas de combat dont le commandant suprême était Fredda, ma belle-mère.

– Armand, grouille-toi, la voiture ! Paolo, occupez-vous de la valise !

Et nous sommes partis tout énervés pour l'hôpital Ste-Jeanne D'Arc. En arrivant, ce fut d'abord l'attente à l'admission et quand une religieuse daigna nous répondre, avec le même sourire glacial que je leur connaissais depuis mon enfance, ce fut pour nous dire :

– Il faut d'abord déposer 100 dollars.

Pendant ce temps, Thérèse était toujours debout, en robe de nuit dans le passage se lamentant de douleur. Rien à faire, même pas une chaise roulante. Il a fallu que mon beau-père retourne à la maison chercher l'argent en espèce. Pendant que nous attendions, je tenais Thérèse dans mes bras pour qu'elle ne défaille pas et je regardais le Christ sur sa croix suspendu au mur et je me disais : « Ça sert à quoi leurs sermons sur l'amour et la charité chrétienne ? »

Je ne vous dirai pas quelle prière je lui ai adressée, car vous en seriez scandalisé. Mais j'eus envie de passer mon bras par l'ouverture qu'il y avait dans la glace et de serrer un tout petit peu le cou du monstre que j'y voyais.

Aussitôt l'argent déposé, comme par enchantement, un infirmier apporta une chaise roulante.

Pendant que nous montions dans l'élévateur, je regardais ma femme et j'étais inquiet, car je ne connaissais rien aux accouchements, les cours préparatoires n'existaient pas. C'est tout juste si j'avais oublié l'histoire de l'Indien qui supposément apportait les enfants chez mon grand-père.

C'est pourquoi lorsque Thérèse fut installée dans sa chambre et que les contractions la firent se tordre de douleur, je ne comprenais pas qu'on puisse la laisser souffrir, alors j'engueulais tout le monde, mais tout le monde semblait habitué à ce genre de réaction de la part de nous les hommes, « les durs ».

Ma belle-mère de son côté me tombait sur le dos pendant que nous attendions dans le passage. Elle me traita d'homme-salaud, d'écœurant pour avoir fait un enfant à un autre enfant. Et c'est tout juste si on ne s'est pas pris à la gorge au moment où Thérèse est partie pour la salle d'accouchement.

Pendant que nous attendions, ma belle-mère et moi, nous ne nous parlions pas, et ça m'a semblé durer une éternité. Je me disais au fond de moi, s'il faut qu'elle meure, on m'accusera sûrement d'assassinat, puisque d'avoir fait un enfant à Thérèse, malgré tout l'amour que j'avais pour elle, était déjà un crime.

Soudain Thérèse arriva, toute calme, le visage adouci par le miracle de la naissance, et elle me parut plus belle que jamais. Quand arriva l'infirmière tenant dans ses bras un être minuscule enveloppé dans une couverture rose et qu'elle me dit : « Vous êtes le papa d'une belle fille », je me mis à pleurer comme un grand con, en m'approchant de ma femme pour l'embrasser. Mais je n'avais pas grand temps pour profiter de mes joies. L'heure était venue pour moi d'aller faire mon piquetage devant l'imprimerie.

Pas question de cigares ni de champagne, il fallait d'abord penser à manger.

Dans le tramway, une femme assise devant moi me regardait et ne comprenait pas le pourquoi des larmes qui coulaient sur mes joues.

Je n'aurais pas dû, mais je me sentais seul. Et je me demandais pourquoi, alors que j'aurais dû être complètement heureux comme tous les papas qui le sont pour la première fois, j'étais malheureux ; malheureux des paroles qu'avait eues ma belle-mère à mon égard, malheureux de ne pas avoir un sou, car tout ce que nous avions, servirait à payer l'hôpital et l'accouchement. Je ne voulais pour rien au monde continuer à vivre chez mes beaux-parents. Je ne comprenais toujours pas pourquoi Thérèse se laissait dominer par eux et je n'étais pas encore assez homme pour les empêcher de détruire notre amour.

Quand Thérèse et le bébé furent sortis de l'hôpital, nous nous sommes installés dans une chambre à un coin de rue de la maison de mes beaux-parents. Nous n'avions qu'une bassinette, un divan-lit et une chaise berçante.

Je me débrouillai pour fabriquer un semblant de comptoir de cuisine avec des boîtes d'orange, devant lesquelles j'avais mis un rideau de plastique. De cette façon, on pouvait placer notre réchaud et ranger notre vaisselle. Notre bébé dormait tout près de nous et lorsqu'il pleurait, je me faisais un plaisir de le bercer pendant des heures, pour laisser dormir Thérèse qui avait beaucoup de misère à se rétablir de cette maternité qui l'avait affaiblie. De toute façon, j'étais heureux de jouer au papa avec mon bébé.

Nous aurions pu être heureux sans les fréquentes visites de mes beaux-parents qui s'inquiétaient du sort que je réservais à leurs fille et petite-fille. Ils semblaient oublier que j'avais marié leur fille, parce que je l'aimais, et non parce que j'y étais obligé. Ils allaient jusqu'à me faire espionner par les propriétaires qu'ils connaissaient et, en plus, les insultes continuaient. Je n'en pouvais plus.

Le début d'une carrière

Un matin, bien décidé de faire quelque chose pour arrêter de crever, je suis parti avec ma femme et mon bébé pour retourner chez ma mère en attendant de me trouver un endroit où je pourrais être seul avec ma femme.

La grève était terminée, mais j'avais perdu mon emploi, car j'étais toujours sur la liste noire de mon ancien employeur.

Pour arriver à vivre, je fis toute sorte de métiers : transporter du fumier avec une voiture tirée par un gros percheron, monter des murs de pierre, travailler à la pelle, et pour me faire un peu plus d'argent, chanter le soir, dans des cinémas de la rue St-Laurent, entre deux films, pendant que les clients mangeaient leur *pop-corn* ; puis dans des boîtes de nuit de la même rue, où s'entassaient les putains et leurs souteneurs quand ce n'était pas les tapettes qui essayaient de nous « pogner le cul » en descendant de scène.

Ma femme n'était pas enchantée de la situation et ceci entraînait bien des discussions inutiles. Tant et si bien qu'elle finit par gagner son point. Elle avait raison, on ne pouvait pas passer notre vie à vagabonder éternellement.

Paul dut mettre beaucoup de pression pour arriver à me faire réengager dans la lithographie, et je me louai une petite piaule au bord de l'eau, où on pouvait être à la fois dans la chambre à coucher, la cuisine et la toilette en même temps. Mais au moins, nous étions seuls et je pouvais faire l'amour à ma femme et à mon fleuve en même temps. Après l'ouvrage, je passais mes soirées à laver des couches et à jouer de la guitare. J'allais quelques fois discuter musique avec mon propriétaire, Lionel Parent, le chanteur dont j'ai parlé auparavant. Il m'enseignait comment écrire des chansons et me parlait de ses voyages qu'il avait fait avec Jean Grimaldi.

Entre mes rêves, mes chansons et notre amour, ma femme me donna deux autres beaux enfants, Mario et Ginette. Mais il me fallut trouver une autre maison pour pouvoir nicher toute ma famille. J'en trouvai une juste à côté du pont Le Gardeur à Pointe-aux-Trembles. Nous y étions heureux, mais je n'avais qu'une idée en tête : chanter.

C'était l'hiver et un agent m'avait téléphoné à l'ouvrage pour m'offrir un contrat dans un cabaret. Les fêtes approchaient et j'avais un grand besoin d'argent pour pouvoir acheter des cadeaux aux enfants. Thérèse accepta à condition qu'elle soit avec moi.

Le jour venu, nous sommes partis tous les deux vers ce cabaret qui était situé sur la rue Mont-Royal. Je m'étais fait beau avec mon habit de noces et ma guitare sous le bras, d'autobus en autobus et de tramway en tramway, nous voilà enfin arrivés à ce grand cabaret…, « un vrai bordel » !

En entrant, j'eus presque peur en voyant le gorille qui était à la porte et qui me dit : « Grouille-toé, l'chanteur, les musiciens t'attendent pour pratiquer. »

C'est ce que j'ai essayé de faire, mais c'était un orchestre de noirs, qui ne comprenaient pas un traître mot de français, et encore moins mes chansons qui étaient des succès de Tino Rossi. On essayait quand même, quand le patron est venu nous dire : *Show time !* Puis débrouille-toi avec ta guitare. »

Le maître de cérémonie qui chantait avant moi était un chanteur de jazz noir. Alors, imaginez le décalage quand je suis arrivé devant ce public, qu'il n'était pas arrivé à faire taire avec sa musique rythmée.

194

J'étais complètement perdu. J'avais beau essayer, il n'y avait rien à faire, ça ne passait pas. J'ai fermé les yeux et j'ai fait mon spectacle jusqu'au bout en pensant à mon salaire. Il n'était pas énorme, mais j'en avais besoin. Quand je suis descendu de scène, le patron m'a apostrophé, en me disant :

– Toi l'cave, t'étais supposé chanter en anglais !

– Personne m'a dit ça.

– Bon, ben, tu finis à soir.

– Pis ma paye ?

– Tu vas juste prendre la porte, pis si t'es pas content, on peut même t'aider à sortir.

Ma femme, qui me voyait changer de couleur, s'est dépêchée de me dire :

– Viens-t'en, c'est pas le moment de faire du trouble.

Nous sommes sortis terriblement déçus pour téléphoner à Mme Turner, l'agence qui m'avait envoyé. Et je lui ai expliqué ce qui c'était passé, elle m'a dit :

– Mon pauvre Paolo, moi aussi, je pensais que tu pouvais chanter en anglais, mais j'peux rien y faire. Avec le genre de chansons que tu fais, tu devrais téléphoner à Jean Raffa, il a déjà aidé Fernand Gignac, peut-être qu'il pourrait faire quelque chose pour toi. Téléphone-lui au cabaret où il est en vedette depuis des mois, ça s'appelle Le Tourbillon.

Je raccroche et je regarde ma femme qui m'attend à l'extérieur de la boîte téléphonique, elle a l'air aussi gelée que moi, et j'hésite avant de téléphoner. S'il fallait qu'il m'envoie promener lui aussi, ça serait le restant…

Thérèse me dit : « Dépêche-toi, j'ai très froid. »

Ça y est, je téléphone. C'est une voix féminine qui me répond, très à la française :

– De la part de qui ?

– Paolo Noël.

– Je ne comprends pas.

– De la part de Paolo Noël.

– Je ne comprends toujours pas !

J'avais beau me mettre la gueule en cul de poule pour essayer de parler à la française, elle ne comprenait rien, alors j'ai perdu patience :

– Passez-moi Jean Raffa, calisse !

J'attends quelques instants quand une voix pleine de bonne humeur me répond, ça ne réchauffe toujours pas mes pieds, mais le cœur, oui. Je lui explique ma situation et sa réponse est comme un rayon de soleil qui passe dans l'écouteur :

– Mon pote, faut jamais s'en faire avec ce métier-là. Viens me voir immédiatement et je verrai ce que je peux faire pour toi. Allez, amène-toi, je vais te faire chanter, et en français s'il vous plaît.

Je ressors de la boîte avec un sourire qui étonne ma femme, car elle ne sait pas ce qui vient de se passer, elle me dit :

– Où allons-nous ?

– Dans l'ouest, ma chère, on s'en va chez Jean Raffa !

Le Tourbillon est la première et la seule boîte française à l'ouest de la rue Bleury. En montant l'escalier, j'entends la musique d'un accordéon musette et je vois Jean Raffa en entrant. Je me présente car il ne me connaît pas. Il me dit :

– Tu arrives juste à temps, le spectacle va commencer, je vais faire quelques blagues et je te présente, installe ta môme quelque part, et prépare-toi.

Je suis tout énervé, pendant que je regarde Jean Raff faire rire les gens, quand il dit :

– Mesdames et Messieurs, vous allez être très gentils, car j'ai un nouveau chanteur à vous présenter, on va l'écouter et applaudir bien fort, le voici qui s'amène avec sa guitare et sa voix chaude : Paolo Noël.

Comme de raison, je n'avais pas, dans ce temps-là, l'assurance que j'ai aujourd'hui, mais les Français m'écoutèrent et m'applaudirent. Après ce mini-succès, Jean m'a dit :

– Mon p'tit Paolo, le patron t'engage, 25 dollars par semaine.

J'étais enchanté, mais je n'avais plus d'argent pour m'en retourner chez moi. J'ai expliqué mon problème à Raffa qui s'est mis à rire et m'a donné de l'argent de sa poche, pour me payer des billets de tramway.

En revenant, Thérèse ne parlait pas beaucoup, je savais qu'elle s'inquiétait. Elle s'inquiétait pour moi, mais surtout pour nous ; je lui dis pour la rassurer que je ferais ce double emploi jusqu'aux fêtes et qu'après je le laisserais tomber.

Dans les semaines qui suivirent, ce ne fut pas si facile que je le croyais. Avec Raffa et le public du Tourbillon, ça marchait bien, mais où ça se compliquait, c'était la nuit après le spectacle. Avec le trajet que je devais faire, je n'arrivais pas à attraper l'autobus de Pointe-aux-Trembles, alors j'allais coucher à l'imprimerie sur les piles de rouleaux et je me levais le matin tout raqué, pour reprendre ma journée de travail.

Au bout d'un certain temps, j'étais tellement fatigué, que je dormais debout appuyé contre les murs. Je me faisais engueuler par mon pressier qui me criait de me réveiller, surtout quand les papiers s'embourbaient dans les rouleaux. Après le travail, je rentrais à la maison pour dévorer joyeusement mon seul repas de la journée.

Je me gardais bien de laisser paraître ma fatigue devant ma femme, pour ne pas lui fournir l'occasion de m'empêcher de chanter. Je repartais pour le cabaret toujours très heureux pour aller faire ce métier que j'aimais.

Les seuls moments longs de ma journée étaient entre mes spectacles, où je ne savais pas quoi faire. De temps en temps, je parlais avec la jolie demoiselle qui travaillait au vestiaire. Elle me raconta sa vie, je lui racontai la mienne. Quand je lui dis que je dormais à l'imprimerie, elle me répondit : « Au lieu de dormir sur des rouleaux, viens dormir chez moi. »

Je ne savais pas quoi répondre, car je me disais, s'il faut que Thérèse apprenne que j'ai dormi dans la maison d'une autre femme, ça sera terrible…

Alors, j'ai dit : « Je verrai après la soirée. »

Et j'ai vu que j'étais rendu dans une petite maison de faubourg sur la rue Sanguinet montant un escalier crochu qui menait à une petite chambre au milieu de laquelle attendait un lit de fer avec un matelas rond comme un hamac. J'ai eu presque envie de repartir. Elle s'en aperçut et elle me demanda :

— Est-ce que je te fais peur, tu serais pas pédé par hasard ?

Il n'en fallait pas plus pour que je me déshabille et que je me couche immédiatement.

On s'est couché en chien de fusil, c'était la première fois depuis mon mariage que je couchais avec une autre femme, j'avais un sentiment de culpabilité qui faisait diminuer ma virilité au point que je n'aurais pas osé pisser, tellement j'étais gêné. Et je me suis endormi collé à sa peau, sans rien faire. Le matin, elle me réveilla pour aller travailler. J'étais quand même plus reposé à dormir dans son hamac que sur mes rouleaux.

Le lendemain soir, entre les spectacles, j'étais allé au restaurant avec un chanteur français, qui était très visiblement une pédale, mais qui ne m'embêtait pas. Je le trouvais très gentil parce que nous parlions de chansons et de Paris, pendant que je bouffais mes deux gros morceaux de tarte aux pommes et que je buvais les deux verres de lait qu'il me payait.

Alors, la petite du vestiaire, qui avait naturellement tout vu, me dit au moment où nous allions nous coucher :

– Tu peux aller coucher ailleurs, ici c'est pas un bordel à tapettes.

Elle m'avait touché au cœur, je me suis déshabillé et je me suis couché à côté d'elle, mais pas pour dormir. Je me suis dit :

– Si l'adultère est un péché mortel, tant pis, mourons. Au diable ma conscience, si elle m'empêche d'être ce que je suis supposé être : un homme.

C'était très facile de l'aimer, elle était très jolie avec ses cheveux longs qui cachaient une partie de ses seins. C'est elle qui a commencé le jeu, comme pour m'initier à une nouvelle façon d'aimer pour moi. Faire l'amour pour l'amour. Mais quand le moment de la pénétration arriva, elle me dit :

– Non pas là, là !

– Non, c'est pas fait pour l'amour ça, c'est fait pour autre chose.

– C'est là que tu vas aller mon coco, car je n'ai pas envie d'avoir un petit chanteur dans quelques mois.

J'étais si contrarié que je suis redevenu aussi flasque qu'une vieille mâchée de gomme.

Elle me dit : « Non, pas encore ! Écoute, si tu ne veux pas baiser, va dormir sur tes rouleaux ! »

Vous allez sûrement dire, « il était bien niaiseux le Paolo » ; et oui, je l'étais, car j'ai mis mes culottes pour aller dormir sur mes rouleaux.

Au bout d'un mois de ce double travail, nous étions presque à la veille de Noël quand le surintendant de l'imprimerie me fit demander à son bureau. Il me dit :

– J'ai eu de très mauvais rapports sur toi et ton manque d'attention à l'ouvrage. Pour te donner le temps de choisir entre chanter ou travailler honnêtement, je te donne 15 jours de congé non payés.

– M. Bryson, donnez-moi une chance, j'ai trois enfants, une femme, pis on est rendu aux fêtes.

– Ça, c'est pas mon problème, c'est ton problème.

J'éclate : « Vous êtes des pourritures, des saletés, des osties d'écœurants… »

Je lui lance à la figure les gants de travail que je tenais dans mes mains en lui criant : « Mon calisse d'Irlandais, un jour tu vas payer pour m'entendre chanter ! (Cette phrase, il ne l'avait pas oubliée, plusieurs années après, quand je lui fis parvenir par mon beau-frère Pierre un chèque en paiement de photos qu'il avait imprimées pour moi. Il lui avait dit : « Paolo a vraiment une tête de pioche, il a gagné son but. »)

Je suis parti pour la maison la tête basse, avec mon vieux linge de travail, et je me demandais comment j'allais annoncer la chose à Thérèse. En arrivant, elle me demanda ce qui n'allait pas. Ça devait sûrement se voir sur ma figure. En apprenant la nouvelle, elle s'est fâchée :

– Toi, puis tes idées de chanteur, je savais que ça arriverait, tu m'avais pourtant promis de ne plus chanter quand on s'est marié.

– Thérèse, dans la vie, on n'a pas le choix, faut se défendre comme on peut ; la vie m'a donné des talents que je serais bien bête de ne pas exploiter, et j'entends bien continuer que tu le veuilles ou non, car il faut que je vous fasse manger. J'ai perdu mon emploi, je ne veux pas voler, il ne me reste qu'à chanter !

Et je repars en claquant les portes, pour aller chez mon ami Lionel Parent, pour lui demander conseil. C'est sa femme qui me reçoit. Elle me demande la raison de mon air abattu, et elle me dit de ne pas m'en faire : « Lionel va essayer de téléphoner à Jean Grimaldi pour savoir s'il n'aurait pas une ouverture au théâtre pour toi. » Je suis assis avec Mme Parent en train de prendre une tasse de thé, et elle me passe maternellement la main dans les cheveux en me disant : « Tu as le front très intelligent et tu es assez joli garçon, je ne vois pas pourquoi tu ne réussirais pas un jour ou l'autre. »

Recevoir un compliment dans l'état où j'étais, ça me gênait un peu, mais ça me faisait beaucoup de bien venant d'une femme qui avait tellement de classe.

Lionel était toujours en ligne avec Grimaldi pendant que nous parlions, lorsque je le vis arriver avec son sourire moqueur :

– Comme ça, tu veux chanter ? Bien c'est fait. Grimaldi se cherchait un remplaçant pour un chanteur qui avait la voix de Tino Rossi, il devait chanter l'*Ave Maria* dans la production des fêtes de Noël, mais ça fait une semaine qu'il est soûl, tu arrives pile. Il veut te voir le plus vite possible. Je lui ai dit que tu avais l'allure de Tino Rossi. Il veut savoir si c'est vrai, parce que tu commences demain, et tu répètes cette nuit à minuit au Théâtre Canadien.

J'ai dit « Merci ». Je ne savais plus quoi dire.

Lionel et sa femme se sont mis à rire en regardant mon air. C'est en courant que je suis retourné à la maison, pour annoncer la bonne nouvelle à Thérèse.

Elle n'eut pas l'air de la trouver bien bonne, mais ça ne faisait rien, j'étais heureux de me sentir comme un artiste.

Le Théâtre Canadien était situé sur la rue Ste-Catherine au coin de la rue Montcalm. En débarquant du tramway, je vis d'abord l'annonce illuminée du Théâtre National. J'y voyais le nom de La Poune, de Léo Rivest et d'autres comédiens ; c'était le compétiteur du Théâtre Canadien qui était juste à l'autre coin de la rue. Mon cœur battait et j'étais excité en voyant sur la marquise de ce théâtre : « Jean Grimaldi présente Ti-Zoune et Manda. »

En arrivant devant la porte, je regarde la photo des artistes et je me demande si un jour, j'y verrai la mienne. En entrant, le portier me dit :

– C'est fermé !

– Je viens pour la répétition.

– OK, monte au bureau.

Par un petit escalier tortueux qui craque, j'entre dans le bureau où règne un désordre indescriptible et au milieu duquel sont attablés des hommes qui jouent aux cartes. Je n'en connais aucun, mais je crois deviner que celui qui m'adresse la parole est Jean Grimaldi, car je reconnais l'accent corse :

– Qu'est-ce qu'on peut faire pour vous, jeune homme ?

– Je suis le chanteur pour l'*Ave Maria*.

– Ah, c'est vous, assoyez-vous, on descend répéter dans quelques minutes.

Au moment de la répétition, les artistes sont assis, éparpillés dans les bancs de la salle et Grimaldi est sur la scène en train d'expliquer la mise en scène du spectacle qui se passe autour d'une crèche de Noël avec tous les personnages qui s'imposent. Il crie en montrant du doigt les artistes qui me tournent le dos et que je ne connais pas encore :

– Toi, tu fais la Sainte Vierge, toi, St-Joseph, toi, un Roi Mage.

Celui-ci se met à faire des blagues et tout le monde rit, excepté Grimaldi qui essaie de garder son sérieux.

Le farceur c'est Claude Blanchard que je reconnus pour l'avoir déjà vu auparavant dans une assemblée de l'Union des artistes où il avait assommé un des directeurs. Grimaldi se retourne vers moi, assis tout seul dans mon coin :

– Toi, le nouveau, tu fais un berger et tu chantes l'*Ave Maria*, appuyé à côté de la crèche. Viens sur la scène que je t'entende.

En arrivant, je regarde la salle qui est vide, sans public, et Grimaldi voit bien que j'ai le trac. Alors il vient vers moi, met la main sur mon épaule et il dit en s'adressant aux artistes qui parlaient :

– Un instant, les enfants, un peu de silence, je vous présente un nouveau compagnon : Paolo Noël.

Blanchard dit : « Pas un autre Corse ? »

Grimaldi me dit : « Vas-y on t'écoute ». C'est avec la voix un peu tremblante que je suis arrivé à chanter l'*Ave Maria* de Gounod, et tous mes nouveaux compagnons m'ont applaudi. Grimaldi m'a dit :

– Bravo, c'est parfait. À partir d'aujourd'hui, faut que tu sois un Corse, avec la voix que tu as là, tu ne peux pas être autre chose.

Le lendemain quand je suis entré dans les loges, juste à sentir le parfum qui se dégageait du maquillage, j'avais l'âme chavirée, et le premier qui m'a dit bonjour, dans le passage, ce fut Olivier Guimond.

– Ça va bien aller, tu chantes bien.

On m'avait installé dans la loge juste en face de la sienne, avec Claude Blanchard, Pat Gagnon, et un autre comédien, René Duval, nommé Bazou.

Je me suis maquillé comme on le faisait dans le temps, et j'ai mis mon costume de berger. Quand le rideau s'est ouvert devant la salle qui était toujours pleine à craquer, je ne peux pas décrire la joie et l'émotion que je ressentis ; mais j'aurais voulu que ma grand-mère, ma mère et tous ceux que j'aimais soient là pour me voir, tellement j'étais fier de moi, d'être sorti de la rue pour devenir ce que j'avais toujours rêvé d'être : un chanteur.

Quand j'eus terminé mon *Ave Maria*, je fus tellement applaudi qu'il me fallut recommencer la même chanson. J'avais à mon côté Pat Gagnon qui me chuchotait : « Bravo, vas-y ti-gars ».

Le charme se brisa quand on me dit que j'étais engagé pour une semaine seulement. Je ne voulais pour rien au monde retourner à l'imprimerie, j'étais bien déprimé et je restais dans ma loge au théâtre pour vivre chaque instant de communion qu'il me restait à vivre avec ce métier que j'aimais plus que tout au monde. Mais je n'étais pas seul, j'avais dans la loge d'en face un compagnon qui m'invitait quelquefois pour m'offrir des sandwiches que supposément il ne mangeait pas.

C'était Olivier Guimond, un être extraordinaire et discret, qui s'était aperçu que je ne mangeais pas de la journée. J'en profitai pour lui dire ma déception de quitter ce théâtre à la fin de la semaine, et combien je serais heureux d'y rester.

Il me dit : « Il ne faut pas s'en faire ti-gars, j'vais m'arranger avec Jean pour que tu restes, l'autre chanteur n'avait qu'à faire en sorte, de garder sa place. »

Et je suis resté au théâtre pendant plusieurs années. Olivier et moi sommes restés amis jusqu'à la fin de sa vie.

– Comme je voudrais que tu sois là, Olivier, pour lire ces quelques lignes afin que tu saches que je n'ai rien oublié !

Vivre dans les loges d'un petit théâtre, sept jours par semaine, pendant des mois, avec les mêmes personnes, finit par créer des liens amicaux et familiaux. Mais, comme dans toute grande famille, il y a naturellement des petits conflits. En général, je pense que nous y étions tous assez heureux. On finissait par savoir l'histoire de chacun de nous, ses qualités, ses défauts, qu'un tel était un alcoolique, l'autre un joueur ou un baiseur et, comme tout théâtre qui se respecte, comme disait M. Grimaldi, il nous fallait quelques homos, et on savait d'après le comportement de notre voisin s'il avait passé une bonne nuit ou pas.

Pour moi, c'était un monde tout nouveau et j'appréciais beaucoup cette façon de vivre, où même lorsqu'on vous engueule, on arrive à être poli. Au bout d'un mois, je m'étais déjà fait un nom respecté au théâtre. M. Grimaldi avait même monté une ouverture musicale où j'étais en vedette et qui s'intitulait : « Mon île d'amour » où je personnifiais Tino Rossi. Pour moi, c'était beaucoup. J'avais lu une critique sur moi dans un journal de quartier qui m'avait fait bien plaisir : « Si vous aimez Tino Rossi, faute de ne pouvoir avoir l'authentique, consolez-vous Mesdames, en allant au Théâtre Canadien voir ce nouveau chanteur, qui se nomme Paolo Noël, il a tout de Tino, la voix, le physique et même la guitare. »

Grimaldi formait souvent des couples que le public semblait aimer, comme on le faisait au cinéma. Au début, ma partenaire était presque toujours la même, une fille mince avec une voix dans le style de Piaf, qui se nommait Carole Mercure, elle avait plus de métier que moi et naturellement, m'aidait beaucoup sur la scène lorsqu'il fallait faire des scènes d'amour. C'était pour moi tout simplement une camarade, mais aux yeux de certains spectateurs, elle devait être sûrement ma maîtresse. Ce qui faisait bien rire son ami, qui venait la chercher tous les soirs.

Mais, mes beaux-parents ne le voyaient pas du même œil et le transmettaient à ma femme qui était très influençable. Ça occasionnait de nouvelles disputes qui nous rendaient malheureux chacun de notre côté.

Elle avait mille raisons de le faire, d'abord je travaillais sept jours par semaine et même en laissant tomber le cabaret, à cause du trajet, je rentrais tard et mon salaire était moindre au théâtre qu'à l'imprimerie.

J'avais beau lui dire de patienter, qu'un jour je pourrais sûrement lui payer un peu de luxe, mais qu'il me fallait du temps.

Justement, un réalisateur de CKVL m'avait contacté pour faire une émission de radio, qui passerait sur les ondes tous les dimanches après-midi, au cours de laquelle je chanterais en m'accompagnant à la guitare. L'animateur de cette émission serait un jeune annonceur qui arrivait de Québec et qui se nommait Jacques Duval.

L'émission eut lieu et s'intitula « Un cœur, une guitare, une chanson » et elle connut son brin de succès auprès des auditrices. Excepté une Française qui écrivit une lettre ouverte à un journal pour critiquer le fait qu'on laissait un chanteur amateur remplacer si vulgairement la voix d'un grand chanteur comme Tino Rossi.

C'était ma première critique et elle me fit beaucoup de peine. Au théâtre, on parlait avec beaucoup d'enthousiasme de la saison des tournées aux États-Unis, au Québec, au Nouveau-Brunswick et en Ontario, qui allaient commencer. Je n'en parlais pas, mais j'espérais bien y aller. Les seuls grands voyages que la vie m'avait payés, c'était le passage d'un orphelinat à l'autre. Quand Grimaldi me demanda si j'étais intéressé, je n'ai pas eu besoin de répondre. À regarder mes yeux, il savait que c'était « oui ».

Je sais bien maintenant qu'en affaires ce n'est pas bon de laisser voir son enthousiasme, car on ne peut plus discuter de salaire. Mais c'est encore aujourd'hui mon problème : je suis un artiste et non un homme d'affaires. Ma femme n'était pas si enthousiaste de me voir partir, mais si je restais à Montréal, le théâtre fermait pour l'été, donc je devenais sans emploi. Au lieu d'aller travailler au pic et à la pelle, je préférais chanter.

Pour Thérèse, je comprends maintenant que ça ne devait pas être très drôle d'envisager de vivre seule avec trois enfants pendant les trois mois de tournées.

De mon côté, pour pouvoir faire le métier que j'aimais, j'étais prêt à m'imposer n'importe quel sacrifice. Je gagnais 60 dollars par semaine et j'en donnais 40 à ma femme. C'est à peine si j'arrivais à me payer un repas par jour. Il m'arrivait souvent d'attendre que mes compagnons aient fini de manger pour vider le restant de leur assiette et de ramasser le pain et le beurre de la table pour mon déjeuner du lendemain. Je devais laver ma seule paire de caleçon et mes bas à la main, tous les soirs avant de me coucher et si ma femme devait vivre dans la solitude, c'était la même chose pour moi. Dans chaque ville où nous allions, nous arrivions pour les spectacles et nous repartions le lendemain. Donc, à moins de vous appeler Elvis Presley, vous n'aviez pas tellement de chance de faire des conquêtes.

J'étais en Nouvelle-Angleterre lorsque M. Grimaldi vint m'annoncer, juste avant le spectacle, une nouvelle qui me fit peur : ma femme était entrée d'urgence à l'hôpital. J'étais complètement débalancé, je pensais aux enfants, mais je savais que quelqu'un s'en occuperait. Quant à Thérèse, seule, c'était trop injuste. Je ne peux pas dire combien je me haïssais d'être parti, mais maintenant, j'étais à des centaines de milles de chez moi sans suffisamment d'argent pour m'en retourner. Et, même si je le faisais, qui allait payer la note de l'hôpital si je ne travaillais pas ? J'avais le visage appuyé contre le mur de ciment les deux poings fermés et je pleurais. Je pleurais en voyant mon impuissance devant les épreuves de la vie. Grimaldi est venu me voir et m'a dit :

– Paolo, calisse arrête, tu es en train de tous nous faire pleurer. Je vais téléphoner à Montréal et m'arranger pour que la note d'hôpital soit payée. Tu me rembourseras un jour, quand tu seras une grande vedette.

Quand je suis entré sur la scène, c'est à peine si je voyais devant moi, car j'avais la vue embrouillée par les larmes que je retenais. J'ai fait mon tour de chant devant ces Franco-Américains qui étaient venus écouter un chanteur dont la voix ressemblait à celle de Tino Rossi. Ils ne voulaient rien savoir de la peine qui m'étouffait. J'avais beau, dans mon imagination, inventer des images sur mes chansons, je revoyais, enveloppée de drap blanc, la femme que j'aimais. Je ne crois pas depuis avoir autant souffert en faisant mon métier.

Dans les jours qui suivirent, je ne fus pas très heureux et M. Grimaldi s'arrangea pour avoir des nouvelles de ma femme. Tous les jours, il téléphonait à Montréal, à sa femme qui, elle, s'arrangeait pour être au courant.

Mais il fallait que je continue, ça n'aurait rien arrangé de m'en retourner chez moi ; d'ailleurs, mes beaux-parents devaient être heureux que je ne sois pas dans leurs jambes. Ils pourraient ainsi cracher leur venin à leur goût.

En terminant la tournée des États-Unis, nous étions juste aux lignes du Nouveau-Brunswick et quelle ne fut pas ma surprise, en écoutant la radio dans l'automobile, d'entendre le seul et unique disque que j'avais enregistré quelques années auparavant, lorsque j'étais encore ouvrier. Peut-être est-ce le fait de m'accompagner à la guitare qui avait fait accepter mon disque, dans ce coin du pays où les gens affectionnent particulièrement le western.

J'étais fier parce qu'à Montréal, à part Janette Bertrand à CKAC, personne n'avait osé le faire tourner. Je me suis aperçu d'un changement en arrivant sur scène : tout est différent quand le public vous connaît.

J'étais peut-être connu vocalement au Nouveau-Brunswick, mais je ne l'étais pas physiquement. Un soir, après le spectacle, j'étais assis dans un restaurant chinois, je demande à la serveuse une tasse de thé, elle ne répond pas, me regarde comme si j'étais un monstre et part en courant vers la cuisine.

Ça m'a semblé bizarre, mais je me suis dit : « Attendons ! »

Lorsqu'un Chinois qui avait l'air d'être le patron est venu vers moi et m'adressa la parole en anglais, je l'ai regardé bien bêtement, car je ne comprenais rien.

Tout à coup, il éleva la voix et me regarda avec ses petits yeux qui lui donnaient l'allure d'une souris vivante. Il posa la main sur mon bras en y mettant un peu trop de pression. Un mouvement qu'il ne fallait pas faire avec moi dans ce temps-là. La réplique fut automatique, j'étais assis, je ne fis qu'allonger mon bras rapidement, pour lui attraper le menton avec mon poing. En perdant l'équilibre, le Chinois alla se ramasser à travers les tables et les chaises. Heureusement qu'il n'y avait pas d'autres clients, je pensais que je serais peut-être mieux de m'en aller. Mais c'était déjà trop tard, je vis partir de la cuisine deux autres petits bonshommes, aux yeux bridés, habillés de blanc, tenant chacun dans leurs mains deux grands couteaux à viande avec lesquels ils faisaient des « mouvements de ciseau » devant ma figure, en me criant des mots en chinois qui me faisaient presque peur. Comme ils me barraient le chemin, rapidement, je montai sur la table, pour sauter de cabine en cabine jusqu'à la sortie, puis courir dans la rue toujours avec mes deux Chinois qui me collaient au cul.

Dans ma jeunesse, j'avais appris à ne pas jouer avec les petits garçons qui ont des couteaux dans les mains. Mais heureusement que je savais aussi courir, sinon j'aurais peut-être fini mes jours coupé en morceaux dans un chop suey !

Quand j'arrivai à l'hôtel, M. Grimaldi qui était dans la hall d'entrée, en me voyant arriver encore tout énervé, me demanda ce qui se passait. Je lui racontai mon aventure et il me dit, toujours avec son accent corse, en me faisant de grands gestes avec les mains :

– Ah ! les calisses de Chinois, y t'ont fait ça à toi ! Ils vont voir, ce qu'ils vont voir !

Nous sommes repartis tous les deux et je me rendis compte que M. Grimaldi n'était pas un homme qui avait froid aux yeux. On n'était pas aussitôt entré dans le restaurant que toute une équipe de Kung-Fu était devant nous, Grimaldi me dit : « Reste derrière moi. »

Et l'engueulade commença, un bout en anglais, un bout en chinois, le tout arrosé de dialecte corse et français.

Comme par miracle, tous les Chinois repartirent à la cuisine. Depuis le début, je ne comprenais absolument rien à ce qui m'arrivait. D'après Grimaldi, on m'aurait pris pour un autre qui était venu faire du trouble une semaine auparavant. Je venais d'apprendre que j'avais une doublure au Nouveau-Brunswick. Mais enfin, j'eus ma tasse de thé.

Quand je fus enfin seul, dans ma chambre, dans la trop grande tranquillité qu'ont toutes ces vieilles chambres d'hôtel, je me mis à compter les jours qu'il me restait dans cette partie de la tournée.

Il ne restait que quelques jours encore et j'avais hâte de retrouver mes enfants, de pouvoir les prendre dans mes bras et de les embrasser, d'aller me coucher avec eux avant qu'ils ne s'endorment, de respirer la chaleur de leur douce haleine dans mon cou. J'espérais que Thérèse serait heureuse de me revoir, autant que moi de la retrouver. J'espérais, mais j'étais inquiet. Mes beaux-parents avaient eu assez de temps, pendant mon absence, pour détruire ce qui restait d'amour et de compréhension entre nous deux. Ces quelques jours qui me restaient m'avaient semblé bien longs. Et nous étions enfin sur le chemin du retour.

Assis sur la banquette arrière, le visage appuyé contre la vitre de la portière, nous passions devant La Pocatière et je regardais défiler le paysage verdoyant sous la pluie ; j'avais l'impression qu'il avait la tristesse de mon âme. Je ne pouvais partager la joie qu'avaient mes compagnons à la pensée de retrouver leur ville, leur maison, leurs amis, leurs amours.

Pendant cette semaine que je passais avec ma famille, je voulais, avant de repartir, essayer de faire comprendre à ma femme qu'il n'y avait pas d'autres chemins pour moi que celui que je suivais. Que malgré tout ce qu'on a pu lui dire pendant mon absence, je l'aimais. Les jours heureux ont cette façon de disparaître comme des soleils couchants. À peine a-t-on le temps de les vivre et de les réaliser qu'ils sont déjà terminés.

Le temps était venu pour moi de repartir. Avant de m'embarquer dans la petite Studebaker de Paul Thériault où s'entassaient Manda, Paul Desmarteaux, sa femme Aline Duval et le prétentieux Bazou. Je pris Thérèse dans mes bras pour l'embrasser et j'eus envie de tout laisser tomber. Dans mon for intérieur, mon cœur se battait entre mon amour et ma raison. Ou je restais pour devenir ce que je ne voulais pas être, un raté, ou je suivais mon destin pour devenir ce que je voulais être et ce que je suis devenu.

Je suis monté dans la voiture, pour m'asseoir derrière à côté de Bazou qui était au centre, avec ma guitare entre les jambes, parce qu'il n'y avait plus de place dans le compartiment à bagages qui était sur le toit.

Thérèse me fit un signe de la main et nous sommes repartis. Par la fenêtre, je regardai une dernière fois mes enfants qui jouaient dans la cour. On a traversé le pont Le Gardeur en silence. Mes compagnons qui étaient au courant de mon histoire n'osaient dire un mot, lorsque Manda, qui en plus d'être une comédienne était aussi une bonne grosse maman, dit en arrivant à Repentigny :

– Bon, on va arrêter chez ta mère en passant, pis tu vas aller lui donner un beau gros bec. OK, mon ti-gars ? T'es pas pour nous commencer la tournée en nous faisant brailler. On va régler ça tout suite, pis après on part pour Baic St-Paul.

Parler de voyage à travers la province aujourd'hui, alors que les distances à travers le monde n'existent plus, peut vous paraître banal. Mais il y a 29 ans, lors de cette tournée, plus de la moitié des routes de la province, en dehors des grandes villes, étaient encore en terre ou en gravier. Les voitures n'étaient pas ce qu'elles sont aujourd'hui. Pour faire 160 kilomètres, il fallait partir tôt le matin si on voulait arriver à temps pour le spectacle le soir même. Il y avait tellement de poussière, que lorsqu'on descendait de la voiture, on aurait dit des voyageurs de diligence des vieux westerns. Et je me rappelle que nous avions été obligés de débarquer de l'automobile pour que celle-ci puisse arriver à monter la côte St-Joachim de Québec à reculons. Pour moi, qui étais jeune et en forme, c'était de l'aventure. J'entends encore Manda qui me suivait, toute essoufflée, qui jurait contre la Studebaker : « Si j'pogne celui qui a inventé c'te voiture-là, j'vas lui jouer avec les amygdales. »

Moi, je riais d'entendre les expressions de Manda. Elle les criait si fort, que même les oiseaux devaient l'entendre. Quand nous reprîmes la route, je m'aperçus soudainement qu'il n'y avait pas de pianiste. Alors bien naïvement, je demandai qui accompagnerait le spectacle ? Paul Desmarteaux qui était un pince-sans-rire dit sur un ton bien moqueur :

– Manda, joues-tu du piano ?

– Non

– Toi, Bazou ?

– Non

– Pis moi non plus !

– Alors qui accompagne le spectacle ?

– T'as une guitare, alors ça doit être toi.

– Non, ça se peut pas ! J'ai de la misère à accompagner mes propres chansons.

Si des musiciens qui m'ont déjà accompagné lisent ces lignes, ils vont bien rire. Mais qu'ils le croient ou pas, j'ai accompagné le spectacle et dans des théâtres pleins à craquer !

Pire encore, ça marchait ! Il faut dire que le public de cette époque était moins exigeant. Pas de télévision et, chanceux, ceux qui pouvaient capter un poste de radio. Chaque soir quand on m'applaudissait, c'était pour moi un nouveau miracle.

Tout au long de ce voyage sur la Côte-Nord quand nous ne voyagions pas, je passais mes journées assis sur les rochers, et je rêvais en regardant la mer. J'étais sûr qu'un jour, j'aurais un bateau assez gros pour pouvoir aller lui caresser le dos. J'eus une consolation à mon rêve de marin, quand il fallut prendre le bateau à Baie-Comeau pour se rendre à Sept-Îles, car il n'y avait aucun autre moyen pour s'y rendre. Le chemin d'aujourd'hui était inexistant.

Nous avons tous embarqué à bord d'un vieux rafiot en bois, qui craquait de partout en suivant la vague. J'étais au comble de la joie en voyant son étrave monter et descendre dans cette eau verte. Ce mouvement du bateau qui me rendait si heureux, n'avait pas le même effet sur tout le monde. Le capitaine dût prêter une cabine à Manda, tellement elle avait le mal de mer. J'admirais le courage de cette bonne femme, lorsqu'elle montait sur scène le lendemain pour faire rire les gens comme si de rien n'était.

Mais elle était au désespoir, quand il a fallu rembarquer sur le même bateau, pour se rendre en Gaspésie le surlendemain. Nous avions 30 milles de traversée dans une grosse mer. *L'Ungava* montait et descendait dans les vagues, à un tel rythme qu'on aurait dit un danseur de tango.

Nous commencions la tournée de la Gaspésie à Ste-Anne-des-Monts. Ce fut pour moi un véritable triomphe. Chose bien naturelle, puisque la totalité des spectateurs était de mes parents qui venaient applaudir un de leurs enfants. Je n'eus pas besoin de chambre d'hôtel, il m'aurait plutôt fallu me séparer en 15 pour arriver à faire plaisir à tous ces gens qui voulaient me recevoir. J'étais heureux de m'asseoir à leur table, de les entendre parler de mon grand-père et de ma mère qu'ils avaient connue enfant. D'aller avec eux à la pêche au petit matin, quand la mer est encore en robe de nuit et qu'on peut au milieu de toutes ces barques, qui tendent leurs filets, la regarder s'habiller de soleil. D'abord de mauve, pour aller à l'orange, pour devenir bleue comme les yeux d'une amoureuse. J'avais l'impression de rêver quand au bout de ma ligne j'ai tiré une morue, qui devait mesurer au moins quatre pieds. « Vous allez dire, c'est encore une histoire de pêcheur ! OK, on va dire trois pieds… »

Tous ces voyages ne furent pas sans incidents cocasses de toutes sortes. Je pourrais tout vous raconter en détail, mais je n'aurais pas assez d'un livre pour le faire. Je vais me contenter de vous en raconter quelques-uns qui sont assez amusants. Comme celui de ce curé de village qui nous empêchait de faire notre spectacle, prétextant la vulgarité de Manda, qui ne l'a jamais été, les spectateurs attendaient impatiemment en faisant rouler leurs bouteilles de bière entre les chaises, pendant que les enfants couraient dans les allées. Le curé leur a dit :

– Vous allez rester tranquilles et vous contenter, pour ce que vous avez payé, d'entendre chanter Paolo Noël.

Puis il vint vers nous qui attendions dans les coulisses sans trop comprendre ce qui lui passait par la tête et s'adressa à moi en me disant :

– J 'veux pas entendre « Les feuilles mortes » dans mon église, mais tu vas me chanter l'*Ave Maria*.

Et se retournant vers le reste de la troupe, il dit :

– Après le spectacle, j'veux vous voir au presbytère, j'ai affaire à vous autres.

Il me fallut chanter un peu plus que d'habitude pour que les paroissiens en aient au moins pour leur argent. Puis, nous nous rendîmes au presbytère, tel que convenu. Nous étions tous un peu inquiets en nous demandant quel sermon il allait nous faire.

En arrivant, c'est le curé qui vint nous ouvrir. Ce n'était plus le même. Il avait complètement changé de personna-lité : plus de soutane, le sourire aux lèvres et le verre de gin à la main.

– Rentrez, passez au salon, puis prenez un verre.

En effet, au milieu du salon il y avait une table, avec toutes les bouteilles qu'il fallait et des sandwiches. Il s'assit dans un grand fauteuil et il dit à Manda, qui allait s'asseoir dans l'autre coin du salon :

– Non, toi Manda, tu viens t'asseoir ici, à côté de moi, j'ai à te parler.

Étant donné ce qui venait de se passer et le partage de la recette n'ayant pas encore été fait, elle y alla. Moi, je ne buvais pas et Manda non plus d'ailleurs, mais j'en profitai pour man-ger quelques sandwiches qui ne me coûtaient rien, tout en observant ce qui se passait.

Je vis le curé se mettre à vouloir prendre les cuisses de la grosse Manda qui ne savait plus comment se défaire de ces mains qui semblaient se multiplier. Elle patienta, pendant que le bedeau faisait le partage de l'argent avec Paul Thériault. Aussitôt le comptage terminé, la pauvre Manda qui n'en pouvait plus de se faire tâter se leva d'un bond et s'écria avec la voix qu'on lui connaît :

– Bon c'est assez ! Vous allez mettre vos mains dans vos poches, M. le curé. Pis nous autres, on va s'en aller dret là !

Un autre soir, dans un village de la Côte-Nord, j'ai été invité à une noce. Quand j'arrivai dans cette maison, où l'on fêtait depuis le matin, tout le monde était dans un état de joyeuse ébriété. Je n'avais pas passé le seuil de la porte que les femmes se mirent à m'embrasser et à me tâter. Personnellement je n'y trouvais rien de désagréable. On me demanda si je voulais bien chanter quelque chose. Ce que je fis avec plaisir. On me fit monter au deuxième étage de la maison, où un violoneux faisait danser les gens. J'étais encore entouré de femmes, lorsque je vis venir vers moi trois ou quatre bonshommes, avec des bras comme en ont les bûcherons, et qui ne semblaient pas tout à fait priser la présence d'un don Juan à la noce. J'étais persuadé que ce n'était pas un autographe qu'ils voulaient et je pensais à Napoléon qui a dit « La victoire est souvent dans la fuite… » Mais comment sortir de cette fichue maison. L'escalier, par où j'étais arrivé, était bloqué et mes hommes avaient déposé leurs bouteilles de bière et relevé leurs manches de chemise, qui laissaient voir des biceps gros comme des pamplemousses. Je n'avais pas une seconde à perdre si je ne voulais pas que cette fête soit celle de mon enterrement.

Je vois une porte ouverte. Je me dégage de mes femmes, pour m'y précipiter, mais suprise ! Je suis coincé : c'est un joli petit balcon sans issue. Je sens une main, qui n'a rien de caressant, me prendre l'épaule. Je me retourne : ils sont quatre. Ils ont refermé la porte. Je fais ni une ni deux, je saute en bas, pour tomber les deux pieds dans la boue jusqu'aux chevilles, j'entends crier : « Attends-nous, mon maudit gars de Montréal, tu n'iras pas loin ! »

J'essaie de courir dans cette vase qui, à chaque pas, veut m'arracher mes chaussures. Lorsqu'enfin, j'arrive au chemin, je me mets à courir de toutes mes forces, pour entrer au petit hôtel où m'attendaient mes compagnons qui jouaient aux cartes.

Ils ont ri comme des fous pendant que je leur racontais mon aventure, tout en nettoyant la boue qui était collée à mes chaussures et à mon linge. Je me suis bien juré qu'on ne m'y reprendrait plus.

À la fin de cette tournée, qui était la première pour moi, j'avais compris combien, malgré tout ce que je venais d'apprendre de ce nouveau métier, il me restait de chemin à parcourir avant de me faire un nom. Mais j'étais jeune, le cœur plein d'espoir en mon avenir et prêt à tous les sacrifices pour y arriver. Car je me suis rendu compte que la scène était le seul endroit où je me sentais moi-même depuis mon enfance.

Entre la tournée et le théâtre, j'avais un mois de liberté, ce qui voulait dire un mois sans argent. Mais, personnellement, j'avais un plus grand besoin d'amour et d'affection que d'argent, et j'avais au cœur des romances si belles que je pouvais regarder mes voisins avec un sourire pendant que je travaillais à la réparation de mon petit voilier.

J'ai toujours aimé travailler seul quand il s'agit de mon bateau pour ne rien devoir à personne. Mais cette fois, c'était différent. J'étais entouré d'un équipage de petits lutins qui, de temps en temps, m'empruntaient mes outils pour fabriquer des jouets avec des bouts de bois sans valeur qui, à leurs yeux et sous leurs mains, devenaient des « Picasso ».

Chaque matin je me levais avec le soleil, pour recommencer ma journée et s'il pleuvait, je m'assoyais dans la cuisine avec ma guitare et j'écrivais des chansons que je chantais pour le plus beau des publics : mes enfants.

Avec une guitare, un marteau et quelques mots d'amour, en bien peu de temps, j'avais terminé à la fois mon bateau et quatre chansons : *Gaspésie d'amour*, *Au-delà des flots bleus*, *Complainte à Maman* et *Ne pleure plus chérie*.

Une fois mon bateau à l'eau, mes éternels rêves de liberté m'envahirent et je partais avec mes enfants, un peu d'eau, des fèves au lard, du balloné et du pain pour me cacher à travers mes petites îles, à l'abri de mes beaux-parents. Cette solitude, que j'aimais, ne plaisait pas toujours à Thérèse et elle partait en week-end avec ses parents, qui lui avaient dit d'ailleurs, que « je préférais mon bateau à ma femme ». Ce que je niais, mais avec le temps, je crois bien qu'ils avaient jusqu'à un certain point raison. J'aimais la chaleur de mon bateau et je n'ai jamais pu m'habituer à la froideur, qu'elle vienne d'une femme ou de l'hiver.

J'avais une préférence pour une île où très peu de gens allaient et mes enfants passaient leurs journées à jouer nus dans le sable, entourés de goélands et d'hirondelles. Le soir venu, je les lavais, à même le fleuve, dont l'eau n'était pas encore polluée. Je barbouillais d'onguent leur petit corps chauffé par le soleil et ils s'endormaient doucement pendant que je leur jouais de la guitare.

La pauvreté a des richesses que l'argent et le confort ne peuvent pas acheter. Mais à vivre d'amour et d'eau fraîche, on finit par avoir l'estomac creux. Il était grand temps que la saison de vaudeville recommence, car je ne savais quoi raconter au laitier et au boucher à qui je devais de l'argent.

Au cours de l'été, M. Grimaldi avait aménagé dans une maison dont il était propriétaire et qui était située à quelques pas de la mienne. Ce qui me sauvait beaucoup de problèmes pour voyager durant les répétitions qui avaient commencé. En entrant dans cette maison, tous les artistes savaient qu'ils étaient les bienvenus.

Une dame qui était leur servante depuis plusieurs années et qu'on appelait « Ma tante », préparait toujours des gros chaudrons de mangeaille de toute sorte que nous étions contents de dévorer. Comme disait M. Grimaldi : « Cacalisse ! Si y en a pas assez, on en fera d'autres ! »

Pendant toutes ces réunions, circulaient des tasses de café dont M. Grimaldi avait la spécialité. Une seule tasse suffisait à garder son homme éveillé pendant deux jours.

À chaque début de saison, il y avait au théâtre une semaine de galas. Et j'avais personnellement un gros problème d'habillement. Mon habit de noce tombait en morceaux. Alors Jean me dit : « Je vais arranger ça ! »

Il y avait un Juif qui passait au théâtre et qui vendait aux artistes du linge fait sur mesure qu'on lui payait ensuite, par petits montants chaque semaine. Ça variait entre un et cinq dollars. Si par hasard, un de nous n'avait pas d'argent, quelqu'un retenait le bonhomme Lévis pendant que l'autre se cachait dans le carré à patates qui était dans la cave du vendeur de *smoke meat*. On y avait accès par une petite porte qui était au bout de ma loge. Mais ce vieux bonhomme avait réalisé mon rêve, un complet blanc avec deux chemises noires et une belle paire de souliers italiens.

Ainsi habillé, j'avais vraiment l'allure d'un gigolo ou d'un gangster de cinéma. Ce qui semblait plaire particulièrement aux dames d'une certaine classe. Car, tout au long de cette saison, qui avait bien commencé pour moi, je recevais fréquemment des lettres d'amour, des invitations à dîner et enfin…, ce qui s'en suit. Pour le repas, ça allait, pour « ce qui s'en suit », c'était autre chose !

Mais un jour, avec une jolie dame, dans une belle voiture, je me suis rendu à un bel appartement. Et ce fut merveilleux pour moi de découvrir qu'il existait plusieurs façons de faire l'amour.

Il était d'ailleurs temps que je fasse quelque chose avant de devenir un refoulé sexuel, ou encore d'écouter les conseils de certains homosexuels qui me disaient qu'à cause de ma grande sensibilité, les femmes seraient la source de mes plus grandes peines.

Le temps a prouvé qu'ils avaient raison. Mais, je préfère souffrir et les aimer, car à part la mer et les fleurs, c'est ce que Dieu a fait de plus beau.

Aujourd'hui, à 50 ans, je sais très bien ce que je dis.

Et je sais très bien que, même perdu dans une foule, s'il m'arrive de respirer un doux parfum de femme, mon cœur se remet à battre comme si j'avais 20 ans.

Tout au long de ma carrière et de mes aventures amoureuses avec des femmes aussi différentes les unes que les autres, je n'ai jamais pu me lasser de voir dans la pénombre les lignes merveilleuses d'un corps de femme qui attend d'être aimée et prendre sous les impulsions de l'amour des formes différentes, d'entendre leurs plaintes amoureuses, pendant que je me perdais en elles. Si je devais choisir ma mort, j'aurais deux choix : me noyer au milieu de l'océan ou mourir en criant de passion dans les bras de la femme que j'aime. Mais pour le moment, celle que j'aimais vraiment ne me fournissait pas beaucoup d'occasions de me laisser mourir dans ses bras et j'entourais de la plus grande discrétion mes aventures avec d'autres femmes. Je ne voulais pour rien au monde perdre mes enfants et je sentais bien que cet amour pour lequel je m'étais donné tant de mal s'effritait doucement. Il m'arrivait quelques fois d'entrer à la maison avec du regret devant l'impossibilité de guérir ce mal qui, un jour ou l'autre, nous détruirait tous les deux et j'en blâmais mes beaux-parents auxquels je n'avais encore rien dit.

Amours tourmentées

Mais il fallait que ça éclate un jour ou l'autre. J'étais en train de dîner pendant que mon beau-père et ma belle-mère me reprochaient les couleurs dont j'avais peint ma maison, l'endroit où j'avais placé mon poêle et qu'enfin, tout ce que j'avais fait n'avait aucune allure.

J'avais dans la bouche du poulet que je m'apprêtais à avaler lorsque ma colère éclata. Trop c'est trop : je crache mon poulet dans mon assiette pour ne pas m'étouffer. Je frappe avec mon poing dans mon assiette au milieu des pommes de terre et du poulet qui éclabousse tout le monde autour de la table et je crie :

– Monsieur, c'est assez ! À ce que je sache, à l'église, j'ai marié que votre fille. Et j'peux pus vous endurer. Si vous prenez pas la porte immédiatement, j'vous assomme.

Mes beaux-parents sont restés figés car ils ne m'avaient jamais vu fâché et comme ils ne bougeaient pas, j'ouvris la porte de la cuisine, en ayant pris soin de ramasser, au passage, leurs chapeaux et manteaux que je lançais dans la cour et je dis : « Sortez ou j'vous sors ».

Voyant que la chose était très sérieuse, mon beau-père s'est précipité vers l'extérieur, mais ma belle-mère, plus fantasque, s'est appuyée à la porte en criant à ma femme :

– Tu vois, ce qu'on te disait, Thérèse, de pas rester avec lui. Y'est dangereux comme son père. Reste pas icit, viens-t'en.

Thérèse, pendant ce temps, regardait ses parents avec détresse. Des larmes coulaient, n'ayant pas l'air de savoir quelle décision prendre. Alors je lui dis :

– Si t'es obligée de choisir, c'est que t'es mieux d't'en aller et d'jamais revenir.

Elle fit un pas vers sa mère qui l'attendait toujours dans la porte. En la voyant agir, la colère que j'avais en moi me fit dire des mots qui dépassèrent la vérité :

– Tu peux t'en aller, je t'aime plus.

Thérèse s'arrêta, me regarda, puis disparut dans la chambre. Je fermai la porte au nez de ma belle-mère et aux voisins qui n'étaient pas sans avoir tout entendu.

Je me suis assis au bout de la table. J'ai pris ma fille Johanne dans mes bras, pour pleurer de rage. J'aurais voulu me couper la langue pour me punir de ce que j'avais dit à Thérèse. Mais le mal était fait. Cette colère à mes beaux-parents, j'aurais dû la faire le premier jour de mon mariage, ainsi aujourd'hui nous n'aurions pas à souffrir tous les deux de leur ingérence dans notre ménage. Et je sentais bien que ce serait difficile de réparer ce qui venait d'être fait. L'indifférence s'installa en permanence entre nous et c'est à peine si nous nous adressions la parole, si ce n'est pour parler des enfants. Pour m'étourdir, je n'avais qu'une solution : travailler. Les aventures avec d'autres femmes ne m'intéressaient même plus tellement.

J'étais déçu et je n'avais plus grand temps pour y penser. En plus du théâtre sept jours par semaine, j'acceptais des engagements de cabaret, tout en préparant l'enregistrement de quatre de mes chansons avec la seule compagnie qui acceptait ce que je faisais, la même qu'à mes débuts, la maison Decca. C'est justement en allant porter un de mes disques à CKVL que Maurice Thisdale, avec qui j'avais déjà travaillé à ce poste, me proposa une émission hebdomadaire, dans laquelle je dirais des textes poétiques dédiés à la femme tout en chantant et en m'accompagnant à la guitare. Jack Titelman, le patron, accepta mes conditions : 100 dollars par semaine. Ce qui à l'époque était bien payé. Mais il fallait le faire : trouver quatre chansons nouvelles par jour, écrire des textes pour les enchaîner et partir tous les matins de Pointe-aux-Trembles via Verdun, ce qui me prenait deux heures d'autobus et de tramway à l'heure de pointe. Tout le monde avec sa boîte à lunch et moi écrasé au milieu de cette foule d'ouvriers, avec ma guitare dans les bras. Je ne savais pas encore que tous ces honnêtes travailleurs allaient devenir le public qui me suivrait toute ma vie. Ma muse était épuisée depuis longtemps et mon émission « Le chanteur des rues » continuait toujours. Heureusement que Paul Thériault, un compagnon de théâtre, vint à mon secours.

Tous les soirs, sans exception, j'allais chez lui pour écrire les mots d'amour que je dirais aux femmes le lendemain matin. Je partais juste à temps pour ne pas manquer mon autobus et dormir quelques heures.

Si le grand amour était sorti de notre maison, nous avions au moins une compensation : de l'argent pour manger et s'habiller. Je m'étais même payé quelque chose que je n'avais jamais eu auparavant : des bottes fourrées de vrai mouton, pour ne plus geler des pieds pendant que j'attendais mon transfert au coin de la rue. Je me disais en voyant tous ces gens qui, comme moi, bien souvent grelottaient de froid : « Comme je suis chanceux de ne pas aller travailler, de ne plus mettre les mains dans la merde pour gagner ma vie ! » Chanter pour moi n'était pas un travail. C'était une façon heureuse de vivre pour oublier la rose noire accrochée à mon cœur.

Un jour, au théâtre, arrive une nouvelle chanteuse. Blonde aux yeux bleus, un corps de femme à faire revivre un impuissant, elle chante les chansons les plus en demande, comme celles de Piaf (son nom Lucile Serval), et Grimaldi, l'imprudent, me la jette dans les bras. Pendant plusieurs semaines, je vais être son partenaire, celui qui, tous les jours sur la scène, lui dira « Je vous aime ». Il m'arriva souvent d'oublier que j'étais devant un public en regardant ses yeux pour laver mon âme de quelque chose qui me faisait mal. Mais je n'avais que le temps de mes chansons pour le faire.

Tous les soirs, je la vois partir avec d'autres hommes qui ont l'air bien et qui ont sûrement plus à offrir à une jolie femme que moi qui n'ai pas grand-chose dans mes poches. L'argent que je gagne, je le donne à ma femme pour rencontrer les obligations de la maison.

Lorsqu'elle n'a pas de rendez-vous entre les spectacles, il nous arrive de bavarder ensemble dans la loge, assis au milieu des miroirs et des costumes et de ces lumières trop fortes qui nous font voir tels que nous sommes.

Elle me parle de sa vie : qu'elle vient de Grand-Mère, qu'elle chantait à Shawinigan en passant par Québec, où elle avait eu beaucoup de succès et que c'est pour oublier un amour non partagé qu'elle a abouti à Montréal.

Je ne lui parle pas de ma vie et elle me demande le pour-quoi de ma solitude depuis qu'elle me connaît. Je n'entre pas dans les détails, mais je lui dis que ça ne va pas tellement bien dans ma vie sentimentale.

Un soir au théâtre, il y a projection en circuit fermé d'un nouveau film après le spectacle et, naturellement, toute la troupe est invitée. La projection est commencée, je suis assis dans mon coin, écrasé dans mon siège, les deux genoux appuyés sur le dossier du fauteuil en avant et je regarde avec intérêt ce film qui est une belle histoire d'amour. Tout atten-tionné et concentré que je suis sur l'écran, je sens une main qui me touche. C'est Lucile. Je lui dis :

— J'te croyais partie depuis longtemps…

— Oui, mais je suis revenue

— Ton rendez-vous n'a pas marché ?

— Non, mais j'avais envie de te voir…, et de voir le film…

Elle s'est assise près de moi.

Je me retournais souvent pour regarder dans le noir ses cheveux blonds qui sentaient bon et tout à coup, j'ai osé : d'abord, mettre mon bras autour de son cou et ensuite approcher sa tête jusqu'à mon épaule. Je pense bien que le désir était mutuel. J'ai embrassé fiévreusement cette bouche que je n'avais jusqu'alors que frôlée sur la scène. Ce fut divin à mon cœur qui en avait grand besoin. Le film terminé, M. et Mme Grimaldi, qui étaient assis non loin derrière nous, nous dirent :

— Alors les enfants, on se bécote dans le noir.

Je suis allé la reconduire à sa petite chambre, mais je ne suis pas reparti. Dans la tiédeur de ses draps, sans être obligés de se le demander, nous nous sommes aimés.

Malgré les quelques aventures que j'avais eues avec d'autres femmes, je dois avouer que jamais il ne m'était arrivé de me sentir si bien avec une partenaire. Des seins magnifiques soulignaient une petite taille où semblaient s'accrocher des hanches que pas un homme digne de ce nom n'aurait pas eu envie d'aimer et j'en ai profité jusqu'à l'épuisement total.

Mon jeûne sexuel avait été long, mais il en avait valu la peine. Ce fut merveilleux pour moi comme ça ne l'avait jamais été auparavant. Bien sûr, ça n'était toujours, pour le moment, qu'une femme de plus qui avait passé dans mes bras. Du moins, c'est ce que je crois, car nous recommençons. D'abord, de temps en temps et, puis ensuite, plus souvent. Enfin un jour, nous nous soudons l'un à à l'autre et mon cœur est pris dans un étau qui me serre et qui m'écrase.

La fièvre de son amour me retient pendant que celle de mes enfants me fait entrevoir l'impossibilité d'être complètement heureux avec l'une ou l'autre. Quand mes passions me reprennent, c'est avec elle que je veux être, mais quand mon cœur fait des siennes, j'ai besoin d'embrasser mes enfants. Thérèse est devenue une ombre pour laquelle j'ai un sentiment que je ne peux pas décrire. Ce n'est pas de l'amitié, ce n'est pas de la pitié et ce n'est sûrement plus de l'amour. Alors, c'est quoi ? C'est peut-être de la tendresse pour la mère de mes enfants. Encore une fois, je n'y peux rien, et je suis à la fois heureux et malheureux.

Pendant que la saison théâtrale tire à sa fin, j'anticipe avec inquiétude le moment de la séparation qui approche. Moi, je suis obligé de rester à Montréal pour mon émission de radio pendant que Lucile doit retourner à Québec pour des engagements. Je me dis qu'elle va aussi retrouver tous ses amis et cet amant que je ne connais pas, et dont je me meurs de jalousie et d'impuissance devant les faits.

Le théâtre fermé pour l'été, je me retrouve à la maison, je ne suis pas commode à vivre, je suis devenu insupportable et coléreux, ce qui n'arrange rien aux relations entre Thérèse et moi.

Je n'ai même plus envie de mon bateau. Je me regarde dans mon miroir le matin et je ne me reconnais plus. Un matin, Mme Grimaldi me demande d'aller la voir. Elle me propose d'aller chanter à Québec pendant le week-end. C'est une femme, elle sait d'avance la réponse et sait aussi très bien que je ne parlerai pas d'argent.

C'était la première fois que je devais chanter à Québec, je connaissais très peu cette ville. Un admirateur, ami que Lucile et moi avions en commun, me proposa de m'accompagner. C'était un comédien classique, homo avoué, d'une gentillesse et d'un savoir-vivre dont sont souvent doués ces êtres. Il me connaissait très bien et savait qu'il n'était pas question de sexe entre lui et moi. Alors, nous sommes partis tous les deux en autobus pour Québec.

Nous sommes arrivés juste pour le spectacle et sur la scène, devant ces gens qui me voyaient pour la première fois, ce fut la naissance d'un merveilleux roman d'amour entre ce public et moi, un roman qui dure toujours d'ailleurs.

Aussitôt le spectacle terminé, je n'eus qu'une idée en tête, retrouver Lucile dont chaque vieux mur de cette ville me renvoyait l'image. Jean-Paul, mon compagnon, avait trouvé dans les journaux l'endroit où elle chantait, le Club des Marchands sur le boulevard Charest. En entrant, je la vis sous les lumières de la scène en train de chanter, un grand succès de Piaf : « L'accordéoniste », qu'elle interprétait merveilleusement bien.

Pendant qu'elle faisait bouger ses doigts sur son corps, je sentis sa voix, dont j'avais connu les cris de joie pénétrer au fond de moi. Nous étions assis dans un coin et je la regardais en me disant que j'avais possédé cette fille dont tous ces hommes présents convoitaient les charmes. Son spectacle terminé, je me suis approché d'elle comme un collégien timide. Mais je n'étais pas seul au rendez-vous. Il y avait déjà beaucoup de gens autour d'elle. En me voyant, elle a souri et m'a dit : « Tiens, de la belle visite ».

Mais ma joie fut de courte durée. Elle enchaîna :

– Je n'aurai pas le temps de m'occuper de toi. Je suis avec des amis et on m'attend dans une surprise partie.

Je suis resté figé devant cet accueil ; j'ai tourné les talons sans répondre et je suis parti avec Jean-Paul qui avait l'air aussi malheureux que moi. Il m'a dit :

– Viens, je te paye un lunch. Ne t'en fais pas pour Lucile, moi je sais qu'elle t'aime ; tu sais quand elle parle avec moi, c'est comme si elle parlait avec une amie, alors elle me dit tout.

Rendu dans le steakhouse, j'ai le plaisir de retrouver un vieil ami, André, c'est lui le propriétaire de la place. Il s'assoit avec nous pour nous parler et quand le lunch arrive, il s'en va. J'essayais de manger sans trop d'appétit, lorsque j'entends, venant de la table voisine, quelques remarques que je n'aime pas du tout. Il y a deux couples. Un des deux hommes, celui qui me tourne le dos, est gros et gras. Celui qui est en face et que je vois bien est grand et mince, avec un visage en coin et des yeux dont les paupières semblent tomber de fatigue ou de boisson. Je le fixe quelques instants en espérant qu'il se taira, mais il continue à rire et à se moquer :

– Alors on est entre nous ? Êtes-vous mariés ou accotés ? C'est pour quand le premier bébé ? J'aimerais ça être le parrain d'une tapette.

J'ai beau essayer de me contrôler, je n'en peux plus. Je dis à Jean-Paul qui, lui, a l'air de ne rien entendre : « Je m'en vais ou je fais un meurtre ». Et je pars en laissant mon repas sur la table. Il est trois heures du matin, pendant que je marche et monte la côte de la Couronne, Jean-Paul vient me rejoindre en courant :

– Pourquoi tu t'en fais avec ces foutus imbéciles ? Tu sais très bien qui tu es et tu n'as rien à foutre de leurs conneries.

Je ne réponds pas ; j'étais déjà insulté de l'accueil de Lucile, mais là en plus, me faire traiter de tapette, je suis enragé. Au point que je me mords les lèvres et que je frappe un bon coup dans une boîte aux lettres pour me « désenrager ». Nous marchons toujours, lorsque tout à coup une voiture ralentit et se colle près du trottoir ; j'entends le conducteur qui me crie : « On est fâché, mon petit bébé ? » En voyant mes deux bonshommes du restaurant, le sang me monte à la tête. J'ai l'impression qu'il va me sortir par les oreilles. Pendant un instant, j'oublie que je suis Paolo Noël, le chanteur, et je redeviens Paul-Émile, le voyou.

Je me précipite vers la voiture. Le petit gros qui est à l'avant a déjà ouvert la porte pour sortir, je l'attrape par les cheveux, lui tire la tête vers l'extérieur et je referme violemment la portière pour lui coincer en même temps les deux côtés du visage, je retire la portière pour le laisser tomber dans la rue, assommé.

Le grand est déjà sorti, il me donne un coup de poing mais je suis si enragé que je ne sens rien. Je me mets à le frapper sans arrêt dans le corps et sur la figure jusqu'à ce qu'il tombe par terre et je lui donne des coups de pied tant que la moitié de son corps n'a pas roulé sous la voiture.

Pendant tout ce temps, j'entends crier, d'un côté, les deux femmes qui sont dans la voiture qui appellent « au secours » et, de l'autre, Jean-Paul :

– Paolo, arrête c'est assez, la police va venir, tu vas te faire arrêter.

– Tu vois c'que j'te disais, j'ai beau essayer d'être un Monsieur, y'a toujours quelque chose qui arrive pour me rappeler qui j'suis. L'amour, la vie, puis les femmes, c'est toute de la calisse de marde.

Nous n'avions pas fait mille pas et nous étions rendus sous l'escalier de fer qui monte à la haute ville lorsque je vois arriver une dizaine de taxis qui se placent en rond autour de nous.

Jean-Paul se sauve et monte l'escalier à toutes jambes, mais moi je suis si fatigué que je n'ai pas de réaction. Je les vois tous sortir de leur voiture en claquant les portes et venir vers moi. Je ne comprends toujours pas ce qui se passe, mais j'ai l'habitude, ça sent mauvais pour moi. Le plus grand et le plus costaud me prend par le rebord de mon veston et tout ce que j'ai le temps de voir, c'est la boucle de cuir noire qu'il porte au collet de sa chemise. Je la vois très bien puisqu'elle est à la hauteur de mes yeux. J'entends cette phrase :

– Tu veux faire ton p'tit « jars » avec les chauffeurs de taxi ?

Et ça fait un gros « boum » dans ma tête, et je me sens levé de terre et atterrir de l'autre côté du capot de la première voiture. Pendant un instant, je ne vois rien ; je reprends vite mes sens et j'aperçois ce gros monstre qui revient à la charge. Je ne fais ni une ni deux, en me levant tout étourdi pour courir de toutes mes forces en descendant la côte et retourner au restaurant de mon ami qui, j'espère, n'est pas fermé. En courant, je m'aperçois que je n'ai plus de chaussures. Le costaud m'a frappé si fort que mes sandales sont restées dans la rue. Enfin, la porte. Il était temps, les chauffeurs sont rendus sur moi. Je frappe à coup de poing : c'est barré.

Les revoilà tous devant moi et je me dis pendant que j'essaie de reprendre mon souffle :

– Paolo, fais ta prière, car ça va être ta fête.

Je me mets le dos à la porte, pour essayer de faire en sorte qu'ils n'aient pas ma peau pour rien. J'évite le premier coup qui rentre bien d'aplomb dans la porte… je perds l'équilibre. Oh ! Miracle, la porte s'est ouverte et André apparaît :

– Qu'est-ce qui se passe ?

Je me mets à l'abri derrière lui car je n'en peux plus. Mon ami s'engueule avec les chauffeurs de taxi :

– Aye le gros ! C'est toi qui as fait ça à Paolo ? Écoute ben ce que j'vas te dire, t'as pet-être des gros bras, mais à moi tu me fais pas peur. Tu sais que j'peux te faire perdre ta licence. Pour à soir, tu vas laisser mon ami tranquille, pis demain, j'veux te voir. Vous allez vous arranger pour payer son habit et ses chaussures.

Après m'avoir fait prendre un cognac qui eut sur moi beaucoup d'effet, car je ne buvais pas, c'est avec mon habit en lambeaux et une paire de chaussettes dans les pieds qu'André est venu me reconduire à mon hôtel. Le lendemain, en me réveillant, j'avais mal partout et surtout à la mâchoire. Elle ne bougeait plus et c'est à peine si je pouvais avaler ma salive.

J'ai annulé le théâtre, car je pouvais encore moins chanter. Je suis reparti pour Montréal, complètement dégoûté. Heureusement qu'en arrivant, j'ai retrouvé mes enfants et mon bateau. Mais j'ai dû, sous l'œil satisfait de Thérèse, manger de la soupe et des céréales pendant une semaine avant que mes mâchoires reprennent leur fonction normale.

Encore une fois, je me remis assez facilement de mes blessures corporelles, mais l'autre blessure, celle du cœur, dont je ne pouvais pas parler et qui me faisait mal à l'âme, m'empêchait de vivre et d'être moi-même. Je n'avais qu'une seule évasion à ce tourment qui m'obsédais : mon bateau.

Je partais le plus souvent possible seul, ou avec mon fils Mario, qui était encore tout petit et j'allais me promener à travers les petites îles que j'aimais. J'y respirais l'odeur du jonc mouillé par la pluie ou la rosée de la veille et je regardais les saules pleureurs qui laissaient couler leurs larmes de feuilles dans les eaux vertes que faisaient danser les vagues sous mon petit bateau. Quand le vent était bon, je me laissais porter par lui dans le chenal des grands bateaux sans but précis. Je m'assoyais à la barre tenant mon fils dans mes bras et là, pendant que mon bateau montait et descendait dans le creux des vagues du nord-est, je réfléchissais, sur moi, sur nous, à ce bonheur que nous avions essayé de faire vivre et qui, bien malgré nous, allait mourir.

Peut-être étions-nous trop jeunes pour jouer le jeu des grands, ou encore aurais-je dû être dans mon ménage, ce que j'avais été dans la rue, et me défendre plus énergiquement contre mes beaux-parents qui ne m'avaient jamais pardonné de leur avoir pris leur fille préférée ?

Maintenant il était trop tard, mon cœur était pris entre un sentiment de haine et d'amour pour cette fille qui m'avait humilié, mais qui brûlait ma chair de ses passions. Et j'en ressentais un complexe de culpabilité en pensant à mes enfants que j'aimais. Je ne connaissais pas de remède à ce mal étrange, nouveau pour moi.

Quand le soleil se couchait et que je rentrais à la maison, c'est à peine si Thérèse et moi nous nous regardions. Notre maison ne chantait plus. Plus souvent qu'autrement, j'allais dormir dans le lit de mes enfants. Je ne sais pas comment décrire ce que je ressentais pour Thérèse. C'était la première fois qu'un tel problème se présentait à moi et ce n'était sûrement pas nos parents qui allaient nous aider à nous réconcilier puisqu'ils étaient déjà montés les uns contre les autres depuis le début de notre mariage.

Heureusement, la saison de théâtre était sur le point de recommencer, j'allais pouvoir me libérer et recommencer à vivre la vie que j'aimais, sur une scène au milieu de mes clowns préférés : Olivier Guimond, Manda et tous les autres comédiens, chanteurs et danseurs, qui allaient faire vibrer et rire ce public d'ouvriers, de gens de la rue qui venaient chercher un moment de répit aux soucis de leur vie quotidienne.

Sans qu'ils sachent que, bien souvent, ceux qui les faisaient rire et chanter avaient eux aussi au fond du cœur des chagrins et des problèmes qu'ils cachaient sous le maquillage de leur personnage.

Un matin que je me promenais avec mes enfants, je rencontre M. Grimaldi. Il m'apprend qu'il vient de faire l'acquisition d'un nouveau théâtre avec une scène et une salle plus grandes où il pourra présenter des spectacles à plus grand déploiement.

Il m'apprend aussi qu'il a maintenant un associé qui va s'occuper du côté pécuniaire de l'affaire. Je connaissais cet homme puisque c'est lui qui tenait le petit restaurant du Théâtre Canadien.

Juif et homme d'affaires jusqu'au bout des doigts, il n'avait rien d'un artiste et, même s'il me parlait souvent, je ne suis jamais arrivé à communiquer avec lui. Il avait les yeux comme une machine à additionner. De toute façon, mon opinion n'avait pas grande importance.

Ce ne fut pas bien long pour que le public apprenne que l'ancien Théâtre Gaieté qui avait vu défiler sur sa scène des artistes américains très connus comme Red Skelton, Tony Bennet, Sammy Davis Jr et bien d'autres, allait devenir Radio Cité de Montréal.

Quelque temps après, je reçus la visite de Michel Custom, l'associé en question. Tous les voisins de ma cour furent surpris de voir arriver devant ma porte une grosse limousine, dans laquelle je montai pour aller ensuite discuter salaire à bord d'un gros yacht. J'étais vraiment impressionné et Michel Custom était un homme très rusé. Il savait bien qu'avec moi, parler d'affaires sur le pont d'un bateau, changerait complètement mes calculs. Après qu'il m'eût donné en cadeau sa propre casquette de marin (que j'ai toujours d'ailleurs), je signais un contrat pour 42 semaines au théâtre, sept jours par semaine, 14 spectacles, répétitions dans la nuit de vendredi à samedi pour la somme de 55 dollars par semaine. (J'appris plus tard que malgré mon succès auprès du public, j'étais le moins payé.)

Le jour de l'ouverture, ce fut grandiose, les gens attendaient en file, de la porte du théâtre jusqu'à l'autre coin de rue, et quand le rideau s'ouvrit devant ce vaste auditoire sous un tonnerre d'applaudissements, j'eus presque envie de pleurer de joie, car je savais que ma mère était dans la salle, et j'espérais qu'elle serait fière de moi et qu'elle me trouverait beau dans mon habit de gala.

Plus tard, pendant la représentation, je chantais, en pensant à tous les problèmes et les peines que je lui avais causés. À chaque son de ma voix, j'aurais voulu qu'elle sache que ce n'était pas en vain qu'elle avait cru en moi et que, n'eut été son grand amour pour moi le jour de l'interrogatoire au centre de la police, je ne serais sûrement pas là, devant cet auditoire qui, par ses applaudissements, me témoignait son affection et que c'était grâce à elle, qu'à la croisée des chemins, j'avais pu choisir la bonne voie.

Après le spectacle, ma mère est venue me rendre visite au troisième étage dans la loge que je partageais avec deux autres artistes, René Duval et Louis Bertrand. C'était le chanteur jeune premier le plus populaire auprès des femmes et il arrivait d'un stage à Paris.

Ma mère m'avait envoyé un gros bouquet de fleurs pour que je ne sois pas en reste à côté des autres artistes. Cette pensée m'avait touché. Mais mon bouquet était presque perdu au milieu de toutes les fleurs qu'avait reçues Louis et il m'a dit :

— Prends-en quelques-unes et mets ton nom avant que les journalistes arrivent, de toute façon, je n'aime pas tellement manger des fleurs.

Il s'est mis à rire de son rire d'enfant qui ne prenait rien au sérieux.

Quand les journalistes ont commencé à se promener d'une loge à l'autre photographiant et questionnant, ma mère profitant d'un instant où nous étions seuls, me dit :

— Dis-leur jamais ton vrai nom et pour c'qui est d'la réussite de ton mariage, parle-leur-en pas pour qu'y puissent pas, un jour, te faire du mal.

Car ma mère, à qui on ne pouvait pas conter d'histoires, avait bien remarqué mon comportement à l'égard de cette jolie blonde, qui faisait tourner les yeux des hommes (enfin, des vrais car on en avait une grande variété au théâtre).

Aussi, elle m'a dit dans son langage bien à elle :

— Ces belles filles-là, fais-y attention, y'a pas plus beau mais y'a pas plus dangereux ! Tu peux toujours coucher avec si ça fait ton bonheur, mais arrange-toi pour les oublier aussitôt débarqué du lit.

Les paroles de ma mère ne me firent pas plaisir et je lui répondis de ne pas exagérer.

— Paolo, avant d'êt' ta mère, j'ai été aussi une femme, et j'sais c'que j'dis.

Ce que ma mère avait remarqué, d'autres l'avaient vu, et je ne parle pas de mes compagnons de travail car pour eux les intrigues et les aventures amoureuses étaient normales, et personne à part eux et une autre personne avec qui je travaillais de temps en temps, ne connaissait l'existence de mon mariage. Je fus donc très prudent dans mes réponses, mais peut-être moins dans mes gestes, car j'étais sans m'en rendre compte un peu jaloux envers ces hommes qui tournaient autour de cette femme qui m'avait pris le cœur.

Mais quoi qu'il en soit, cette première fut un grand succès sur toute la ligne et la nouvelle saison s'amorçait bien, pour moi, du côté travail alors que du côté sentimental, c'était de plus en plus compliqué de vivre avec une femme et d'en aimer une autre... c'était l'enfer et le paradis à la fois.

À la maison, c'était des disputes pour mon manque de présence et au théâtre, Lucile en avait marre d'être le deuxième violon. C'était encore des disputes. Je me posais bien des questions, mais tout s'embrouillait dans ma tête.

J'aurais voulu pouvoir arrêter le temps et tout recommencer, mais la vie, elle, était là et me tenait bien. Je ne pouvais que continuer en me disant qu'il faudrait un jour ou l'autre choisir. Continuer mes relations avec Lucile et risquer de perdre mes enfants, ou l'oublier, ce qui n'était pas facile puisque nous travaillions ensemble tous les jours, et essayer de m'entendre avec Thérèse.

Les gens bien pensants qui vont lire ces lignes se diront que la décision était facile à prendre : je n'avais qu'à retourner avec ma femme et mes enfants. Les décisions sont toujours plus faciles à prendre quand on n'est pas concerné. Mais lorsqu'on y est et qu'on doit marcher avec des chaînes aux pieds à cœur de jour, ça devient épuisant.

Nous étions déjà à la fin de l'automne et je ne m'étais toujours pas décidé, lorsqu'un soir dans ma loge après le spectacle, j'étais assis devant mon miroir, je me regardais et me posais la question comme si je la posais à une autre personne :

— Paolo Noël, es-tu un homme ou une lavette ? Si tu es un homme, tu vas descendre l'escalier qui te sépare de ta maîtresse pour lui dire que l'aventure est terminée.

Je me lève donc pour aller dans la loge de Lucile qui, comme d'habitude, doit m'attendre. En arrivant dans l'encadrement de la porte qui est ouverte, elle me regarde avec ses yeux bleus immenses que font briller les lumières tout autour des miroirs. Elle me sourit, puis se lève de sa chaise pour venir vers moi.

Je la prends dans mes bras, la serre très fort en respirant son parfum qui n'a jamais cessé de me griser. Ça m'enlève presque le courage de lui dire les mots qu'il fallait que je lui dise. Mais je me dis que, si je ne le fais pas immédiatement, je ne le pourrai plus jamais.

— Lucile, j'ai beaucoup de chagrin et je vais peut-être te faire de la peine, mais je crois pas que nous puissions bâtir un bonheur valable sur le chagrin des autres.

— Je pense que tu as raison et je m'attendais à cette décision de ta part, car depuis quelque temps tu n'es plus le même.

Je pris son visage entre mes mains pour regarder une dernière fois cette figure que j'aimais, mais elle se dégagea pour se retourner. Le miroir me renvoyait son image et je vis qu'elle pleurait en silence, car le rimmel coulait sur ses joues.

Je ne dis plus rien, parce que je ne pouvais pas et que je ne voulais pas qu'elle me voit pleurer. Alors je partis en descendant l'escalier trois marches à la fois pour sortir le plus vite possible du théâtre par la porte des artistes.

Je traversai en courant le passage, encombré de poubelles pour me rendre à l'arrêt de tramway au coin de la rue Ste-Catherine. Il pleuvait à verse et j'avais froid dans mon imperméable trempé. Manda était là qui attendait, elle aussi, avec ses deux éternels sacs de provision qu'elle rapportait à la maison tous les soirs. En voyant mon air, elle s'aperçut qu'il se passait quelque chose et elle me dit : « Qu'c'est qui va pas, encore mon ti-gars ? »

Il n'en fallait pas plus. Je me mis à pleurer en me mordant les lèvres pour essayer de me retenir. Heureusement, la pluie tombait toujours et cachait mes larmes aux gens qui nous regardaient.

Chemin faisant, Manda essaya de m'encourager en me disant que tout était mieux ainsi et qu'à la longue, mon cœur libéré, tout irait mieux et que j'arriverais sûrement à rebâtir mon bonheur.

Quand l'autobus s'arrêta au bout de l'île, je me sentais déjà mieux avec moi-même. En descendant avec Manda, je lui dis : « À demain », elle s'en alla chez elle et, moi, dans la direction opposée.

J'ai presque de la difficulté à regarder devant moi, tellement la pluie tombe lourdement, poussée par le vent frais du nord-est qui traverse la baie juste derrière la maison. Je marche vers elle en piétinant dans les flaques d'eau. En arrivant devant la porte de la cour, je vois sortir un camion qui m'aveugle avec ses lumières. Je m'arrête pour le laisser passer et ne pas me faire éclabousser. Je me demandais bien qui ça pouvait être. Je le regarde passer devant moi, puis s'arrêter. Pensant que le conducteur veut me parler, je m'avance vers lui, mais il repart. Comme je me retourne pour continuer mon chemin, mon chien, tout trempé, ses pattes pleines de boue, vient sauter sur moi. Je me demandais comment il se faisait qu'il soit détaché, et je lui dis d'aller se coucher.

En approchant de la maison, je vois que la lumière de la galerie est éteinte et je me dis : « Pourquoi cette maudite lumière-là n'est pas allumée par le temps qu'il fait ? » Avant d'entrer, je m'arrête un instant sur la galerie pour flatter mon chien et prendre le temps de réfléchir sur ce que je vais dire à Thérèse, puis j'ouvre la porte. Il fait aussi noir à l'intérieur qu'à l'extérieur et je sens une fraîcheur inhabituelle dans la maison, je m'arrête en entrant quand je sens sous mes pieds le grincement du plancher découvert de son prélart.

Je sens qu'il se passe quelque chose et je n'ose pas allumer car j'ai peur. Je n'ose pas y croire, mais je commence à comprendre. Je m'appuie le dos au mur sans bouger, mon cœur bat très fort dans ma poitrine comme lorsqu'on fait un mauvais rêve. Je voudrais bien qu'il en soit ainsi, mais après quelques instants de silence et de réflexion, lorsque mes yeux se sont habitués à la noirceur, je vois bien que je vis une épouvantable réalité : Thérèse est partie avec les enfants et le ménage, en me laissant, empilés au milieu du plancher de la cuisine, mon linge et le réfrigérateur qui n'est pas payé.

J'ai donc croisé sans le savoir le camion qui me volait ma femme et mes enfants.

Mon Dieu, pourquoi n'a-t-elle pas attendu une journée de plus, pour qu'on ait au moins le temps de s'expliquer ? Je suis sûr qu'on aurait pu s'entendre, car nous avions tous les deux un amour qui nous attachait encore : celui de nos enfants et c'est un amour qui fait parfois des miracles. Si seulement j'avais su, j'aurais arrêté ce camion, mais maintenant c'est trop tard… Je suis là, seul, comme un imbécile, mais il faut que je réagisse, sinon je vais y rester.

Je fais de la lumière. La maison est bien vide. Il ne reste rien et c'est sinistre par ce froid humide. Lorsque j'aperçois, bien placée sur le tas de linge, une feuille de journal. Je la prends pour la lire. C'est un petit journal jaune, une saloperie qui s'appelle Ici Montréal qui se spécialise dans les potins anonymes les plus dégueulasses. Ce que je lis, je n'ai jamais pu l'oublier :

« Un chanteur que vous entendez sur les ondes d'un poste de Verdun et dont la voix ressemble étrangement à un autre chanteur corse, se balade sans scrupules au bras d'une plantureuse blonde aux yeux bleus avec qui il passe son temps occupé et inoccupé, pendant que sa femme et ses enfants meurent de faim dans une misérable mansarde à Pointe-aux-Trembles. Alors Mesdames, avant de l'écouter et de l'applaudir pensez-y bien ! »

Je n'en crois pas mes yeux. Mais quel être écœurant a pu écrire une pourriture pareille, sans se soucier du mal irréparable qu'il pourrait faire à des êtres sans défense ! Et pourquoi contre moi, alors que depuis que je suis dans ce métier, j'ai essayé de m'entendre et d'être gentil avec tout le monde en oubliant souvent ma fierté personnelle et en fermant les yeux sur bien des choses qui me blessaient. Je ne peux même pas pleurer tellement j'ai mal en dedans, mais je crie de rage comme un fou, et je frappe à grands coups de poing dans la porte du réfrigérateur. Les choses les plus épouvantables me passent par la tête si je retrouvais celui qui a écrit ce torchon.

Je ne peux plus regarder cette maison et je sors pour aller marcher sur le pont. La pluie a cessé de tomber et le vent frais me fait du bien. Je marche en pensant à ce que Thérèse a dû souffrir en lisant ce journal. Mais au fait, qui lui a apporté ? Sûrement quelqu'un qui va à la messe tous les dimanches pour faire ses prières et qui a bien appris la charité chrétienne. Et je me demande pourquoi je me balade encore avec ma médaille de la Sainte Vierge attachée au cou, ça sert à quoi de croire à tout ça si c'est pour me faire chier et être malheureux ? Je m'arrête au milieu du pont pour regarder l'eau noire et j'ai d'étranges idées dans la tête.

Une voiture, qui s'arrête derrière moi, me sort de mes mauvaises pensées. C'est mon frère Claude, avec son beau gros visage souriant. Il descend et vient vers moi, en me disant comme s'il avait deviné : « T'as pas envie de te j'ter à l'eau ? Ça servirait à rien, t'es capable de nager tout habillé jusqu'au bord. » Mais il s'aperçoit que je ne ris pas. Au contraire, je viens à bout de pleurer et ça me fait du bien.

Claude, voyant que j'ai de la peine, me prend dans ses bras comme nous l'avons toujours fait l'un avec l'autre depuis que nous sommes enfants et il me dit :

– Qu'est-ce qui va pas encore ?

Je lui raconte tout.

– J'savais depuis le début que ça arriverait un jour ou l'autre avec tes osties de beaux-parents, viens-t'en à la maison avec moi.

– Non, j'ai pas envie de voir personne.

– Comme tu veux, mais pour l'amour du ciel, fais pas de bêtises, tes beaux-parents en valent pas la peine et y seraient trop contents s'il t'arrivait un malheur. Arrange-toi pour réussir, puis leur montrer ton cul !

Je retournai vers la maison sans m'y arrêter pour descendre au bord de l'eau me coucher dans mon bateau avec mon chien qui me suivait. J'essayai de dormir en écoutant le clapotis de l'eau sur la coque. Ce bruit qui habituellement me faisait rêver, ce soir me dérangeait.

Tout me tombait sur les nerfs. Même la senteur de mon chien mouillé qui dormait sur le plancher et je n'arrivais pas à dormir avec ce qui se passait dans ma tête : un film de trahison où je voyais mes beaux-parents triomphants, offrant à ma femme cette page de journal, ce qui leur donnait enfin le droit de reprendre leur fille.

D'accord j'avais des torts, mais qui n'en a jamais eus.

Avant que mes idées redeviennent trop noires et que je fasse des bêtises, je me lève pour aller chez les Grimaldi. En passant, j'attache mon chien à sa chaîne parce que Grimaldi a un berger allemand qui ne peut endurer la présence d'aucun autre animal dans la maison et j'ai déjà assez de problèmes avec les humains sans en avoir avec les chiens.

En arrivant, je suis heureux de voir qu'ils ne sont pas couchés. Mme Grimaldi n'est pas tellement surprise de me voir arriver, car dans cette maison, il n'y a pas plus d'heures pour arriver que pour repartir. Quand je leur raconte ce qui m'arrive, elle me dit de rester à coucher et d'attendre le lendemain pour en reparler plus profondément, mais je veux absolument téléphoner à ma mère car je suis sûr qu'à l'heure qu'il est, elle est déjà au courant. Je suis inquiet.

Au téléphone, ma mère me dit de ne pas m'en faire, que dès demain, elle va téléphoner à son avocat pour me protéger des assauts possibles de mes beaux-parents. Mais pas un instant, il est question d'aller chercher ma femme.

Des deux côtés, les parents voulaient ravoir leur enfant. Tout comme Thérèse, j'étais moi-même resté sans m'en rendre compte sous les jupons de ma mère. Et je répondais :

— Oui maman, oui maman.

Le lendemain en arrivant au théâtre, je n'avais pas le cœur bien gai et ce ne fut pas long pour que toute la troupe soit au courant de mon histoire. Mais les artistes, qui sont aussi des bohèmes, sont habitués aux changements brusques de la vie et tout le monde essayait de m'encourager. Pat Gagnon qui avait la loge à côté de la mienne me parla longuement de cette situation qu'il avait connue lui aussi. Il finit par me dire :

— Paolo, ne t'en fais pas, tes enfants ne t'oublieront pas comme tu sembles le croire, le temps arrange souvent les choses. Comme tous les enfants, ils grandiront et prendront leurs décisions eux-mêmes. Je te connais assez pour croire qu'il ne porteront pas sur toi de mauvais jugement, pour toutes ces choses dont tu t'accuses aujourd'hui.

Ces paroles me firent du bien et sur scène, tant bien que mal, j'oubliais ce qui me troublait pour chanter. Mais le soir venu, après le dernier spectacle, lorsque je vis Lucile partir avec un autre homme, je me sentis horriblement seul et minuscule devant la vie et tout ce qui m'entourait.

Heureusement que Monsieur Grimaldi et sa femme qui me couvaient comme des mères poule eurent la gentillesse de venir me reconduire chez ma mère qui m'attendait impatiemment. Dans la chaleur de cette maison où j'avais été heureux, je retrouvais malgré tout un peu de goût à la vie. Je parlais longuement avec ma mère, assis dans ma chaise préférée : la grosse berçante de la cuisine. Mais je n'arrivais toujours pas à dormir.

Ma mère, qui avait des solutions rapides, me fit prendre deux somnifères avec du lait au chocolat et l'effet ne fut pas long à venir car je ne prenais jamais de médicament. C'est à peine si je pus arriver à monter l'escalier pour aller me coucher dans cette chambre qui était toujours la mienne et que ma mère entretenait comme si elle savait que j'allais y revenir.

Mon séjour chez ma mère fut excellent pour mon moral, mais de courte durée. J'eus à peine le temps de sortir mon voilier de l'eau pour l'hiver et installer mon linge dans la garde-robe, qu'il fallut tout remettre dans mes boîtes de carton, qui étaient mes seules valises, pour retourner chez Lucile. Car il ne fallut pas beaucoup de temps pour que les amoureux passionnés que nous étions se retrouvent dans le même lit.

Je n'étais pas complètement heureux, car mes enfants me manquaient beaucoup. Mais il faut bien vivre, même avec des regrets. Ce qu'il fallait avant tout, c'était réussir pour prouver à mes enfants que je n'étais pas l'image de ce chanteur raté que mes beaux-parents leur faisaient voir.

Mais ce n'était pas facile. À part le théâtre, j'avais beaucoup de misère à trouver des engagements. Tous les cabarets qui avaient un peu de classe me refusaient. Je devais me contenter de travailler dans des boîtes de troisième ordre.

Je ne me plaignais pas, c'était là la seule façon de m'en sortir.

J'avais fini par décrocher un contrat comme maître de cérémonie dans un cabaret de la rue Iberville, une boîte assez spéciale où se rencontraient un ramassis de voleurs, receleurs et filles de vie de toute sorte et, naturellement, la police. Mais j'y étais respecté et payé. Le gérant était un costaud nommé Ti-Cul et c'est lui qui faisait la loi. Tout le monde, y compris les serveurs, craignaient ses sautes d'humeur et avec raison, il était fort comme un bœuf et avait des poings comme des marteaux-pilons. Avec moi, il était très gentil, mais je devais à chaque spectacle, pour lui faire plaisir, chanter « Les feuilles mortes », sa chanson préférée.

Si par hasard, un client osait se plaindre, c'était la dernière fois qu'il le faisait. Il n'aimait pas être contrarié. Ça faisait déjà quelque temps que je travaillais à cet endroit, lorsqu'un soir j'eus la visite d'une petite Québécoise qui avait connu un grand succès à Paris, sous le patronage de Charles Trenet, Guylaine Guy, qui arrivait accompagnée de Jean-Paul.

J'étais heureux, mais gêné à la fois, qu'ils viennent me voir dans cet endroit, mais pour Ti-Cul, c'était un honneur.

Le club était à pleine à capacité, donc aucune table de libre. Il s'approcha de la table la plus près de la scène, demanda aux clients qui buvaient d'aller s'asseoir ailleurs et d'emporter leurs bouteilles ; ce qu'ils ont carrément refusé, car ce n'était pas des enfants d'école.

Ti-Cul en a attrapé deux par le chignon du cou, un dans chaque main, les a levés de terre, pour ensuite pousser la porte d'entrée avec son genou et lancer les deux malheureux qui essayaient bien de se dégager, en bas de l'escalier.

Il s'est retourné gentiment vers mes amis, avec un beau sourire, pour dire :

– Madame et Monsieur, assoyez-vous, vous êtes mes invités, à la condition que vous ne buviez que du Champagne.

Une autre fois, il me dit : « J'veux t'voir entre les deux spectacles. »

Depuis longtemps, j'avais compris qu'il était très bon pour ma santé d'y aller. Le premier spectacle terminé, je m'amène. Il s'adresse à moi, l'air abattu :

– Il faut que tu viennes chez nous pour voir ma mère, elle est malade et ça y ferait plaisir de te voir parce qu'elle aime beaucoup Tino Rossi.

En arrivant chez lui, sa mère était couchée dans un grand lit, elle avait le visage triste et brisé qu'ont tous les gens qui souffrent. Elle a regardé son fils et il a dit :

– J't'ai amené ton chanteur et y va chanter pour toé tout seule.

Lui, il s'est assis sur une chaise à côté du lit, puis a appuyé sa tête sur la couverture qui enveloppait sa mère, moi je ne savais pas trop quoi faire, j'avais peur de déranger la dame, mais il m'a dit : « Vas-y, chante. »

Je me suis placé debout au pied du lit et j'ai chanté sans regarder la dame, car je me sentais mal à l'aise. J'y suis allé de « Maman, la plus belle du monde. »

J'ai été ému en voyant cet homme pleurer comme un enfant pendant que sa mère lui caressait les cheveux avec sa main.

De retour au cabaret, il m'a pris dans ses bras pour me serrer si fort que j'ai eu peur qu'il m'enfonce les côtes en me disant : « Toi, t'es mon ami, si t'as des ennuis dis-le moi. »

C'est à ce même endroit qu'un soir, je suis demandé à la table d'un client qui n'était sûrement pas un habitué de la place, car je ne le connaissais pas et j'ai toujours eu la mémoire des figures.

En arrivant à lui, accompagné du garçon de table, le client m'offre une consommation que je refuse. Je ne bois toujours pas de boissons alcoolisées et je m'asseois. Il me dit : « Bonsoir. » En m'offrant une cigarette. « Merci, je fume pas. » Il se met à rire.

– C'est drôle comme vous n'êtes pas du tout l'homme que je croyais que vous étiez.

– Pourquoi dites-vous ça ?

– D'abord permettez-moi de me présenter.

Il me dit son nom et il enchaîne :

– Je demeurais dans une maison de chambre de Verdun et j'ai vu un jeune journaliste qui était mon voisin de chambre écrire sur vous un article qui m'avait choqué. Je croyais vraiment que vous étiez le personnage qu'il y avait décrit. C'est la première fois que je vous vois en personne et je pense bien qu'il y a eu beaucoup d'exagération et de méchanceté dans cet article qu'il écrivait pour le journal *Ici Montréal*.

Je restai figé sur place en entendant ces mots, mais j'essayai de cacher mon émotion, en jouant l'ignorant, et je dis :

– Je ne suis pas au courant, je ne lis pas les journaux. Mais j'aimerais bien savoir de qui il s'agit.

Et il m'a tout dit…

– C'est pourquoi depuis longtemps je sais ton nom, le prix que tu as eu pour écrire ce torchon qui a fait du mal à une femme et à des enfants qui ne t'avaient rien fait.

Sur le coup, j'ai eu envie de me venger mais je n'en avais pas les moyens, car ce genre de trahison ne se venge pas avec les poings. Puis, quelques années après quand je t'ai vu avec ta maîtresse alors que tu étais marié, il m'est venu à l'idée de te faire payer ta traîtrise. Ne pense pas que j'ai eu peur. Mon cœur était sûrement moins noir que le tien puisque moi, j'ai pensé à ta famille avant d'agir et je me suis dit que le destin s'occuperait de toi un jour ou l'autre, car la trahison est l'acte le plus laid que je connaisse.

Pendant ce temps, Lucile et moi vivions dans une petite chambre au troisième étage d'une maison de chambres de la rue Ste-Catherine, au-dessus d'une taverne dont les senteurs de vieille bière et de fumée arrivaient jusqu'à notre fenêtre, par les voies d'aération du toit voisin, lorsque celle-ci était ouverte. Nous n'avions pour meubles qu'un lit arrondi par les années, une commode, une toute petite table et les éternelles boîtes d'oranges où était placé notre petit réchaud électrique, cadeau que La Poune nous avait offert après avoir su que nous étions obligés de faire chauffer nos boîtes de soupe en conserve dans le lavabo en y faisant couler dessus l'eau chaude du robinet.

La propriétaire était une dame charmante qui travaillait seule pour élever ses enfants et qui s'était prise d'admiration pour Lucile et pour moi, puisqu'elle était une cliente régulière du théâtre. Avec le temps, cette admiration s'était changée en amitié, une amitié qui devait lui causer bien des embêtements le jour où les procédures de séparation commencèrent entre Thérèse et moi.

À cette époque-là, la séparation légale était plus compliquée que les divorces d'aujourd'hui.

Cette pauvre dame qui n'était responsable de rien fut pourtant convoquée comme témoin important et c'est tout

247

juste si les avocats, en s'appuyant sur la justice et la subtilité des mots (avec la technique qu'on leur connaît), ne l'ont pas traitée de maîtresse de bordel.

J'étais bien peiné de lui causer des embêtements qu'elle ne méritait pas. Souvent, lorsque nous étions sans argent, elle nous invitait à partager son repas.

Je suis sûr que les gens vont se demander ce que je faisais de mon salaire. Je devais d'abord payer la pension alimentaire et m'arranger pour vivre avec le reste. Mais quand le théâtre fermait pour la saison d'été et que les cabarets ne m'engageaient pas, le peu que j'arrivais à mettre de côté disparaissait rapidement.

Les artistes n'ont droit à rien, ni assurance-chômage ni protection d'aucune sorte, tant et aussi longtemps qu'ils n'ont pas les moyens de se payer une assurance. C'est pourquoi, aujourd'hui, il m'arrive d'être mélancolique en voyant l'impôt se darder sur des artistes et aller jusqu'à les remettre dans la rue d'où ils viennent, eux qui ont très peu de temps à être payés pour leur valeur, à distraire ce peuple qui en a et qui en aura toujours grandement besoin. En écrivant ces lignes, je pense à ce temps de ma carrière où il me fallait prendre des aspirines, volées dans la pharmacie du voisin pour engourdir mon estomac qui me faisait mal après deux jours de jeûne.

Encore une fois, je n'avais pas le choix, je partais avec mon imperméable auquel j'avais cousu la doublure de mon manteau pour aller voler de quoi manger au marché de la rue St-Laurent. Je me faufilais à travers les gens et j'enfilais mes victuailles par mes poches décousues pour les laisser tomber dans ma doublure. Il m'est arrivé aussi d'être obligé de courir, comme je le faisais dans les ruelles lorsque j'étais jeune, pour échapper à un marchand qui avait l'œil plus vigilant que les autres.

J'aurais pu ne pas avoir toute cette misère si j'avais fait comme mon père l'avait fait avec nous : ne rien payer pour mes enfants ou encore aller demeurer chez ma mère, mais

'Paul m'avait précisé qu'il était prêt à me garder et à me nourrir, mais pas ma maîtresse.

Alors je n'y allais pas, il faut que je dise que ma mère venait quelquefois en cachette me porter des boîtes pleines de bonnes choses et elle m'encourageait en me disant :

— Tu vas voir, un jour, tu vas pouvoir t'acheter tout ce que tu voudras parce que tu seras une grande vedette.

Je la prenais dans mes bras en faisant semblant de la croire, mais au fond de moi je ne croyais vraiment pas que ce jour arriverait. Trop de portes se fermaient devant moi.

Les compagnies de disques avaient des réponses comme celle-ci :

— Nous ne voulons pas d'un deuxième Tino Rossi dans notre compagnie.

La seule maison qui acceptait mes chansons était celle de mes tout débuts mais à la condition qu'elle n'ait rien à débourser pour mes enregistrements. Je me suis donc débrouillé pour trouver trois musiciens pour enregistrer quatre de mes chansons, dont un accordéoniste français qui avait accepté par amitié pour moi de diriger les musiciens qui n'avaient pour paye que des cartons de cigarettes, volés naturellement.

— Merci Dodo, tu vois que je me rappelle, de ton nom et de tout, « mon petit pote », comme tu disais lorsqu'on s'est rencontré au bal musette de l'Union Française où j'allais de temps en temps passer mes samedis soirs.

Quand mon disque fut sur le marché, je courus les postes de radio en quête d'entrevues possibles. Quelques-uns avaient la gentillesse de m'en faire comprendre l'impossibilité, d'autres ne me donnaient même pas le temps de leur en parler ; la porte du studio restait fermée, avec écrit au-dessus, en lettres blanches, sur une boîte rouge illuminée : « En ondes. Défense d'entrer. »

249

Je faisais le tour de tous les magasins où on vendait des disques, pour parler avec les vendeurs et les vendeuses et pour leur demander s'ils pouvaient de temps en temps proposer mon disque à leurs clients. Souvent la réponse était bonne, mais il m'est arrivé aussi de me faire dire qu'ils n'avaient rien à foutre d'un tel navet. Je repartais déçu mais pas découragé, plutôt enragé comme jamais, de réussir.

Pendant deux ans, ce furent les années les plus dures de ma carrière, toujours la même routine. Théâtre, tournées à bon marché, chambres à coquerelles, lits à punaises, boîtes de sardines et macaroni au fromage, sans voir le jour où ça changerait. Heureusement que Lucile avait plus d'ouvrage que moi dans les cabarets. Il lui est même arrivé de payer la pension alimentaire de mes enfants sans me faire de reproches.

Elle aurait sûrement pu trouver un amant plus fortuné car elle était encore jeune et belle. La seule richesse que nous avions en commun était l'amour. Un amour partagé entre celui que nous avions l'un pour l'autre et celui de notre métier, chacun de notre côté, nous voulions réussir, la seule solution : travailler.

Je ne me rappelle plus à combien de saisons de vaudeville nous étions rendus, tout allait bien au théâtre, mais pas plus loin. Or, voilà qu'un soir avant le spectacle, on chuchotait dans les coulisses qu'un réalisateur de la télévision de Radio-Canada était dans la salle, ça nous énervait un peu. La télé était encore à ses débuts et malgré le fait qu'il n'y ait qu'un seul poste, ça commençait doucement à nous enlever des spectateurs. C'était pour la plupart d'entre nous, chanteurs et comédiens de vaudeville, un rêve impossible que de paraître dans cette petite boîte à images, que les gens de la rue, même sous la pluie, s'arrêtaient pour regarder dans la vitrine des magasins.

À cette époque, avoir un téléviseur était un grand luxe. De toute façon, il y avait beaucoup de réserves et de snobisme dans ce grand « petit monde de Radio-Canada » de ce temps-là… Quoiqu'il en soit, j'étais bien impressionné à la pensée qu'un personnage important allait me regarder et me juger ; alors, j'ai essayé d'être à mon meilleur.

Ce ne fut pas tellement difficile, puisque je jouais le rôle d'un matelot, chantant sur le bord d'un quai, la nostalgie de son pays lointain, la Gaspésie.

J'eus tellement d'applaudissements qu'il me fallut prendre un rappel, et comme dans toute comédie musicale, avec la même chanson. Le spectacle terminé, je reçois un message me demandant de communiquer avec Noël Gauvin, le réalisateur en question. Je n'en croyais pas mes yeux. Tout le monde me donne son conseil ou son avertissement : « Fais attention, Radio-Canada est une maison de débauche, c'est plein d'homos et de maniaques sexuels de toute sorte. » J'ai presque peur d'y aller, mais Olivier Guimond m'accroche au passage pour me dire : « Occupe-toi pas de toutes ces histoires, et puis de toute façon, t'es assez grand pour te défendre. »

Le lendemain, je communique avec la secrétaire qui me convoque pour 10 h 00 le matin même au bureau de M. Noël Gauvin à Radio-Canada.

Je suis au rendez-vous une demi-heure à l'avance. Je me sens un peu perdu dans le grand hall d'entrée de l'ancien Hôtel Ford où était situé Radio-Canada à cette époque.

Dans l'élévateur qui monte vers l'étage où sont les bureaux des réalisateurs, je me retrouve serré au milieu de tous ces gens qui me sont inconnus, à l'exception d'un qui m'avait déjà invité au Théâtre Bijou où son émission de radio avait beaucoup de succès, Jacques Normand.

Je ne crois pas qu'il m'ait reconnu, mais tout en faisant des blagues avec ses compagnons, il me regarde gentiment et me dit bonjour. Je suis sûr qu'il ne sait pas le bien qu'il a fait au jeune chanteur inconnu que j'étais. En sortant, je cherche le bureau où j'ai rendez-vous. En y arrivant la porte est ouverte, la secrétaire me dit d'entrer :

— Vous êtes Paolo Noël ?

– Oui.

– Assoyez-vous, ça ne sera pas long, je crois que vous êtes un peu en avance.

Et elle continue à taper sur sa machine pendant que moi, je tourne et retourne ma calotte de marin que je tiens dans mes mains. Quand je vois 10 h 00 sur le gros cadran accroché au mur, il apparaît, ce monstre que j'attendais avec anxiété. Il ne se retourne même pas vers moi et dit à la secrétaire :

– Laissez-nous seuls et fermez la porte.

Ça y est, c'est le viol, s'il ose me toucher, je lui écrase la figure avec mon poing et que le diable emporte ma carrière. Quand il est assis derrière son bureau, je peux enfin voir son visage. Il a l'air plus grand assis que debout, avec une figure de lune, masquée par de grosses lunettes de corne qui lui donnent un air intellectuel et hautain. Il me regarde et se met à sourire pour ensuite rire aux éclats, il me dit :

– Je devrais avoir un miroir pour te montrer quel air tu fais devant moi. Tu n'as pas besoin d'avoir peur, tout le monde sort d'ici bien vivant.

(Plusieurs années après, quand je l'ai mieux connu, nous avons bien ri tous les deux en parlant de cette première rencontre.)

– Si je t'ai fait venir ici, c'est que je veux que tu chantes à l'émission de Michèle Tisseyre, cette jolie chanson que tu as faite au théâtre.

Je m'empresse de lui dire, pour essayer de me donner de la valeur, qu'elle est de moi, paroles et musique.

– Alors c'est encore mieux.

De retour à ma chambre sur la rue St-Denis, coin Dorchester, je suis tout énervé en annonçant la nouvelle à la propriétaire et aux chambreurs. Tout le monde est heureux pour moi, excepté Lucile qui ne trouve rien d'excitant au fait d'être sur l'émission de télévision la plus populaire du temps.

Il y avait une pointe de jalousie professionnelle dans son regard, mais j'étais trop heureux pour que ça me dérange. À la veille de l'émission, je ne peux absolument pas dormir, j'ai un trac épouvantable : s'il fallait que je ne sois pas à la hauteur, que ma voix ne soit pas bonne, que je me trompe dans mes accords de guitare, alors que ma mère me regardera pour la première fois à la télévision. Et je suis arrivé au studio avec le même trac, mais tout le monde a été très aimable avec moi.

J'avais l'impression d'être un grand artiste. C'était la première fois de ma vie que j'entrais dans un studio de télévision, et même s'il était moins grand que ceux d'aujourd'hui, il n'en était pas moins aussi important pour moi. Tout se passa bien. Je chantai, assis sur une sorte de rocher, ma chanson « Gaspésie d'amour » sous les yeux observateurs de l'invité principal, le poète et romancier Robert Choquette qui était venu présenter son nouveau livre qui connut beaucoup de succès dans le monde littéraire, *Suite Marine*.

Quand il est venu me féliciter, j'étais loin de me douter que plusieurs années après, j'allais rencontrer et épouser Diane dont la mère est la propre cousine du grand poète.

Cette apparition de quelques minutes à la télévision ne fut pas sans répercussions sur ma carrière. Quelque temps après, je reçus des nouvelles que j'attendais depuis longtemps de Marcel Leblanc, le directeur artistique de la compagnie RCA, qui avait enfin trouvé pour moi une chanson qui devait connaître, selon lui, beaucoup de succès.

Elle arrivait directement de Paris où Tino Rossi l'avait créée dans l'opérette *Méditerranée*, c'était la chanson : *Vierge Marie* que je devais enregistrer dans quelques semaines. Il me fallait trois autres chansons. J'avais déjà fait la version française du grand succès des Platters, *My prayer*, ainsi qu'une autre chanson dont j'avais écrit les paroles et la musique, *Valse des Rues*, plus une autre de Tino Rossi remodelée, *La Petite Tonquinoise*.

Marcel Leblanc avait eu du flair, car toutes ces chansons connurent un succès que je n'attendais plus. Quatre musiciens, quelques heures de studio et les ventes dépassèrent les 40 000 copies.

Mais tout ne fut pas aussi facile que l'on pourrait le croire. Je passai des soirées à écrire à la main aux directeurs de tous les postes français au Canada pour leur demander leur aide et c'est peut-être tout ce travail qui a fini par me faire sortir de l'ombre. À partir de ce jour, plus jamais les journalistes ne cesseront de raconter aux gens mes réussites et mes histoires d'amour.

Les maisons d'éditions étant presqu'inexistantes à Montréal, je dus faire affaire avec une maison de Toronto, à condition que je cède une partie de mes droits d'auteur. Je n'y connaissais rien, mais je voulais voir ma gueule sur une feuille de musique. J'acceptais donc toutes leurs demandes sans réfléchir.

Quelques années plus tard, ma musique se retrouva sur Broadway, à New York dans une comédie musicale sous le titre, *Real Live Girl*, sans que j'aie aucun recours pour mes droits d'auteur.

Bien que mes disques tournent beaucoup à la radio et soient pour la plupart sur les palmarès à travers la province, physiquement, je n'étais à peu près reconnu que par les gens qui venaient au théâtre.

La preuve, un dimanche après-midi après le spectacle en matinée, j'attendais au milieu d'une file de gens l'arrivée de l'autobus pour aller manger chez ma sœur Lucile, lorsque tout à coup une voiture noire s'arrête brusquement devant nous.

Pressentant un danger, je recule pour me protéger, je vois sortir de la voiture deux gaillards que, de prime abord, je prends pour des gangsters effectuant un règlement de compte. J'essaie de me mettre à l'abri, mais c'est sur moi qu'ils se jettent tous les deux et je me retrouve avec les menottes aux poignets sur la banquette arrière de la voiture, où il y avait déjà une femme qui criait :

– C'est lui !

Sans que j'ai eu le temps de faire quoi que ce soit, la voiture a déjà démarré. Je me demande ce qui se passe et qu'est-ce que l'on me veut, on me dit de fermer ma gueule et d'attendre qu'on m'interroge car ils sont de la police. La femme crie toujours :

– C'est lui, je l'ai vu partir avec le manteau de fourrure.

– Écoutez un peu, je ne sais pas de quoi vous parlez, mais je sais qui je suis par exemple. Je m'appelle Paolo Noël et je suis chanteur.

– T'es t'un maudit menteur, j'connais Paolo Noël, c'est pas toi.

– Avant de m'amener au poste, venez vérifier au Théâtre Radio Cité si vraiment j'y étais cet après-midi.

La voiture fait un *U turn* au milieu de la rue et après quelques minutes, s'arrête devant le théâtre où comme d'habitude, tous les dimanches, il y a une file de gens qui attendent. J'ai beaucoup de classe en passant à travers les spectateurs dans le hall d'entrée avec les menottes et les deux policiers dont un me tient le bras.

Et j'arrive dans le bureau de la direction ainsi encadré.

Jean Grimaldi est assis derrière le bureau et Michel Custom est debout à côté de lui. Ils sourient, croyant à une blague, mais quand les policiers commencent à parler, ils s'aperçoivent que c'est sérieux. Custom, toujours aussi vite, demande :

– Vous accusez M. Noël de quoi ?

– Nous ne l'accusons pas, nous venons vérifier son emploi du temps de cet après-midi. À quelle heure il a chanté et à quelle heure il est sorti du théâtre ?

Heureusement pour moi, cette semaine-là, je jouais la comédie, donc j'étais sur la scène du commencement à la fin. Je fus soulagé quand ils me détachèrent et qu'ils repartirent en s'excusant.

Après leur départ, Michel Custom s'est mis à rire en me disant :

– S'ils t'avaient accusé devant les deux témoins que nous sommes, je les poursuivais. Nous aurions fait de l'argent tous les deux.

Mais moi, j'aimais mieux que tout se soit terminé ainsi, car avec cette bonne femme dans la voiture qui était formelle dans son identification, j'aurais bien pu terminer ma journée en cellule.

Je sus plus tard ce qui s'était passé : deux hommes avaient fait un vol à main armée. Un fut descendu et l'autre put se sauver. Comme par hasard, je portais un manteau et un chapeau ressemblant aux siens. Ce fut un dimanche sans souper.

Au théâtre, même si les spectacles étaient de plus en plus grandioses, avec vedettes internationales, producteurs, chorégraphes, lignes de danseuses, décors superbes et tout le tralala, il y manquait le principal entre nous : cet esprit de famille que j'avais connu à mes débuts. Le vaudeville était devenu une machine à sous.

D'ailleurs, Michel Custom, qui était très habile, avait trouvé je ne sais quel moyen, pour se débarasser de son partenaire, Jean Grimaldi, il devint alors le seul propriétaire et directeur artistique du Radio Cité.

Mais s'il était un excellent homme d'affaires, il n'avait pas la touche et la sensibilité voulues pour diriger une troupe d'artistes aussi nombreuse avec des caractères aussi variés. De petites disputes commencèrent entre les artistes et le patron, pour aboutir à une grève, juste au moment où le rideau allait s'ouvrir devant une salle pleine qui attendait impatiemment.

Nous étions tous, soit dans les coulisses, soit dans les escaliers, pour discuter de salaire avec le patron ; les voix montent et la discussion s'échauffe. M. Custom s'emporte et dit quelque chose en anglais que je n'ai pas compris. Mais je vois Olivier Guimond devenir rouge de colère. C'était la première fois que je le voyais fâché. Acrobate comme il était, le temps d'un éclair, il avait descendu l'escalier pour se précipiter sur M. Custom. C'est tout juste si nous avons eu le temps de l'empêcher de le frapper en pleine figure, pendant que le patron s'empressait de déguerpir. Je dois avouer que, même si j'avais de bons bras, il n'était pas facile à tenir le « p'tit Olivier ».

Si on ne l'avait pas retenu, le patron aurait passé un merveilleux petit moment. Personnellement, j'aurais bien aimé laisser Olivier donner libre cours à sa colère, mais nous savions tous qu'il aurait eu beaucoup d'embêtements et ça n'en valait pas la peine.

Il venait de perdre son père et comme si ce n'était pas assez d'embêtements pour un seul homme, sa femme l'avait quitté en emmenant ses enfants.

Nous fîmes quand même le spectacle par respect pour le public qui nous aimait et qui, en plus, avait payé pour s'amuser. Mais la tension s'était installée en permanence dans la troupe entre les artistes et le patron.

Le public commençait à diminuer de jour en jour pendant les matinées, les jours de semaine. Ça nous emmenait une clientèle différente. Un après-midi, quatre poltrons étaient bien effoirés dans les premiers bancs pour se moquer de ceux qui travaillaient sur la scène en faisant des blagues grossières accompagnées de blasphèmes et de jurons que je connaissais, mais que j'essayais d'enlever de mon vocabulaire depuis que j'étais devenu un artiste.

Nous étions tous en habits de style espagnol, les filles en robe longue colorée, moi, je portais un costume comme celui que portent les danseurs de flamingo. Vous vous imaginez le style que j'avais au moment où je chantais ma sérénade en m'accompagnant à la guitare devant Margot Lefebvre.

Alors, ça n'a pas été long pour que les autres voyous de la salle me traitent de pédale, tapette, et tout ce que vous voudrez. Ils ne savaient sûrement pas qui se cachait sous ce déguisement à la Zoro.

Je me suis arrêté de chanter, j'ai déposé ma guitare, et je suis descendu dans la salle avec un autre chanteur, Fernand Beauchemin. La bagarre a commencé, mais fut de très courte durée. Je ne dirai pas que je suis fier de moi en écrivant ces lignes, mais ce n'est pas moi qui l'ai dit : « Fuyez le naturel, il revient au galop ! »

La passe terminée, je suis remonté sur la scène continuer ma chanson, avec quelques boutons dorés, une épaulette et le chapeau en moins.

Fernand fut mis à la porte immédiatement et moi, ce fut quelque temps après. Le vaudeville était terminé pour moi, mais je garde de mes débuts un souvenir d'une douceur incroyable.

Quand je pense que j'ai eu cette chance inouïe d'apprendre mon métier d'amuseur public avec d'aussi grands artistes qu'Olivier Guimond, Manda, La Poune, Juliette Petrie, Paul Desmarteaux et tous les autres dont les noms sont restés gravés en lettres de fleurs sur la pointe de mon cœur.

La Casa Loma

Le Radio Cité fut vendu peu de temps après pour devenir la Comédie Canadienne.

Le théâtre terminé, Lucile et moi travaillions chacun de notre côté et nos relations devenaient compliquées. « Loin des yeux, loin du cœur », dit le proverbe. Il nous allait bien à tous les deux et nous nous disputions souvent.

Je mettais mon linge dans des boîtes de carton, j'appelais mon frère, Claude, pour qu'il vienne me chercher avec sa voiture, car je n'avais pas les moyens d'en avoir une.

Nous descendions l'escalier du troisième étage qui menait à ma chambre de la rue Amherst avec les boîtes sur le dos, pour retourner chez ma mère.

En arrivant, toujours la même cérémonie : vider les boîtes de mon linge sur la galerie pour vérifier s'il n'y avait pas de coquerelles et de punaises provenant de ma chambre et dont ma mère avait une sainte horreur. Elle se rappelait très bien que nous devions allumer les lumières de cette chambre avant d'y entrer pour que les coquerelles aient le temps de disparaître et que nous n'ayons pas à les écraser en marchant.

Nos séparations ne duraient jamais bien longtemps, la passion et l'habitude nous raccordaient à nouveau, et c'était encore de part et d'autre des scènes de jalousie inutiles et je rappelais mon frère pour retourner chez ma mère.

En arrivant, ma mère me disait : « Paolo, laisse tes boîtes à côté de la porte, ça va être moins long pour repartir. »

Nous étions si souvent séparés que le soir où je fis mes débuts à la Casa Loma, elle n'y était pas. Pourtant, j'aurais bien aimé qu'elle y soit.

La Casa Loma était l'une des boîtes les plus sélectes et les plus populaires de ce temps-là. Un artiste qui n'y passait pas finissait ses jours dans les boîtes de la rue St-Laurent.

C'était un lundi, le club était plein, il y avait aussi des journalistes, les gens importants du milieu, une partie spéciale de la colonie italienne, puis ma mère.

Moi dans ma loge, j'avais un trac fou, car je n'étais pas la vedette du spectacle, j'en étais l'animateur, une facette du métier qui était nouvelle pour moi, c'était « ma première ».

Il fallait que j'arrive à présenter convenablement des artistes dont je venais juste de connaître les noms puisqu'ils étaient, pour la plupart, des Américains. La vedette du spectacle, et elle l'était vraiment, Muriel Millard ! J'étais en train de chercher des mots et des phrases qui se suivaient, en attendant derrière le rideau, lorsque l'orchestre entama de tous ses cuivres le thème du spectacle.

Le rideau s'ouvre et me voilà sur scène. J'entends les applaudissements pendant que je chante, mais ne vois personne. Mes yeux sont rivés sur le rayon blanc du réflecteur qui fait son chemin à travers la fumée de la salle pour arriver jusqu'à moi. Et je suis bien, comme lorsqu'on prend une femme pour la première fois.

Ma chanson terminée, il fallait que je parle, mais là c'était autre chose, j'avais la chanson facile, mais pas la parole et dans ma mémoire, rien de ce que j'avais préparé ne voulait sortir.

Pour un instant, dans mon for intérieur, c'est la panique. Mais je me ressaisis, puis, tant pis, je leur dis la vérité :

« Mesdames et Messieurs, bienvenue à la Casa Loma. Vous avez devant vous un chanteur qui n'a jamais été MC et comme je voudrais garder ma job, je ne vais que vous lire les noms des artistes que j'ai à vous présenter et vous allez les applaudir, OK ? » Tout le monde s'est mis à rire et à applaudir et j'y suis allé de mon mini-tour de chant composé uniquement de chansons de Tino Rossi et de quelques chansons italiennes.

Tour à tour, je présentais les numéros : acrobates, magiciens, danseurs et voici la vedette du spectacle : Muriel Millard. Ce fut facile, tout le monde l'attendait et l'aimait.

Après son tour de chant, elle avait dû faire plusieurs rappels et lorsqu'elle eut complètement terminé, je rentrai sur scène pour remercier les gens et fermer le spectacle. J'ai eu la surprise de ma vie. Toute la salle s'est remise à applaudir. Croyant que c'était pour Muriel, j'ai tendu mon bras vers la sortie de la scène en disant « Muriel Millard », lorsque tout le monde s'est mis à crier « On veut Paolo ». J'étais tout ému et surpris à la fois, je ne savais plus quoi dire, quoi faire. Je m'étais depuis si longtemps habitué à être au deuxième palier que je ne croyais jamais que le public m'applaudirait comme il le faisait actuellement.

Je n'eus pas besoin de chercher quoi chanter puisque les gens de la salle me criaient les titres des chansons que j'avais enregistrées et que je n'avais pas osé chanter dans mon tour de chant. Heureusement pour moi, Marcel Doré, le chef d'orchestre, connaissait mes chansons par la radio et c'est dans un silence presque religieux pour une boîte de nuit que j'ai chanté dans un cabaret *Vierge Marie*, *Ma prière* et *Valse des Rues*.

Je venais de prendre ma vengeance sur beaucoup de patrons de cabaret qui m'avaient refusé leur scène alors que je ne coûtais presque rien.

Je n'étais pas aussitôt rendu dans ma loge que M. Cobetto, le patron, est venu me voir pour me féliciter. Il avait son sourire ensoleillé d'Italien quand il m'a dit : « J'ai joué sur toi et j'ai gagné. Tous les agents me disaient que tu ne pourrais jamais être un bon MC Je te félicite. Recommence demain soir la même procédure de présentation. C'est complètement différent des autres et reste toujours ce que tu es, simple et naturel. »

Je n'ai jamais oublié ce conseil de M. Cobetto.

Entre les spectacles, j'étais assis avec ma mère qui, comme d'habitude, n'avait pas oublié de m'envoyer des fleurs et nous bavardions quand nous en avions la chance car à cette époque, la mode était à la photographie des artistes.

À tout bout de champ, je devais me lever pour me faire photographier avec des clients. Lorsqu'un portier m'arrêta pour me dire que j'étais invité à la table de M. X, je répondis :

— Je peux pas, je suis avec ma mère.

— Quand M. X te fait l'honneur de t'inviter, il serait très bon pour toi d'y aller.

— Penses-tu ?

— J'pense pas, j'suis sûr.

— Bon, ben, puisqu'il faut, allons-y.

Et je suis arrivé à la table de ce Monsieur bien important (je l'appris plus tard). On m'invita à m'asseoir devant une jeune et jolie blonde qui faisait faire du jogging à mon cœur, seulement à la regarder. Ce Monsieur, dont je ne dis pas le nom par respect, m'invita dans un restaurant italien après le spectacle. Il me demanda si j'étais seul et je dis oui. « Alors cette jolie demoiselle s'occupera de toi. »

La soirée terminée, je me retrouve attablé devant des mets italiens délicieux que je n'avais encore jamais pu me payer et, pour la première fois, j'osai boire un verre de vin qui m'enleva ma gêne habituelle, si bien que lorsqu'on me demanda de chanter, je me levai pour chanter dans mon plus bel italien, *Cuore Ingrato Cattari*.

Ce fut pour moi une soirée bien commencée et une nuit bien terminée dans le lit d'une jolie blonde où je n'étais pas allé pour dormir.

Le lendemain, j'en avais presque perdu la voix. Mais j'étais l'homme le plus heureux de la terre. Dans une seule journée, j'avais trouvé tout ce qu'il me fallait pour être heureux, le succès, l'amour et le « bien manger ».

Tout au long de ma carrière lorsque j'ai travaillé, directement ou indirectement, pour les gens de ce milieu bien spécial, je dois dire que j'ai toujours été respecté et payé. Je ne peux pas en dire autant des curés et de certains hommes d'affaires.

Le lendemain, ma photo était en gros à la porte de la Casa Loma et je signais un contrat d'exclusivité avec cette maison, 18 semaines par année, pendant cinq ans.

M. Cobetto avait un flair extraordinaire sur la valeur des artistes. Très peu de temps après, je signais des contrats pour des boîtes à travers la province pour quatre fois le prix que je gagnais à la Casa Loma. Mais il avait raison, il avait gagé sur moi et c'est lui qui avait gagné.

Naturellement, ce n'était pas la grande réussite, mais au moins je pouvais manger comme tous les gens qui venaient me voir chanter et me payer un appartement convenable, et peut-être aussi arriver à garder la femme que j'aimais qui commençait à en avoir assez de vivre dans des taudis, d'attendre son tour à la chambre de bain et de faire sa popote à côté du voisin de chambre qui sentait la sueur à deux pieds. Je pourrais aussi donner un peu plus d'argent pour les enfants à la fin du mois.

Mon succès à la Casa Loma ne fut pas sans répercussions. Un soir, la directrice d'une agence théâtrale vint me voir avec un contrat à la main, signé par les propriétaires d'un chic cabaret de Québec. On m'offrait la somme de 400 dollars par semaine. À l'époque c'était beaucoup. Et de toute façon, pour moi c'était trop. Je dis à Madame Roberto, l'agent dont il était question : « Je ne vous crois pas, il y a quelque chose de louche là-dessous. »

Mais après vérification par téléphone, tout était légal. Je n'en croyais pas mes yeux : « À ce salaire-là, dans un an je vais être millionnaire. » Enfin, c'est ce que je croyais.

Mais un soir entre les spectacles, un portier vient me dire qu'un homme, se disant mon oncle Émile, voulait me voir et il enchaîne : « C'est étrange comme ce bonhomme a des traits de famille avec toi. Je pense plutôt que c'est ton père et qu'il ne veut pas le dire, de toute façon il t'attend à la porte. Je n'ai pas pu le faire entrer. »

Je monte vite et j'ai peine à reconnaître dans ce clochard appuyé sur le mur, mon père. Je comprends pourquoi ils ne l'ont pas fait entrer. En me voyant, il se met à pleurer en me disant qu'il a besoin d'argent pour s'acheter de l'alcool parce qu'il est malade et il me montre ses mains qui tremblent. Je lui donne l'argent que j'ai dans mes poches et je lui dis qu'il ne peut pas avoir de boisson à cette heure-ci puisque tout est fermé. Il me répond : « J'ai pas besoin d'eux autres pour m'acheter de la robine. » Je lui dis que je vais revenir. Je redescends dans les loges où j'avais remarqué une bouteille de cognac sur la table du magicien. Je lui dis que c'est pour mon père ; il se fait un plaisir de me l'offrir. Je remonte vers mon père pour lui donner la bouteille enveloppée dans un sac. Je lui demande de partir, mais il ne semble plus m'entendre. Il prend la bouteille et en boit presque la moitié d'un seul trait. Je me sens mal à l'aise devant les clients qui entrent et qui sortent. Ils ne sont pas sans remarquer ma présence à côté de cet homme déguenillé qui leur crie : « C'te gars-là, c'ta moé ! Vous me croyez pas hein ? Dis-leur donc à ces osties d'pourris-là que c'est moé, ton père, qui t'a acheté ta première guitare. » (Une guitare dont il n'avait fait qu'un paiement.) Puis c'est la crise du martyr abandonné. Je ne sais plus où me cacher ; heureusement que le portier, qui avait remarqué ce qui se passait, est venu me dire que c'était le temps de me préparer pour le spectacle. Je suis retourné dans ma loge la tête basse et humilié. Ce n'était que la première d'une longue série, de chantage à mon égard. Chaque fois que je travaillais à la Casa Loma, il revenait en menaçant de dire aux gens que je laissais mon père crever de faim et dans la misère. J'avais peur, peut-être à tort, que ce public qui venait juste de me connaître sache qui j'étais vraiment et me juge mal. Alors je lui donnais de l'argent pour qu'il se taise et il osait dire en partant : « T'es t'un bon garçon, c'est pour ça que j't'aime. » Il avait une bien triste façon de m'aimer. J'acceptais qu'il soit un voleur, un batailleur, mais pas un minable « robineux ». On ne choisit pas ses parents.

L'évasion

Quelques semaines plus tard, je débutais au Baril d'Huîtres à Québec. Entre le public de Québec et moi, ce fut toujours une histoire d'amour et naturellement tout a bien marché. Mais pendant mon engagement, il se passa quelque chose de bien spécial.

Les patrons venaient justement d'acheter de la RCMP un voilier qui avait été saisi à des contrebandiers. Naturellement, pour eux, ce n'était pas une question de navigation mais plutôt d'affaires. Après l'avoir visité, j'en suis tombé amoureux. Comme je n'avais pas accumulé assez d'argent pour me le payer, j'ai signé avec eux un arrangement d'exclusivité de deux ans pour quatre semaines de spectacles dans ce cabaret.

Chanter pour moi n'était pas encore un travail, donc dans mon cas c'était vrai que je venais d'avoir le bateau de mes rêves pour des chansons ; il deviendra ma première vraie maison car pour moi un bateau ça n'a pas de raison. Je lui donnai le nom de *Sta-Maria*.

J'avais un ami qui chantait lui aussi à Québec, qui avait appris la nouvelle et il me connaissait assez pour savoir combien j'étais heureux de ma nouvelle acquisition : je parle de Willie Lamothe. Il me téléphona pour me dire qu'il fallait fêter ça en grand.

— Je t'invite dans un restaurant français, mon Paolo.

Car Willie, sous ses allures western, était un homme qui avait un savoir-vivre assez surprenant. Nous voilà, tous les deux attablés, avec un menu à n'en plus finir et dont je ne comprenais absolument rien. Moi qui étais habitué depuis si longtemps aux repas de taverne et de *snack-bar*. C'est lui qui a tout choisi : des entrées, des hors-d'œuvre, des plats de résistance, des fromages et du vin. Je ne croyais pas que l'on puisse arriver à manger autant. Willie avait beaucoup de plaisir à me voir « tout mêlé » devant cet étalage de fourchettes et de couteaux.

Il me disait : « C'est moé le cow-boy, c'est toé l'habitant. »

Mais le dessert, c'est quand l'addition est arrivée. J'ai failli tomber en bas de ma chaise. J'ai dit à Willie : « C'a pas de bon sens, c'est ce que ça me coûte pour manger pendant une semaine ! »

J'ai appris à apprécier ces sorties depuis, mais il n'y a toujours qu'une seule « première fois » et c'est à Willie que je la dois.

Je continuais à travailler sans arrêt et j'avais toujours un disque qui apparaissait sur les palmarès. Au printemps, Lucile m'avait définitivement quitté pour un comédien français. Alors pour m'étourdir, je partais en tournée avec Grimaldi. J'étais accompagné de Manda, Mme Petrie et Bazou. Les salles étaient toutes pleines et presque toutes vendues d'avance. Mais je n'avais pas encore réalisé l'importance que ma popularité amenait à ce spectacle. Et je me conduisais toujours comme un éternel débutant, portant les valises, installant les lumières, mais je me sentais de plus en plus fatigué et écœuré de me voir prisonnier de cette tournée qui me tenait éloigné de ceux que j'aimais. Et je devenais agressif. C'est pourquoi un soir, alors que Mme Petrie et Manda avaient installé leur linge et leur maquillage sur l'unique table et l'unique crochet qu'il y avait dans les coulisses, je vis le prétentieux Bazou prendre la liberté de déplacer leurs effets pour y mettre les siens sans oublier d'accrocher son chapeau à la place de leur linge. Tout marin que je suis, j'ai toujours été galant avec les femmes, surtout quand elles ont un certain âge. Je me fâche, prends le chapeau, sans oublier de l'écraser comme il faut avec mes mains, et le lance dans la poussière au fond des coulisses. Il se lève, tout insulté, pour me regarder avec arrogance. Je le prends par le collet : « Si tu recommences Bazou, je t'écrase la figure avec mon poing. »

Si Grimaldi n'était pas arrivé, c'est sûrement ce que j'aurais fait. Mais il a pu me calmer.

Je fais quand même mon spectacle car, sur scène devant le public, j'oublie tout. Mais après, rendu à l'Hôtel de Mont-Laurier, je demande à M. Grimaldi de *canceller* mon contrat et de me laisser partir. Il me répond qu'il ne peut absolument pas. Et à force de me parler, arrive presque à me faire changer d'idée. Quand je me retrouve seul, je sens et je sais qu'il faut que je parte. Aujourd'hui, je sais ce qu'à cette époque je ne réalisais pas que j'avais un début de dépression nerveuse, et je me suis rappelé le conseil du Dr Me Duff qui était notre médecin de famille à Repentigny : « Paolo, il va falloir que tu oublies pour quelque temps ton métier, tes femmes et tes amours, pour faire des choses que tu ne fais plus. Je ne te donnerai pas de pilules parce que t'es un homme. Prends un petit verre de rhum raisonnablement, ou encore fume une bonne pipée sur le pont de ton bateau et oublie le reste. »

Alors, ma décision est prise, je m'en vais sans le dire à Grimaldi car il trouverait sûrement des arguments pour m'en empêcher. Il est minuit quand je descends au *desk* de l'hôtel pour me renseigner sur le départ des trains ou des autobus qui ne sont malheureusement que pour le lendemain, donc trop tard. Il y a un chauffeur de taxi qui dort dans le lobby. Je lui demande :

– Combien jusqu'à Québec en taxi ?

Il me dit :

– 100 $, jusqu'à Montréal 80 $.

– D'accord, attendez-moi, je descends mes bagages.

Chemin faisant, je décide d'arrêter chez ma mère, je ne peux pas passer tout droit. J'ai besoin d'amour dans le sens pur du mot. Comme d'habitude, bien qu'il soit cinq heures du matin, elle a son beau sourire, et nous fait à manger à moi et au chauffeur qui n'a plus envie de s'en retourner tellement il a du plaisir à écouter ma mère raconter ses histoires toujours un peu grivoises mais jamais méchantes. Au matin, mon frère et sa femme qui sont devenus mes déménageurs attitrés, décident de venir me reconduire à mon bateau à Québec avec Polo, mon perroquet, une caisse de rhum dont je ne connaissais pas encore les effets, une grosse pipe crochue comme en ont les vieux loups de mer et un paquet de tabac.

Me voilà enfin sur mon bateau. Avant de repartir, je demande à ma mère de ne dire à personne où je suis.

Quand, enfin, je suis seul, le soir venu, dans la tranquillité de cette plage où repose mon bateau dans son lit de bois, pendant que les marées montent et descendent, assis sur le pont je regarde les étoiles et je réalise que j'avais presque oublié la douce symphonie du silence que seules dérangent les petites vagues qui dansent à proximité de mon bateau quand la marée est au montant. Je bois mon premier verre de rhum et ce n'est pas long que je m'endors.

Au matin, c'est mon perroquet qui me réveille en me caressant la figure avec son bec car le soleil radieux qu'il fait ce matin-là lui a donné faim. Les jours s'écoulent doucement sans complications pendant que je repeins mon bateau. Il y a déjà trois semaines que je suis là, à vivre en bohème sans me raser, sans me peigner. Des gens viennent souvent me parler sans savoir qui je suis.

Car il y a à proximité du club de yacht de Québec, la plage de l'Anse-au-Foulon où, tous les jours, une foule de gens viennent prendre du soleil et se baigner ; et c'est drôle qu'à cœur de jour j'entends mes chansons qui jouent dans les haut-parleurs, alors que les gens sont loin de se douter que le bohème qu'ils voient passer quelques fois avec son perroquet sur l'épaule est celui qu'ils écoutent.

Par un après-midi ensoleillé, une jeune fille aux cheveux blonds me regarde travailler et je m'aperçois que je suis encore un homme, quand je vois du coin de l'œil les lignes de ce corps de jeune femme enveloppé d'un maillot qui ne cache que ce qu'il y a à cacher. Elle a le regard bleu comme les yeux de celle que j'aime et que j'essaie d'oublier. Je lui dis : « Si Dieu avait créé Lucifer à votre image, je n'aurais aucun regret de me laisser brûler aux enfers. »

Mais pendant que je lui parle, je sens bien un petit démon se réveiller en moi. Elle sourit et me propose de m'aider à peinturer.

« J'ai pas d'autres pinceaux, mais j'ai une montagne de vaisselle à laver dans la cabine. »

C'est une aventure assez spéciale que j'ai connue avec cette jeune beauté. La première nuit, nous avons dormi ensemble et fait ce que font tous les amants d'une nuit ou d'une vie. Mais ce fut la seule fois que nous avons fait l'amour ensemble car, par après, même si nous en avions souvent l'occasion, rien ne se passa ; elle avait un chagrin d'amour et j'avais le mien. Alors je me contentais de sa présence.

Quand arriva le moment de la mise à l'eau de mon bateau, ce fut la grande fête pour moi et les amis que je m'étais fait parmi les membres du club de yacht. Notre amitié n'avait aucun rapport avec ma popularité, mais plutôt avec cet amour que nous avions en commun de la mer, des bateaux et de la liberté. Ces gens merveilleux m'offrirent un ancrage en tant qu'invité. Ce que j'étais bien dans ma maison d'eau, face à la falaise du cap Diamant d'où je pouvais voir, selon de quel côté la marée faisait tourner mon bateau, soit au loin de la ville de Québec qui, la nuit, s'illuminait comme un immense gâteau de fête, soit les clochers de l'église de Sillery dans le soleil couchant et dont les cloches me chantaient l'Angélus !

Au bout d'un mois, je me hasardais dans les vieilles rues de cette ville que j'aimais. Je devais commencer à guérir car la présence du public me manquait.

C'est en me baladant dans les rues de Québec que je vois ma gueule sur la première page d'un journal artistique ; et on y parle de ma désertion de la tournée et d'une poursuite judiciaire que Grimaldi intenterait contre moi pour bris de contrat. C'est à ce moment que j'ai réalisé ma valeur commerciale car ils avaient dû à plusieurs endroits remettre l'argent des billets parce que je n'étais plus dans le spectacle. Mais je ne m'en faisais pas. Il faudrait d'abord qu'ils me trouvent et, de toute façon, à l'automne on verrait. Connaissant Grimaldi et sa manière gigantesque de faire des menaces qui n'aboutissent souvent qu'à des « ne recommence plus ça calisse, car la prochaine fois, je vais me fâcher ». Ce n'est pas cette première page de journal qui allait déranger mes vacances. Mais une chose commença à me déranger, c'est le manque d'argent.

Alors, je me présente à une caisse populaire sur la rue Saint-Jean pour tenter de faire changer un chèque personnel. La caissière me demande mon nom. Quand je lui dis Paolo Noël, elle se met à rire et va chercher le gérant qui, lui, me demande des papiers d'identité. Je n'ai absolument rien pour prouver qui je suis et ce n'est pas la tête que j'ai qui va pouvoir m'aider. Donc tant pis, je repars avec mes paquets sous le bras, sans argent, pour continuer ma balade par ce beau matin ensoleillé, lorsque j'aperçois venant vers moi, mon ami Willie Lamothe qui, comme à son habitude, est de bonne humeur. Je lui explique mon problème d'argent, et il me dit : « Ne t'inquiète pas, j'y vais avec toi, tu vas voir que quand un cowboy rentre dans une banque, y'a pas besoin de *gun* pour avoir de l'argent. »

Et me revoilà devant le même gérant de caisse qui a retrouvé son sourire en voyant Willie, tout comme les quelques clients qui nous regardent. Il s'excuse en disant :

– Je connaissais la réputation de Monsieur Noël, mais je ne savais pas que c'était lui.

– Ah ! j'vous comprends, y fait un peu dur comme yé là. Mais ben lavé pis ben rasé yé pas pire.

276

C'est dans une ambiance de gaieté qu'on me remet l'argent dont j'avais besoin. Mais comme j'allais mettre ma signature sur le chèque en tenant toujours dans mes bras mon sac de provisions qui commençait à se fatiguer sous la pression des boîtes de conserve qu'il contenait, il se déchire d'un bout à l'autre pour laisser tomber tout ce qu'il contient sur le terrazzo. Tout aurait été sans complications s'il n'y avait pas eu au milieu de toutes ces boîtes de conserve qui roulaient sur le plancher une grosse bouteille de ketchup qui, elle, éclata en éclaboussant tout le monde. J'aurais voulu me voir ailleurs pendant que Willie était plié en deux de rire. Je courais après mes boîtes de conserve à travers les jambes des clients sans oublier de me mettre les pieds dans le ketchup. On aurait dit un spectacle de vaudeville tellement les gens riaient dans la banque.

Willie me dit : « T'aurais dû faire ton numéro tout à l'heure, y t'auraient sûrement reconnu parce qu'y'a rien que toi pour faire ça. »

L'incident était clos et j'en profitai pour inviter Willie sur mon bateau. Nous passâmes une journée merveilleuse à trinquer et à bouffer, car c'est Willie qui avait apporté le lunch, et c'était quelque chose ! Le soir venu, comme il allait repartir, il me dit : « J'ai rencontré ta blonde, Lucile. Elle était avec un ostie de Français. Je t'en ai pas parlé avant, parce que je sais que ça te fait de la peine. Mais je pense qu'ils demeurent au Château Frontenac. »

Je dis à Willie :

— On va-tu la chercher ?

— Embarque mon ti-gars, on y va tout de suite.

En arrivant au Château Frontenac, je demande la chambre de M. et Mme, et on me fait savoir qu'ils sont à la salle à dîner. Alors, je me dirige vers cette salle. En entrant, tout le monde se retourne en ayant l'air de se demander d'où venait ce pirate d'un autre âge qui faisait son entrée ; car j'avais toujours le même costume : nu-pieds, pantalon blanc taché d'huile, tout comme la casquette de marin que j'avais sur la tête, sans oublier le couteau à la ceinture. Je n'ai pas de temps à perdre si je veux faire ce que j'ai à faire avant l'arrivée des gardes de sécurité de l'hôtel. Je vais vers la table où Lucile est assise avec son supposé fiancé et sans même lui dire bonjour pendant qu'elle me regarde avec des yeux un peu effrayés, je la soulève dans mes bras pendant que le Français me dit avec son air hautain :

– Quelles sont ces manières, on ne vous a pas appris le savoir-vivre ?

– Non, mais si j'te « chrisse » un bon coup de poing sur ta gueule, tu vas savoir ce que j'sais faire.

Et je repars en passant à travers les tables et en portant ma maîtresse dans mes bras comme une nouvelle mariée. Tous les clients un peu sophistiqués se mirent à rire en voyant cette scène dont ils ne connaissaient pas les raisons. Lucile me traitait de bandit, paysan, voyou, mais ne faisait rien pour se dégager de mes bras. Bien au contraire, j'avais l'impression qu'elle s'y trouvait bien. Le portier m'ouvrit la porte, sans rien comprendre, et nous sommes repartis pour le bateau. C'est à la lueur d'une lampe à huile et au son du clapotis de l'eau sur la coque que nous réglâmes, par une nuit d'amour, tous nos problèmes.

Au matin, je suis réveillé par le bruit d'un moteur qui semble tout prêt du bateau. Je me lève rapidement pour apercevoir dans un yacht qui arrivait, le visage souriant de mon ami et commère préféré, Edouard Rémy. Pendant que je m'étirais les bras et baillais un peu, ça n'a pas manqué, il avait déjà pris la photographie qui allait être en première page de son journal la semaine suivante.

Elle était d'ailleurs affreuse mais c'était sûrement l'air que j'avais lorsqu'il a pris la photo. Il est reparti très heureux d'avoir été le premier à me trouver ; ça lui avait quand même pris deux mois.

L'été tirait à sa fin et le temps était venu de quitter à regret ces gens qui m'avaient apporté ce quelque chose que je cherchais : l'amitié. À trois heures du matin avec la marée montante, quand le ciel ouvre ses yeux sur les falaises, je suis à la roue de mon bateau en train de prendre un café et je pense à toutes ces heures de merveilleuse liberté que je viens de vivre.

Mes promenades à la voile autour de l'île d'Orléans, ou devant la beauté majestueuse du Château Frontenac dominant la Haute-Ville pendant qu'en bas s'entassent les vieilles maisons comme des petits châteaux de cartes d'un autre âge qui me font rêver pendant que je laisse dériver mon bateau dans le courant. Je pense aussi à mes premières beuveries dans le petit bar à matelots où je fus obligé de chanter pour faire plaisir à des débardeurs qui, à travers leurs manières brusques, n'en étaient pas moins sentimentaux. Je retournais à mon bateau soûlé de plaisir et de boisson, et j'avais dépensé 50 cents !

Le bateau allait bien, le moteur tournait rond et le soleil était déjà bien haut quand j'arrivai à Trois-Rivières où une surprise m'attendait : bonne ou mauvaise ? Avec le temps, je ne sais plus.

Ma mère était sur le quai avec Thérèse, ma femme dont j'étais séparé, ce qui ne fit pas plaisir à Lucile. Le lendemain, quand je repartis pour Montréal, on annonçait des orages et des vents très forts. Mais je partis quand même. Lucile était de mauvaise humeur. Nous eûmes une discussion assez violente pendant que j'essayais de tenir le bateau en bonne ligne dans l'entrée du lac Saint-Pierre. L'orage était à son apogée et je ne voyais absolument rien ; dans mes oreilles c'était un mélange : le tonnerre, l'eau qui tombait comme des cordes et la voix de Lucile qui semblait vouloir couvrir le tout en me criant sa rage à l'égard de ma mère. Avant de devenir fou, je retournai vers Trois-Rivières et Lucile débarqua pour retourner avec son Français. Encore une fois, me revoilà seul et malheureux car j'étais toujours amoureux de cette femme. Je pouvais supporter d'elle bien des choses, mais je ne pouvais pas l'entendre jurer contre ma mère que j'aimais aussi, mais d'une tout autre façon.

Je reprends le chemin presque à la noirceur et pas question de dormir, je suis seul à bord. Il fait nuit quand je traverse le lac et pendant que je regarde au loin le chenal balisé de lumières rouges et blanches qui s'allument et s'éteignent à perte de vue devant moi, je me demande pourquoi ma mère est venue à Trois-Rivières avec Thérèse alors que le jour où celle-ci m'a laissé, elle a été la première à me conseiller un bon avocat pour ma séparation. Je n'y comprenais rien mais j'étais écœuré de payer la note avec des morceaux de mon cœur et de ma vie. Le lendemain dans la soirée, j'arrivais à Repentigny où m'attendait toute ma famille. J'oubliai vite ma fatigue en voyant mes enfants qui étaient, eux aussi, très heureux de me revoir. Le soir venu, ils étaient enchantés de dormir dans la cabine d'un bateau pirate que leur imagination avait embelli de sabres d'abordage et de toutes ces choses merveilleuses qui font rêver les enfants. Après une fin de semaine passée à se promener d'une île à l'autre, à manger des rôties et des guimauves cuites sur un feu de camp, à se baigner et à chanter, je les ramenai, épuisés et moi aussi. Après les avoir embrassés, j'ai mouillé l'ancre de mon bateau devant chez ma mère. J'avais rendez-vous avec ma compagnie de disque pour l'enregistrement de mon premier long jeu, dont j'avais écrit quelques chansons pendant mon voyage. Naturellement, elles parlaient de la mer et de filles aux yeux d'océan : *Va Matelot*, *Légende de la mer*, *Lune d'Amour*, *Madone de la mer* et quelques autres. Mais Marcel Leblanc, le directeur artistique de la compagnie RCA, avait reçu de Jacques Matti une chanson qui devait devenir un de mes plus grands succès *Le bateau de Tahiti* et une autre qui avait été écrite par un prêtre, l'abbé Paul Marcel Gauthier. Celle-là, j'ai hésité avant de l'enregistrer mais j'aurais fait une grave erreur si je l'avais refusée car cette chanson a traversé le rock'n roll, le twist et toutes les pires tempêtes musicales que ma carrière ait connues. Aujourd'hui encore on l'apprend aux jeunes écoliers, c'est *Le Petit Voilier*, que je suis obligé de chanter depuis ce jour à chaque spectacle quel que soit l'endroit, que ce soit en prison, au cabaret ou à la Place des Arts.

Pour m'accompagner sur ce disque, je n'eus que quatre musiciens, mais ça ne l'a pas empêché, malgré sa grande simplicité, de se vendre pendant des années.

La popularité est une chose bien étrange qui change votre vie et qui amène dans votre entourage des parasites et des profiteurs de toutes sortes. Vous vous battez pendant des années dans des merdes de toutes sortes pour réussir et vous cherchez une main qui vous en sortira ; personne ne vous la tend. Et voilà qu'un beau matin, trois individus vous collent au cul en vous racontant qu'ils sont le gérant idéal et qu'ils ont tous, chacun dans leur serviette, le secret de la réussite de cette grande jungle qu'est le *show business* à travers le monde. Ils ont chacun une porte ouverte sur New York, Paris et même Las Vegas ; ils savent très bien que les artistes sont des rêveurs irréalistes et qu'il est très facile de faire valser dans leur tête la Tour Eiffel au bras de l'Empire State. Alors comme un beau con, je signe un contrat de sept ans, non résiliable, avec celui que je croyais le plus qualifié pour diriger ma carrière, moyennant un petit 25 %. D'après ce contrat, il a tous les droits sur moi. Il peut me dire quoi chanter, quoi manger, qui baiser, en somme je ne m'appartiens plus. À quoi ai-je pensé, moi qui aime tant la liberté ?

Ça fait déjà un moment qu'il est là et me suit comme mon ombre, mais rien n'a changé dans ma carrière, sauf le 25 % de mon salaire qu'il n'oublie jamais de m'enlever puisque c'est lui qui me remet mes cachets.

Je travaille dans un cabaret, que volontairement je ne nommerai pas, et le patron me demande pourquoi il doit remettre mon salaire à ce Monsieur :

— Parce que c'est mon gérant.

— Paolo, c'est pas vrai.

— Ben oui, j'ai un contrat non résiliable pour sept ans avec lui.

– Qu'est-ce que tu as pensé ? Crois-tu qu'il peut faire mieux pour toi que ce que tu as déjà fait toi-même ?

– Ici peut-être, mais à Paris pis à New York, je peux rien faire tout seul.

– Paolo, je t'aime comme si t'étais mon garçon et je sais que la seule place où il peut t'emmener c'est dans la rue.

– Dites-moi pas ça patron, ça me décourage. J'en ai pour sept ans à lui donner mon argent.

– OK, dis à ton gérant que je l'invite jeudi, j'ai à lui parler.

Le jeudi suivant, toujours habillé comme une carte de mode, mon gérant s'amène au cabaret avec, à la main, son éternelle serviette. Le patron l'invite à s'asseoir à une petite table près de l'entrée, sous l'ombre protectrice de quatre *doorman* toujours en smoking, comme si tous les soirs c'était le gala, pendant que moi, je fais mon spectacle. La soirée terminée, quand le cabaret est vide de sa clientèle et que les garçons s'affairent à mettre les chaises sur les tables pour le nettoyage, je suis en train de me changer dans ma loge lorsqu'on vient m'avertir que le patron m'attend. Je me dépêche de monter au bureau, enfin, celui que je connaissais, lorsqu'un des *doorman* me dit « Paolo, suis-moi, c'est pas là le meeting. »

Et il me dirige vers une porte qui était dissimulée derrière un rideau. En l'ouvrant, j'aperçois le patron debout derrière un bureau où est assis un autre des *doorman* qui, à ma grande surprise, tape à la machine. Mon gérant est assis devant, dans un fauteuil, un cognac à la main. Tout le monde a l'air bien détendu et souriant, quand celui qui m'a accompagné ferme la porte capitonnée derrière nous. Le patron me demande si je veux boire quelque chose.

– Oui, un cognac s'il vous plaît.

Et il m'invite à venir me tenir derrière celui qui tape à la machine. Quand j'y suis, ma vision de la pièce n'est plus la même. Je vois la figure de mon gérant qui semble quelque peu inquiet et, debout derrière lui, l'autre *doorman* avec ses épaules carrées, ses cheveux lisses et reluisants comme ceux de Tino Rossi et qui, malgré son allure de gorille, garde une certaine classe.

La discussion commence entre le patron et mon gérant. D'abord très calmement puis les voix commencent à monter et mon gérant se met à crier. Alors celui qui est derrière lui dit : « Crie pas, on a les oreilles sensibles pis on est pas sourd. »

Alors celui qui tapait à la machine lui tend le papier qu'il a écrit et lui dit : « Signe en bas. »

Nerveusement, mon gérant le prend et lit : « En date du Xe jour du mois X de l'année X, moi Monsieur X je consens par cette lettre à résilier mon contrat de gérance avec Paolo Noël, le libère de tout engagement monétaire envers moi-même et reconnais avoir signé cette lettre en toute liberté. Je signe M. X. »

Je signe Paolo Noël et deux témoins.

Il se lève, rouge de colère, et se met à gueuler :

– Ça ne se passera pas comme ça, j'ai un contrat légal avec Paolo Noël et c'est lui qui l'a signé ; à son âge, on devrait savoir ce que l'on signe et je veux téléphoner à mon avocat.

Et il met la main sur le téléphone. Celui qui est assis derrière la machine lui montre le bout du fil : il n'est pas branché. Mon gérant est debout et celui qui est derrière lui, lui met la main sur l'épaule : « Assis-toi, j'te dis pour la dernière fois, crie pus, parce que là tu commences vraiment à me tomber sur les nerfs. Puis, donne-moi l'adresse de ton avocat, je vais aller te le chercher, pis tant qu'à y être, donne-moi celle de ta mère, tu vas peut-être en avoir besoin si tu continues à m'énerver. »

Alors le patron lui dit bien calmement : « Tu vois bien que t'as pas le choix. Signe, ça va t'éviter des embêtements parce que t'as pas été honnête avec Paolo ; moi non plus, je te donnerai pas de chance, lui tu peux l'embarquer mais pas nous autres. »

Alors mon gérant, des larmes dans les yeux, signe dans le bas de la feuille.

J'ai vraiment l'impression d'être la vedette d'un film policier dont je suis le plus mauvais acteur, car je concède le talent à ceux qui sont devant moi, parce que je ne crois pas qu'ils soient vraiment sérieux. Quand on me tend le papier pour y poser ma signature, j'avale d'un trait le restant de mon cognac pour me donner du courage. Puis, c'est au tour du costaud d'y poser la sienne. Il regarde mon gérant dans les yeux : « T'as vu, j'ai mis mon nom en dessous de celui de Paolo Noël, lui, il signe son nom partout, c'est un artiste. Y sait pas que ça peut être dangereux mais toi, tu le sais, oublie-le pas, parce que si tu fais des embêtements à Noël, moi aussi j'vais en avoir, pis j'aime donc pas ça me faire déranger pour des bouts de papiers. J'ai d'autres choses de plus payant à faire. Si tu fais des poursuites, ça va tomber à l'eau parce que tu seras pas là. »

Il regarde le patron qui lui fait un signe de tête sans dire un mot. Il regarde mon gérant dont la figure a changé du rouge au blanc : « Là, y est assez tard, t'as l'air fatigué, pis avant de partir, j'ai un conseil à te donner. J'veux pus jamais que t'adresses la parole à Paolo Noël. Si tu le rencontres sur la rue, change de trottoir ; pis là, salut, va te coucher. »

Mon gérant disparaît par la grande porte capitonnée.

Le costaud se retourne vers moi en me montrant du doigt et dit : « Toi, Noël, apprends à signer ton nom juste derrière tes photos, parce qu'on sera peut-être pas toujours là pour te sauver. Là, viens-t'en, on va aller manger, j'ai faim. »

Je dois dire que moi, je n'étais pas tellement en appétit. Pendant cette courte séance, j'avais appris que ce que j'avais lu dans les livres ou vu au cinéma n'était peut-être pas aussi faux qu'on le croyait et qu'il existe dans ce milieu une loyauté presque désarmante le jour où ils vous ont donné leur amitié. Et ça ne m'a rien coûté pour ce service qui a peut-être sauvé ma carrière. Même que, rendu au restaurant, c'est le costaud qui a payé la note.

Entre-temps, la vie pour moi continuait et, gérant ou pas, je devais me battre pour faire de la télévision.

Ça n'était pas compliqué, il n'y avait qu'un poste, Radio-Canada. J'avais bien quelques amis dans la maison, mais ils étaient réalisateurs, non directeurs, et dans cette institution gouvernementale, tous les ordres venaient d'en haut. J'avais déjà fait avec succès plusieurs émissions lorsque, tout à coup, la haute direction obligea les réalisateurs à changer de politique à l'égard des chanteurs populaires. Nous devions avant d'être réengagés passer une audition devant un comité qui devait juger de nos valeurs artistiques. Pour ce faire, nous n'avions qu'à signer une formule de demande. J'ai beau être humble, là, ils me faisaient royalement chier. Alors ce qui arriva dans les émissions où l'on présentait les chansons à succès, y compris les miennes, c'est que c'était par la voix d'un chanteur classique que vous entendiez chanter avec une forte prononciation *La valse des rues*, *Le bateau de Tahiti*, pour ne nommer que celles-là. C'était vraiment du snobisme poussé à l'extrême. Je me suis même laissé dire qu'on avait foutu à la porte le réalisateur qui avait osé engager des artistes tels qu'Olivier Guimond et Paul Desmarteaux. Est-ce la vérité ? J'ose espérer que c'est faux.

Quoi qu'il en soit, je n'avais aucune intention de signer quelle que demande que ce soit. Mais ma mère essayait de me faire comprendre que je devais le faire, parce que la télévision était le seul véhicule qui pouvait projeter mon image à travers le pays.

Au bout d'un certain temps, j'ai fini par accepter les exigences de Radio-Canada. J'ai fait ma demande et passé mon audition. Après, on m'a dit : « Vous recevrez votre réponse par le courrier. » J'ai attendu assez longtemps pour penser qu'ils m'avaient oublié. Lorsqu'un matin, en prenant mon café, ma mère me tend avec un sourire victorieux la lettre de Radio-Canada qui m'était adressée. J'ouvre et je vois :

« Monsieur Paolo Noël. À la suite de votre audition, notre comité en est venu à la conclusion que vous aviez un certain talent, mais que votre voix manquait de personnalité, puisque trop ressemblante à celle de Tino Rossi.

À notre grand regret, nous ne pouvons, pour le moment, vous donner la permission de participer à nos émissions de télévision. Si le cœur vous en dit, revenez dans quelque temps et nous serons heureux de vous réauditionner. »

Je n'arrive pas à le croire, et je donne sur la grande table de la cuisine un coup de poing qui fait voler ma tasse de café : « Non, je le prends pas ! Les écœurants, ils vont savoir comment je m'appelle, cette fois-ci je me laisserai pas faire ! »

J'appelle André Roche, le directeur d'un journal artistique, et je lui raconte tout. Lui, c'est un Français et il me répond bien calmement : « Je vais savoir ce qui se passe et je t'en donne des nouvelles. »

Et je vais dehors pour respirer l'air pur et me calmer le système. J'ai des envies de faire machine arrière et d'aller régler mes problèmes comme dans le temps. Mais ce serait bête de tout gâcher pour quelques intellectuels.

Quelques jours plus tard, je reçois l'appel d'un réalisateur qui m'engageait pour une émission ; je lui ai demandé s'il avait le droit de le faire, il m'a dit « oui, j'ai un mémo sur mon bureau me disant que tu étais sur la liste des artistes à engager. »

Je n'ai jamais su ce qui c'était passé, mais l'important pour moi c'était le résultat.

Mais, je n'en restais pas moins un peu écœuré de plusieurs choses qui se passaient dans ce métier ; en plus de ça, que mes amours allaient de plus en plus mal. Lucile faisait la navette entre ses autres amants et moi. J'avais beau essayer de me trouver une raison dans les bras d'autres filles, plus je la trompais, plus je l'aimais. J'étais vraiment ce qu'on peut appeler un cocu content.

J'avais même loué un appartement dans l'ouest de la ville en espérant qu'elle serait heureuse de revenir vivre avec moi.

Au début, tout alla bien, et nous nous enveloppions d'un semblant de bonheur. Elle s'amusait, lorsqu'elle ne travaillait pas, à cuisiner et à inviter des amis à venir faire la bouffe avec nous. De mon côté, je travaillais régulièrement, souvent à l'extérieur de la ville et comme le dit si bien le dicton : « Quand le chat n'est pas là, les souris dansent ». Là encore, son attachement pour moi se détériora et je me retrouvai seul dans la froideur qu'ont tous ces appartements stéréotypés. Pour essayer d'être moins seul, même si c'était défendu, je m'achetai un chien, puis un perroquet.

Un soir Lucile, qui était partie depuis plusieurs semaines, revint à l'appartement pour y chercher son linge. J'essayai alors de lui demander de réfléchir avant de partir définitivement : pourquoi partir maintenant alors que je pouvais lui payer un luxe que la vie nous avait refusé pendant des années. Mais, bien décidée d'en finir avec notre amour chancelant, elle ne voulut rien comprendre. De plus, elle s'était fait un nouveau groupe d'amis qui, pour la plupart, étaient des comédiens et elle se sentait beaucoup mieux avec ces gens qui avaient une classe que, selon elle, je n'avais pas. Encore une fois, je me sentis diminué, démoli, et lorsqu'elle ferma la porte, je me mis à pleurer, la tête appuyée sur le cadrage de la porte de notre chambre, d'où je voyais notre lit aux couvertures défaites, où je devrais encore une fois dormir seul. Mon chien avait beau me regarder avec ses yeux tristes, ça ne me consolait pas. Je décidai donc de sortir, d'aller n'importe où, dans n'importe quel bar où une fille que je ne connaîtrai pas me dira quelque chose de gentil.

Je marchais sur la rue Sherbrooke lorsque j'aperçois venant vers moi, deux filles dont j'entrevois bien les formes puisqu'elles sont en collant noir, déguisées en panthères. Je me demande si je vois bien ce que je vois, à moins que je ne sois plus fou que je le pense. En arrivant à ma hauteur, la plus petite des deux s'écrie :

– C'est Paolo Noël !

Et elles me prennent chacune de leur côté par la taille :

– Ce que t'es chouette, habillé tout en noir, t'as l'air d'un gigolo, on t'enlève.

– Moi, j'veux bien car pour le moment je n'ai rien à perdre.

Et j'ai l'impression que celui qui s'occupe des amoureux déçus m'a envoyé deux anges ou deux démons, pour guérir ce pincement que j'ai au cœur... Je leur demande :

– Où on va ?

– Dans un endroit où tu seras heureux.

Nous quittons la rue Sherbrooke pour nous faufiler dans une petite rue noire, et nous nous arrêtons devant une entrée de sous-sol extérieure. Quand la porte s'ouvre, j'entends des exclamations : « Ha ! vous voilà déjà avec votre prise. »

La petite qui est à mes côtés me tient toujours par la taille en me serrant très fort avec sa main, comme pour me dire : « Toi, t'es avec moi » et elle dit : « Oui, c'est Paolo Noël. »

J'ai l'air un peu étrange dans ce décor à la nouvelle mode existentialiste, avec mon habit noir et ma cravate blanche, mais je redeviens plus à l'aise quand celui qui semble être le leader du *party*, un artiste-peintre, qui a déjà commencé à se faire un nom parmi les chansonniers, me crie du fond de la cuisine où je le vois : « Bienvenue p'tit frère. »

Il y a dans cette piaule une fumée aussi épaisse qu'un brouillard, mais elle a une senteur que je ne connaissais pas encore. Quoi qu'il en soit, je ne fume pas et je me contente de boire le vin qu'on m'offre à même la bouteille. Je dois dire que je commence à me sentir très bien et tout autour de moi, c'est plein de jolies filles que j'aimerais bien approcher si ma petite panthère ne cessait de me retenir. Puis on me demande de chanter une chanson dont je suis l'auteur et qui tourne beaucoup à la radio : *La légende de la mer*. Je suis tout surpris qu'une de mes chansons ait pu atteindre ce public que je croyais inaccessible pour moi. De lampée de vin en lampée de vin, me voilà tout joyeux, étendu dans une espèce de salon dont le plancher est recouvert de matelas, où s'entre-croisent des jambes, des bras et des corps de jeunes femmes ondulant sous les reflets de la petite lumière rouge qui sert d'éclairage. Dans la demi-euphorie de mon vin, je me demande si je suis en enfer ou au ciel, car ce genre de *party* est tout nouveau pour moi. Ma compagne qui semble très jeune, et dont je caresse les formes toujours enveloppées de son collant noir, commence à vouloir me dévêtir. Je lui dis : « J'aimerais mieux être ailleurs pour faire l'amour avec toi. »

Lorsque tout à coup, c'est comme si le feu était quelque part, je me fais piétiner. J'en vois qui sortent par les fenêtres à moitié habillés ; je n'ai que le temps de m'asseoir, toujours par terre, j'ai dans les yeux le reflet d'une lampe de poche qui m'aveugle et j'entends une voix qui me dit : « C'est toi Noël ? Qu'est-ce que tu fais ici ? »

Je me lève pour voir devant moi un policier en civil que j'avais connu à la Casa Loma. Il demande à ma compagne si elle peut s'identifier. Pendant qu'il regarde la carte d'étu-diante qu'elle lui a remise, j'ai un frisson glacé dans le dos. « Dans quel pétrin ai-je encore mis mes pieds ? S'il fallait qu'elle soit mineure. » Le policier me regarde avec un air moqueur et me dit :

– T'as eu peur mon Paolo, hein ? Mais arrange-toi pour aller faire ce que t'as à faire, ailleurs qu'ici.

Je ne me suis pas fait prier, je suis sorti immédiatement en laissant derrière moi ma compagne qui, elle, s'est dépê-chée de venir me rejoindre, en me disant : « Je reste avec toi. »

Elle était sûrement plus en sécurité avec moi qu'avec les autres que la police embarquait. Nous avons disparu assez rapidement pour nous rendre à son petit appartement, et c'est dans un petit lit creux que j'ai découvert tout ce que cachaient ces fameux collants noirs : un petit corps de 20 ans, avec des seins comme des récifs de corail, où j'ai fait naufrage jusqu'au matin.

Je suis reparti avant que son amant, qui était Corse, ne soit de retour car je crois bien qu'il n'aurait pas apprécié de savoir que sa maîtresse avait fait l'amour avec un chanteur dont la voix lui aurait rappelé celle d'un chanteur de son pays. J'ai un mauvais souvenir des couteaux.

En arrivant à mon appartement, il fait déjà jour depuis un bon moment, le soleil m'empêche d'ouvrir les yeux complètement, mais j'arrive à distinguer devant la porte, une voiture de police. Je ne m'en occupe pas et je rentre pour m'apercevoir que la porte de mon appartement est ouverte, j'entends sacrer : « Christ ! Y'a de la marde partout ! » Et je vois deux policiers avec le propriétaire qui se bouche le nez tellement l'odeur est forte. Il n'a pas l'air de bonne humeur et il m'engueule : « Monsieur Noël, d'après votre bail, vous n'avez pas le droit d'avoir des animaux et encore moins un perroquet. Il a crié toute la nuit pendant que le chien aboyait. Vous avez vu le dégât qu'ils ont fait ! Votre oiseau a décroché toutes les tentures qui sont tombées dans la merde du chien, pis regardez, y en a partout ! Vous allez payer les dommages et prendre la porte immédiatement sinon je vous poursuis ! »

Le policier a pris le rapport, j'ai payé, et je suis retourné chez ma mère avec mon chien et mon perroquet.

Chez ma mère, je retrouve, comme d'habitude, un peu de paix avec moi-même. Elle, qui n'a jamais aimé les animaux dans sa maison, prend quand même soin de mon perroquet et de mon chien du moment que ça me rend heureux.

Paris, mon rêve

Un soir, je me décide à réaliser un rêve qui, depuis des années, m'était cher : aller tenter ma chance à Paris et essayer de tout oublier. Mes amis me le déconseillaient puisque j'étais en pleine montée de popularité, mais rien à faire.

Ce n'est pas parce qu'une fontaine peut laisser couler de l'or dans ma gorge que j'irai boire de son eau, surtout si elle n'est pas bonne à mon âme. Ça n'a pas été long pour que les journaux s'emparent de la nouvelle et que je sois invité à toutes sortes de réceptions prestigieuses, à des entrevues à la radio et à la télé.

Je me mis vraiment à travailler sans arrêt pour accumuler le plus d'argent possible, car il me fallait, avant de penser à moi, assurer la pension de mes enfants pendant mon absence du pays.

J'y arrivais si bien que, cette année-là, pour les fêtes, j'ai pu faire le Père Noël pour tous ceux que j'aimais. J'avais des cadeaux pour tout le monde, y compris Thérèse. J'avais même fait fabriquer à la main des petits voiliers par les « Leclerc » de St-Jean-Port-Joli pour les journalistes et les réalisateurs qui m'avaient aidé durant l'année.

C'qu'on peut être heureux quand on peut rendre les autres heureux !

Quelque temps avant mon départ qui était prévu pour janvier, je suis invité en tant qu'artiste et juge avec le chanteur-compositeur français Georges Hulmer (celui qui a écrit le succès mondial Pigalle) à une nouvelle émission composée de concours de toutes sortes et destinée aux adolescents. Je me rappelle avoir remis des trophées aux gagnants de cette émission : une jeune fille très discrète et renfermée qui se nommait Ginette Ravel, et son compagnon qui lui était tout l'opposé : parleur, enthousiaste et joyeux, Joël Denis.

Il ne me restait plus qu'un engagement important à tenir. Jean Grimaldi m'avait organisé une semaine de spectacles d'adieux au Théâtre National, qu'il venait de rouvrir, et ce fut un succès. J'étais toujours très heureux de me retrouver dans ce vieux théâtre devant mon premier public. Le dernier soir, en faisant ma fausse sortie, je suis bouleversé en voyant dans les coulisses, Lucile. Je retourne sur la scène pour prendre mes rappels mais j'ai de la peine à me rappeler les paroles de mes chansons tellement je suis ému. Quand tout est terminé, Mme Grimaldi vient me voir dans ma loge avec Lucile pour me demander la date de mon départ.

— Je prends le train demain à une heure pour New York, où je dois embarquer à bord du *Liberté* pour la France.

À ce moment-là, Lucile sort de la loge et Mme Grimaldi me dit :

— Tu t'en vas seul ?

— Oui, il faut bien, j'ai pas le choix.

— Et bien non, c'est trop injuste ! Jean et moi, on va te reconduire en voiture et ça nous fera un petit voyage d'amoureux à New York.

Le lendemain, avant de partir, je prends ma mère dans mes bras, l'embrasse, lui dis de ne pas s'inquiéter et je regarde une dernière fois la maison pour graver ces images dans ma tête.

Je prends mes bagages, une grosse valise et ma guitare, et je descends vers les Grimaldi qui m'attendent, et ce n'est qu'après avoir déposé mon « attirail » dans le coffre de la voiture que j'aperçois quelqu'un sur la banquette arrière. En ouvrant la portière, j'ai l'agréable surprise de voir Lucile. Mme Grimaldi me regarde avec un sourire complice :

« J'ai pris la liberté de l'inviter à faire le voyage avec nous, j'espère que ça ne te dérange pas. »

À mon sourire, elle voit bien que je suis heureux. Bien installé dans la limousine, je ne vois pas passer le temps ; nous sommes presque rendus à New York lorsque j'entends à la radio, une émission qui s'intitule *Concert in the sky*. Une voix qui semble venir de l'au-delà présente des artistes disparus en leur faisant chanter leurs plus grands succès. J'entends pour la première fois Ross Columbo qui a écrit et popularisé *Prisoner of Love* et je m'aperçois que sa voix est identique à celle de Perry Como qui est, lui aussi, une très grande vedette. Je me dis : « Pourquoi je ne pourrais pas réussir même si ma voix ressemble à celle de Tino Rossi ? »

À mon premier contact, la ville de New York ne ressemble en rien à ce que j'ai vu au cinéma : des rues sombres où je ne vois que des poubelles et des montagnes de boîtes à ordures. Mais lorsque j'entre à l'Hôtel Waldorf Astoria, je suis impressionné et je comprends ce que les Américains veulent dire par *biggest in the world*. Quand j'ouvre la porte de ma chambre, qui est aussi grande qu'un lobby d'hôtel, j'aperçois un lit assez grand pour y dormir à cinq. Alors quand je vois l'immense chambre de bain avec sa baignoire qui aurait fait la joie d'un nageur olympique ; je me sens vraiment tout petit ! En d'autres moments, j'aurais été amusé et heureux, mais comment l'être en ce moment ? Quand je sais que je vais dormir avec celle que j'aime, me coller à sa peau, respirer son parfum qui me rend si heureux, en sachant qu'elle n'a plus aucun désir pour moi ? Ça me démolit le cœur et désembellit toutes ces choses qui m'entourent.

Au matin, je suis très nerveux en montant dans la voiture de Grimaldi qui veut absolument venir me reconduire jusqu'au bateau.

Tenant timidement la main de Lucile assise à côté de moi, je regarde en silence défiler les murs gris des gratte-ciel, lorsque tout à coup je vois apparaître le port avec le *Queen Elizabeth* dont l'immensité ne peut pas ne pas impressionner. Et je vois, écrit en grosses lettres, juste à côté : *French Line* et un autre bateau tout aussi gros ; celui-là c'est le mien, celui sur lequel je dois embarquer le *Liberté*.

Mon cœur se met à battre et je me pose la question : suis-je heureux ou malheureux ? Mais il y a une chose dont je suis sûr, c'est que je pars avec des regrets. Je pense à mes enfants, à ma mère, à Claude, mon frère que j'aime, à ma sœur Lucile qui m'a toujours ouvert sa porte alors que d'autres me la fermaient parce que je vivais en concubinage, et je me dis que je suis bien bête de souffrir pour une femme qui ne veut plus de moi, alors que tous ces êtres ne demandent qu'à m'aimer et me donner leur affection.

Et me voilà devant le bureau de la douane pour vérification de passeport. On emporte mes bagages. Monsieur et Madame Grimaldi me prennent tour à tour dans leurs bras pour m'embrasser et, comme je viens pour partir, je ressens encore cette détestable impression de solitude qui me démolit l'intérieur. Cette même sensation que j'avais lorsque ma mère me laissait à l'orphelinat. Pourtant je devrais être heureux de partir. Mais rien à faire, je suis comme je suis. Lucile vient se blottir contre moi. Je la serre très fort pendant qu'elle me dit à l'oreille : « J'ai beaucoup de peine à te voir aussi malheureux à cause de moi, mais j'en ai assez de vivre à moitié. Tu n'as jamais été à moi tout seul et tu l'es encore moins maintenant que tu es populaire. Je t'aime beaucoup plus que tu ne le crois, mais je veux t'oublier car j'ai compris que ma vie avec toi était sans issue. »

Et tous les deux, on se met à pleurer sous l'œil attendri de Mme Grimaldi qui dit : « Les enfants, si vous vous aimez, pourquoi vous séparer ? »

Lucile : « Qu'est-ce que vous voulez que je fasse maintenant qu'il est trop tard, le bateau s'en va dans quelques minutes, et je suis partie sans argent et sans linge ? »

M. Grimaldi : « Et bien cacalisse, si c'est rien que ça, je paye le billet et Paolo s'arrangera pour t'acheter du linge. »

En peu de temps, le tour est joué, c'est à peine si on a le temps d'embarquer sur le bateau avant qu'ils enlèvent la passerelle. Nous sommes appuyés sur le bastingage pendant que le bateau s'éloigne et que se déroule dans sa main le serpentin que tient Mme Grimaldi. Nous sommes déjà loin quand je les perds du regard et que je sens dans ma figure le vent qui vient du large pendant que le bateau prend de la vitesse. Je regarde Lucile : « Je vais essayer de te faire oublier l'autre et faire en sorte que tu sois heureuse. » Mais, elle se retourne et s'en va. Je ne comprenais pas encore son geste. Je monte alors sur le pont supérieur pour regarder la Statue de la Liberté. Je suis appuyé sur le bastingage pendant que défile devant moi cette dernière image du continent américain.

Devant, à l'infini, c'est l'océan.

Cet océan dont je rêvais depuis mon enfance et qui était mon évasion quand les religieuses m'enfermaient dans les garde-robes de l'orphelinat ; elles qui pensaient me punir sévèrement ne savaient pas qu'à la noirceur, j'avais une compagne dont je rêvais. J'allais jusqu'à imiter le bruit du vent avec ma bouche pour mieux l'inventer. Et maintenant, elle est là, à la portée de ma main. Le temps a été long mais qu'importe le temps quand on est amoureux. Comme j'aurais voulu que ma mère, mon frère et tous ceux que j'aimais puissent voir ce que mes yeux regardaient en ce moment : ces nuages gris acier du mois de janvier se confondant avec la mer. Malgré mon émerveillement, je suis un peu triste. Lucile a-t-elle vraiment changé d'idée à la dernière minute par amour ou suis-je encore l'objet d'une de ses subtiles supercheries ? Mais le vent froid de l'hiver me ramène à la réalité et je descends à travers tous ces couloirs pour me retrouver dans ma cabine qui est tout en bas à fleur d'eau.

Je ne sais pas si c'est une loi maritime, mais puisque nous ne sommes pas mariés, Lucile et moi, nous avons chacun notre cabine. Nous pouvons nous retrouver dans la même puisqu'il y a dans chacune d'elle deux lits superposés. À peine les bagages rentrés, c'est l'heure du dîner ou du déjeuner, comme disent les Français. On nous indique la table que nous devons partager avec d'autres passagers durant la traversée.

Ce sont pour la plupart des Français qui retournent dans leur pays, soit pour leur service militaire, ou simplement pour des visites de parenté. Juste devant moi, c'est une grosse dame avec l'air jovial, qui me dit avec un accent du midi : « Là, mais c'est l'amant de la mer qui est avec nous : en plus de la sérénade, on aura la sécurité tout le long de la traversée. »

Pendant qu'elle me parle, je la vois s'empiffrer de foie gras. À ma grande déception, je sens une pression se faire dans mon estomac et ça veut tellement sortir que j'ai l'impression qu'à force de ravaler, ça me sortira par les oreilles. La dame continue à manger et à boire son vin tout en faisant des blagues lorsque j'entends dans les haut-parleurs : « On demande Monsieur Paolo Noël chez le commissaire de bord. »

Je ne me fais pas prier pour me lever et suivre le garçon qui me conduit, tout en cherchant un endroit pour essayer de déverser le surplus de mon intérieur. Comme par miracle tout s'arrête et je me retrouve dans un bureau devant une sorte d'officier de marine qui est le commissaire. Très poliment, il m'offre de m'asseoir et me demande si je veux boire quelque chose. Je pense à mes parents gaspésiens qui disaient qu'il n'y ayait rien comme un bon coup de rhum pour replacer un estomac en mer et c'est avec empressement que j'accepte. Le commissaire me demande ensuite si j'accepterais de participer au spectacle du commandant, moyennant quelques rémunérations, comme une cabine de première classe et tous les privilèges qui s'y rattachent sans que je sois obligé de débourser quoi que ce soit. Je lui réponds que j'accepterais avec plaisir de chanter pour les passagers à la condition que je puisse d'abord chanter pour l'équipage et qu'en ce qui concerne la cabine, je trouve ma petite chambre à matelot très belle. Il me dit qu'il ne peut pas prendre de décision lui-même : il faut d'abord l'approbation du commandant si je veux chanter pour l'équipage.

– Je m'excuse de vous avoir dérangé et j'espère avoir de bonnes nouvelles pour nos matelots.

Je retourne à la table rejoindre mes joyeux compagnons qui ont presque terminé leur repas, et c'est là qu'on me fait découvrir une boisson qui est nouvelle pour moi : le Calvados. Je n'ai pas besoin de vous dire que je me suis retrouvé dans ma couchette bien soûl, et si j'ai eu le mal de mer, je ne m'en souviens plus.

Je ne sais pas depuis combien de temps je dors lorsqu'on frappe à ma porte. C'est un matelot qui me demande de le suivre. Le commandant veut me parler. Heureusement je suis complètement dégrisé car j'ai la chance de récupérer rapidement.

Me rendre au bureau du commandant est presque aussi long que traverser une ville. Lorsque nous y sommes, c'est un homme aux cheveux gris et au regard d'aigle qui me regarde ou plutôt m'observe en me disant bonjour avec une voix comme en ont les hommes qui commandent.

– Alors, c'est vous le chanteur du Canada, qui veut absolument faire un spectacle pour mon équipage. Avez-vous une bonne raison ?

Je me sens un peu écrasé devant cet homme, dont l'autorité me transperce alors je bégaye et bafouille en lui disant : « Je suis chanteur mais surtout amoureux de tout ce qui se rattache à la mer et j'ai écrit sur mon voilier des chansons de marins que je voudrais bien chanter devant des gars qui comprendraient le sens de mes paroles. »

Son regard change :

– Ah ! Vous avez un voilier ! Et vous écrivez des chansons !
Eh bien c'est amusant car moi aussi j'ai mon voilier en Bretagne
où je passe mon temps lorsque je ne suis pas à bord de ce
paquebot. Je suis très heureux qu'un artiste ait pensé à chanter
pour mes enfants, et j'ai su aussi que vous buviez du rhum
comme un marin. C'est l'heure de l'apéro, nous allons boire
un verre à votre succès.

Il sort une bouteille qui était dans une espèce de pharmacie, il m'en donne la moitié d'un grand verre. Quand
j'introduis ce liquide dans ma gorge, j'ai l'impression que je
vais éclater tellement c'est pesant. Mais je n'ose pas le laisser
paraître. Je ne voudrais pas contrarier le commandant d'un
grand navire qui, pour la première fois de ma vie, me fait
l'honneur de me recevoir dans ses quartiers aussi fermés que
doit l'être le bureau de Dieu le père. Sans parler du fait que ce
grand marin trinque avec moi qui ne suis qu'un petit matelot
de poésies !

Je repars vers ma cabine, tout étourdi et encore heureux
qu'il y ait eu quelqu'un pour me guider... Mais, je ne suis pas
assez soûl pour ne pas me rendre compte que nous prenons
un autre chemin. Pendant que j'étais avec le patron, on avait
déménagé mes effets dans une spacieuse cabine, avec chambre
de bain, lit double et hublot ouvrant sur la mer. Pour moi,
c'était un grand luxe que je n'aurais pas pu me payer. Mais
quand je suis entré dans la salle à dîner, j'ai réellement été
impressionné. Je me croyais vraiment dans un château et non
sur un bateau. Je regardais du haut de ce grand escalier de
marbre qui descendait en tournant, les tables luxueusement
garnies de vin et de champagne avec au centre une table à
buffet sur laquelle je pouvais distinguer, par leur grosseur,
des saumons garnis, des pâtés et des viandes de toutes sortes...
De quoi se payer une bonne maladie de foie ! Le maître d'hôtel
en smoking m'indiqua une nouvelle table où Lucile et moi
pourrions manger seuls. En arrivant, il y a sur la table un
bouquet de roses, offert par le commandant à ma compagne,
et une bouteille de champagne avec une carte sur laquelle il
est écrit : « Bon voyage Monsieur Noël, de votre agence La

300

Transat à Montréal ». Devant Lucile, je me sens très fier, car elle me reproche souvent mes manières de garçon de faubourg, mais c'est quand même moi qui, depuis le début de notre embarquement sur le bateau, mène le jeu. J'ai appris depuis qu'on pouvait venir de la haute classe et ne pas en avoir l'air.

Pendant que nous mangeons, je remarque à la table devant nous une tête qui ne me semble pas inconnue, mais je n'arrive toujours pas à voir sa figure. Je m'aperçois que les garçons de table font presque la génuflexion en passant devant lui. Je me demande bien qui cela peut bien être ? Mais tout à coup, il se met de profil et c'est avec joie que je reconnais Félix Leclerc qui se retourne complètement vers moi pour me dire : « Bonjour Paolo » avec sa belle grosse voix de bûcheron-poète, un bonjour que tout le monde a entendu. C'est à partir de ce moment-là que je me suis rendu compte de la grande popularité de Félix auprès des Français. Il ne s'est pas passé une journée sans que les garçons de table ne me posent des questions sur lui. Je répondais ce que je pouvais car ça me rendait fier qu'on me croit un de ses amis intimes.

Le jour où je donnai mon spectacle pour l'équipage, ce fut justement dans la salle à dîner. J'étais dans le haut de l'escalier avec ma guitare et en bas, devant moi, un équipage au costumes multicolores : les cuisiniers et les boulangers en blanc, les mécaniciens en gris, les matelots dans leur costume traditionnel avec les officiers et, en avant, le seul assis sur une chaise, le commandant. J'avais les couilles remontées aux amygdales, quand j'ai entamé la première chanson que je venais tout juste d'écrire, et que j'ai dédiée au commandant : Souque, souque, matelot. C'est la seule et unique fois que je l'ai chantée. Elle est restée, depuis ce jour, cachée dans mes tiroirs. Elle a été tellement bien applaudie et écoutée que je ne voulais pas être déçu si je la chantais devant un public qui ne la comprendrait pas... Peut-être ai-je eu tort ?

Ce fut pour moi une révélation que de chanter pour ces hommes qui m'écoutaient attentivement, tous debout devant moi, avec une attention que je n'ai pas retrouvée souvent tout au long de ma carrière. Ils n'interrompaient leur silence que pour applaudir et crier « bravo ». Je suis sorti de ce spectacle enivré et heureux.

Quand à celui de la première classe, ce fut un show comme d'habitude, avec champagne, orchestre, acrobates qui n'arrivaient pas à faire leur pyramide chaque fois que le bateau prenait de la pente, smokings et robes longues, et tout le tralala. La seule chose dont je garde un bon souvenir, c'est que le commandant avait exigé que je sois assis à ses côtés.

Le lendemain, il y eut une grande tempête comme il y en a souvent dans l'Atlantique, ce qui n'arrangea pas l'estomac de ceux qui avaient trop fêté. Je me souviens que j'étais seul dans la salle à manger à l'heure du repas à regarder les garçons valser avec des plats au-dessus de leur tête. J'avais eu une permission spéciale du commandant pour aller filmer la tempête, accompagné d'un officier. Ce jour-là, quand je fus de retour dans ma cabine, j'eus l'agréable visite d'un matelot qui se faisait le porte-parole de l'équipage en général et qui m'apportait en guise de remerciement une médaille en bronze avec l'effigie de la *French Line* et une boîte de chocolat qu'ils avaient fait eux-mêmes. Il parlait avec ce petit accent qu'ont souvent les gens de mer. Il me regardait avec beaucoup d'amitié, de ses yeux bleus sur lesquels la mer a déteint pendant des années et il me dit : « Vous savez, nous de la marine, on est censé être des durs, et bien, c'est pas toujours vrai, parce qu'au fond on est des sentimentaux. C'est pourquoi on a été touché qu'une vedette du Canada vienne chanter pour nous. »

Il me prend dans ses bras pour m'embrasser sans que j'aie eu le temps de réagir à ce geste auquel je n'étais pas habitué.

L'arrivée d'un bateau dans un port est sûrement moins romantique que son départ, surtout lorsqu'on est accueilli par des douaniers. C'est encore pire quand c'est une femme-douanier, enfin quelque chose qui devait être une femme puisqu'elle portait une jupe, mais pour le reste rien de féminin : un cul et des épaules de lutteur, une gueule de bouledogue avec des cheveux coupés à la garçonne, et des yeux qui m'observaient depuis mon entrée dans la salle. Elle me dit : « Vous là, par ici ! »

Elle avait deviné que je voulais l'éviter, moi qui pourtant ai une attirance naturelle pour les femmes, et elle s'en donna à cœur-joie dans ma valise qui, après le voyage, ne contenait que des chaussettes et des caleçons sales ; elle sortit tout, à ma grande humiliation devant les autres passagers qui me regardaient. Et quand elle arriva à ma guitare, c'est tout juste si elle ne l'a pas ouverte avec une hache de bûcheron pour voir si je n'y cachais pas quelque chose, et lorsqu'elle me la remit, elle me dit : « Voilà votre instrument, Tino Rossi. »

Alors moi et tous les autres passagers, nous nous sommes mis à rire. Elle ne savait pas qu'elle venait de faire une bonne farce, car elle parut vexée. De toute façon, c'était mon premier contact avec l'administration française.

Je n'ai jamais aimé les formalités et je ne les aime toujours pas, qu'elles soient de n'importe quel pays.

Lucile et moi devions prendre le train jusqu'à Paris comme la plupart des passagers, mais comme pendant le voyage elle s'était faite une amie qui nous avait invités à faire le chemin en voiture, nous avons accepté, pensant pouvoir mieux connaître la France en passant par la route jusqu'à Paris.

Notre première nuit se passa dans une petite auberge de province et, pour une fois, je ne fus pas déçu ; c'était tel que je l'avais imaginé. Nous avons pris notre repas devant un foyer où brûlaient quelques branches de bois mort, dans une toute petite salle à dîner au plafond jauni par les années et après avoir bu le bon vin du pays, nous nous sommes couchés dans un lit de duvet où nos corps s'enfonçaient si creux que j'avais de la peine à retrouver celui de ma compagne. Le seul problème a été de trouver la toilette. Il m'a fallu réveiller notre amie qui, elle, était française, donc plus au courant. Elle m'a dit en riant : « Regarde derrière le paravent dans votre chambre, il y a une petite chaudière qui s'appelle une Catherine, c'est là qu'on fait pipi. Mais si c'est pour le grand service, il va vous falloir aller à l'extérieur dans la cour arrière.

J'ai eu l'impression de me retrouver dans notre cabane au bord de l'eau quand j'étais un petit enfant et que dans les matins froids de l'hiver, on se gelait les pieds pour aller pisser.

Le voyage jusqu'à Paris fut sans histoire, excepté que ça ne fut pas une économie car lorsque vous arrivez avec une grosse Oldsmobile dans une auberge, le prix n'est jamais le même : il est un peu plus haut que si vous arriviez en vélo.

Tous pris que nous étions à regarder la campagne française, nous avions complètement oublié de réserver des chambres à Paris et, en arrivant, nous avions beau chercher d'hôtel en hôtel, rien à faire. Après avoir ramassé nos bagages à la gare St-Lazare, nous sommes allés coucher en banlieue de Paris, dans un appartement inhabité, qui appartenait au frère de notre amie française. J'étais vraiment dépaysé quand je me suis retrouvé dans cette chambre sans rideau, sans électri-cité et sans chauffage, et que nous avons dû, Lucile et moi, dormir à même le matelas, serrés l'un contre l'autre pour essayer de nous réchauffer, abriés de mon imperméable. Beaucoup d'images passaient dans ma tête. Celle de la cabine de mon bateau, de la maison de ma mère, où chaque fois que j'arrivais à l'improviste un bon lit chaud m'attendait.

Mon premier contact avec Paris était plutôt froid. Le lendemain, nous nous sommes mis à chercher une chambre dans le quartier des étudiants où tout est un peu moins cher. Il n'était pas question pour moi d'aller comme un beau tou-riste à l'Hôtel George V, si je voulais garder l'argent dont nous avions besoin pour vivre, d'ici à ce que je trouve du travail, si j'en trouvais. Car ici, Paolo Noël ne pèse pas beau-coup dans la balance artistique. Je ne suis qu'un inconnu de plus à Paris.

Nous avons fini par trouver une chambre à l'Hôtel de Navarre, rue Gîte-le-Cœur, en plein quartier Latin, tout près de la Seine et de Notre-Dame. Cette image de Paris qui me faisait rêver quand j'étais ce jeune garçon ne sachant quoi faire de sa vie, qui allait dans son petit cinéma d'Hochelaga chercher un peu d'évasion. Et bien, m'y voilà enfin. « J'te l'avais bien dit, Ti-Cul, que j'y arriverais un jour ! Je me rappelle que ça te faisait rire quand je te parlais, assis sur le bord du trottoir, de tous ces grands artistes, qu'un jour je rencontrerais. OK, ce n'est pas encore fait, mais je te jure à toi et à tous les gars de la rue Cuvillier que je vais y arriver ! »

Notre chambre était au sixième étage, et pas d'ascenseur. On se faisait les muscles des jambes à y monter. De notre fenêtre donnant sur la cour, on pouvait voir les vitraux d'un atelier de peintre où peut-être un Van Gogh ou un Gauguin avait travaillé ses toiles.

Mais, il n'était pas question pour le moment de l'ouvrir cette fenêtre, car il faisait un froid humide en ce janvier parisien. La pluie avait fait déborder la Seine qui inondait la cave de l'hôtel, ce qui rendait tout chauffage impossible. Nous dormions enveloppés d'un édredon de duvet pour nous réchauffer jusqu'au matin, car contrairement à Lucile qui dormait jusqu'à quatre heures de l'après-midi, je me levais tôt pour aller au Bistro du coin pour prendre ce que je n'avais jamais bu auparavant : du café. Je revois encore la tête qu'a fait le garçon quand je lui ai dit, avec mon plus bel accent québécois : « Des œufs, du bacon et des toasts, s'il vous plaît. » Il m'a répondu : « Vous dites ? » Je lui ai redemandé ce que, moi, je croyais être un vrai déjeuner, il m'a regardé tout hébété en me disant : « Un instant, je reviens. » Je le vois revenir avec un Monsieur qui jusqu'à ce moment était derrière le bar et il me demande avec un sourire moqueur très parisien, croyant que j'étais un provincial :

— Alors, ce sera pour Monsieur ?

Et je lui répète un peu gêné :

— Des œufs, du bacon et des toasts.

— Alors, Monsieur est de la Normandie ?

— Non, je suis Canadien.

Et il s'écrie :

— Bravo ! Vive le Canada !

Et tous les clients se sont retournés pour me regarder.

— Apportez du café et des croissants à Monsieur le Canadien, c'est ma tournée.

À partir de ce jour, je suis devenu un client régulier de ce bistro où quelques années auparavant, alors qu'il était à Paris, un autre Canadien allait y prendre ses petits déjeuners, lui aussi. C'était Raymond Lévesque, qui était devenu un ami du patron.

J'ai commencé immédiatement mes explorations dans Paris, et comme je n'avais aucune notion de ce qu'était un métro dans ce temps-là, c'est à pied que je le fis. Je marchais et marchais sans arrêt dans les rues et sur les boulevards où quelquefois la foule est si dense qu'on a vraiment l'impression qu'on va s'y perdre. Il m'est arrivé d'avoir des difficultés à retrouver mon chemin dans cette ville bien romantique où les noms de rues changent d'un coin à l'autre. Quelques jours plus tard, je me suis mis à courir les spectacles mais je n'osais pas me présenter nulle part car je me sentais trop petit devant ces Parisiens à la critique facile.

Un soir que j'étais allé applaudir Guétary et Bourvil à la Porte St-Martin, je me décide après le spectacle d'aller saluer Georges Guétary dans sa loge. Il me reçoit avec beaucoup de courtoisie et de gentillesse, et il me propose même de me présenter à Mme Mortimer qui a la main haute sur plusieurs émissions de télévision. Je suis très heureux, mais je n'y crois pas. Je suis persuadé que c'est du baratin. N'empêche que le lendemain, il me téléphone pour me dire de me rendre au Théâtre Mogador où Mme Aimée Mortimer m'attend pour une audition. Je suis très énervé et heureux pendant que Lucile, elle, ne l'est pas et me crie que ce sont tous des homosexuels qui ne pensent qu'aux hommes et qui, comme toi, n'ont pas de talent. Je commence à être habitué à ce genre de petite scène de jalousie professionnelle. Je pars avec ma guitare pour me rendre au rendez-vous.

Paris-canaille...
Paris-amour...

*Enfin sorti de l'ombre grâce au flair du directeur artistique de RCA,
Marcel Leblanc.*

On vient au monde avec une tête que l'on peut changer au cours des années.

*J'ai connu des monstres assez jolis que c'était presque une joie
de souffrir.*

Lucile Serval

Le vaudeville.

Un corsaire heureux de sa capture :
une sirène.

Avec mon fils Mario dans
Showboat.

Paolo, chantant au milieu... du « milieu » parisien. Au centre, Tony « le Corse ».

Carte envoyée à Thérèse par Paolo.

Carte envoyée à Thérèse par Paolo.

Avec la radiodiffusion française, au Théâtre de Paris.

Un marin cherchant son horizon.

Les preuves d'affection du milieu parisien et de Mme Mortimer.

*Les photos prises à Paris sont de Luc Bert.

La péniche qui me permit de réaliser mon rêve.

Le bistrot du Boul'Mich, où je prenais mes petits-déjeuners.

Un dimanche au bord de la Seine (photo parue dans Ciné-Monde).

Le Sta-Maria.

Un aventurier heureux.

Les retrouvailles :
Paolo et Claude.

Il s'est perdu plus de marins dans les yeux des filles que dans les bras de la mer.
La mer sait bien ce que c'est qu'aimer ; les filles n'en savent rien.
(Photo : Édouard Rémy)

Le lendemain, je pars donc avec un trac fou, la guitare sous le bras pour me rendre au Théâtre Mogador. Dans le métro, je suis assis devant un bonhomme qui a une tête de carnaval avec son béret, son foulard rouge autour du cou et son accordéon entre les jambes. Pendant que j'écoute cette espèce de musique que fait le bruit des rails, je pense à la chance que j'ai puisqu'à peine arrivé à Paris, une personne importante de la télévision m'attend pour m'écouter. J'essaie d'inventer le visage de cette dame en me demandant quelle chanson je devrais choisir : une de mes chansons de marin ? Et si elle n'aime pas les bateaux ? C'est le cas de le dire, mon audition est à l'eau. Mais en regardant l'accordéon du bonhomme, il me vient une idée. Pourquoi pas une de mes valses : *Carré St-Louis* ou *La Valse des Rues*. Je sors de mes pensées lorsque le bonhomme à l'accordéon s'adresse à moi :

– Vous êtes guitariste à ce que je vois.

– Oui, si on veut. Je suis plutôt chanteur.

– Vous ne seriez-pas Corse ?

– Non, je suis Canadien et je m'en vais rencontrer une personne importante de la télévision qui m'attend au Théâtre Mogador.

Mon bonhomme me regarde avec un sourire éclatant qui fait ressortir ses pommettes saillantes et son nez rouge qui lui donnent une allure de clown sympathique :

– Et bien ! On s'en va à la même place mon ami, puisque moi aussi on m'attend.

– Alors comme ça, on est deux. Comme vous connaissez sûrement le chemin, je vais vous suivre.

À partir de ce moment, je n'ai plus eu le temps de penser parce que mon sympathique bonhomme n'a pas arrêté de parler, il m'a raconté toute sa vie. J'ai presque été jaloux quand il m'a dit qu'il avait déjà accompagné Tino Rossi à ses débuts. Était-ce vrai ? Était-ce faux ? Dans ce métier, on ne peut jurer de rien. En approchant du théâtre, je vois une lignée interminable de gens qui attendent. Je demande à mon compagnon s'il y a un spectacle à cette heure-ci.

– Non, ce sont tous des artistes qui attendent pour passer une audition.

Je suis estomaqué et j'ai vraiment envie de m'en retourner. Je veux bien admettre que je ne suis pas une vedette à Paris, mais de là à attendre pendant des heures que l'on décide si je suis bon ou pas, celle-là, je ne l'ai que déjà trop connue. Et malgré toute ma bonne volonté, je me sens humilié, mais mon compagnon insiste :

– Allez, viens mon pote, y en a pas pour longtemps, tu vas voir, c'est vite fait.

Et je vais, avec lui, donner mon nom à la demoiselle qui est assise à une table dans l'entrée du théâtre. Derrière elle, un gendarme nous regarde. Je donne mon nom. Mais j'insiste en disant :

– Je suis du Canada et c'est Monsieur Georges Guétary qui m'envoie.

J'attends sans bouger et le gendarme s'adresse à moi :

– Du Canada ou pas, il faut aller attendre derrière la ligne.

J'ai presqu'envie, en bon Québécois, de l'envoyer où je vais tous les matins après mon café. Mais, ce serait bête de ma part que je gâche tout pour un prétentieux emmerdeur de policier. Et je remonte la lignée d'artistes de toutes sortes, que je vois maintenant de face et dans les yeux desquels je devine une sorte de déception qu'il en ait un de plus dans la compétition. C'est avec regret que je me place derrière eux avec mon compagnon qui y était déjà. Mais lui, il avait toujours son sourire ; il avait l'air habitué.

Après un petit moment d'attente, je vois venir l'autre gendarme, celui qui était à l'extérieur, qui remonte la lignée en criant quelque chose que je ne comprends pas parce qu'il est trop loin.

Mais, en approchant, je me rends compte que c'est mon nom qu'il prononce et qu'il répète. Je sors des rangs tout surpris en disant :

– C'est moi.

– C'est vous le Canadien ? Allez à l'intérieur, on vous attend.

Je repars en vitesse et je n'ose me retourner en entendant les injures de toutes sortes qu'on m'envoie au passage : « Salaud, putain, gigolo. » J'ai presqu'envie de rire devant autant de compliments car j'en ai rien à foutre de leurs insultes. Je ne les connais pas et ils ne me connaissent pas. Quand je me retrouve devant la même secrétaire qui, cette fois, me sourit, le gendarme s'adresse à moi avec la même arrogance :

– Et celui-là, qu'est-ce qu'il fait avec vous ?

Je me retourne pour m'apercevoir que mon rusé compagnon m'avait suivi. Ne serait-ce que pour faire chier le policier, je lui dis :

– C'est mon accompagnateur.

La secrétaire me dit, avec gentillesse :

– Madame Mortimer voudrait vous parler.

Alors, je descends l'allée et je vois, assises dans une rangée au milieu du théâtre, quatre ou cinq personnes qui se retournent vers moi. Je me demande laquelle est la dame que je dois rencontrer. Mais comme mes préférences vont vers les cheveux blonds, je me dis, c'est sûrement celle qui est assise au centre et je ne me trompais pas. Elle s'adresse à moi avec une voix basse dans le style Marlène Dietrich, pour me dire :

— C'est vous le protégé de Georges. Il ne m'a pas trompé, vous êtes joli garçon et j'ai hâte de vous entendre chanter.

Si je n'avais pas été aussi timide, j'aurais pu lui rendre le compliment car malgré un certain âge, Mme Mortimer est une jolie femme.

Alors, je monte sur scène et je fais deux chansons, une avec ma guitare et l'autre avec le pianiste. J'avais choisi une de mes compositions *Va Matelot* et l'autre, *Ma prière*, qui était mon plus grand succès avant mon départ du Québec. Mais ce fut une erreur car à Paris, on préfère les chansons originales. Elle m'invita à m'asseoir à côté d'elle pendant qu'elle continuait à auditionner d'autres artistes, y compris mon joueur d'accordéon qui, en se collant à moi, venait de sauter la ligne d'attente.

Souvent, elle se retournait pour me regarder et me parler. Lorsque tout à coup, elle se lève et dit :

— C'est terminé pour aujourd'hui, et à sa secrétaire : N'oubliez pas de prendre l'adresse et le numéro de téléphone de notre petit Canadien.

Puis, elle se retourne vers moi :

— Jeune homme, nous allons nous revoir très prochainement.

Je sors du théâtre le cœur gonflé de bonheur.

Lorsque tout à coup, j'aperçois mon bonhomme à l'accordéon qui m'attendait :

— Alors mon pote, on va prendre un pot ?

J'ai l'impression que je ne m'en déferai jamais de celui-là, mais il a tellement une bonne gueule que j'accepte l'invitation. Et nous voilà dans un bistro devant un verre de vin, entourés de filles de vie qui passent leur temps à me faire des yeux doux, comme si je pouvais être un éventuel client. Lorsque vient vers moi un homme portant, accroché à son épaule, un équipement photographique. Il a la tête du vrai Parisien, il se présente à moi :

– Je suis Luc Bert, photographe, et je vous ai vu tout à l'heure au théâtre. Je peux m'asseoir avec vous ?

– Certainement.

Nous parlons de lui, de moi, de nous. C'est un ancien de la résistance française et à ma grande surprise, il connaît mon bonhomme qui, lui aussi, était un compagnon de guerre. Je me sens bien. C'est mon premier contact avec de vrais Parisiens. Je repars du bistro la tête pleine de rêves de guerre que je n'avais vue qu'au cinéma, mais aussi étourdi par le bon vin.

De retour à mon hôtel, la patronne, une grosse Madame joviale, m'arrête pour me dire que j'ai eu un appel téléphonique durant mon absence. Elle précise : « J'ai le nom et le numéro de téléphone que voici. » Je suis heureux en voyant qu'il s'agit de Jacques Normand. Je lui demande la communication immédiatement. Après la sonnerie, je reconnais bien la voix de Jacques, toujours aussi moqueur. Il me dit que j'ai vraiment manqué mon arrivée à Paris, car si j'étais arrivé avec le train, à la gare St-Lazare, comme je devais le faire, je serais tombé au milieu d'une délégation importante de journalistes et de producteurs de spectacles qui étaient venus accueillir Félix Leclerc.

– Je veux absolument te voir la semaine prochaine à la salle de concert Playel où Richard Verreau doit chanter dans la *Damnation* de Faust et après, on va bouffer ensemble dans un restaurant italien. Alors, je t'attends, d'ici là ne sois pas trop sage.

Je remonte l'escalier trois marches à la fois, jusqu'à ma chambre où Lucile m'attend. Encore essoufflé, j'essaie de lui parler de mon audition et du coup de fil de Jacques Normand, mais elle reste froide à mon émerveillement devant les portes qui s'ouvrent pour moi à Paris. Elle me dit :

— J'ai faim, il y a longtemps que je t'attends.

Nous partons pour le restaurant ; c'est encore un sujet de dispute parce que Madame la Comtesse n'aime que les grands restaurants et, comme c'est moi qui paye, je préfère les petits bistros pour étudiants où l'on mange pour moins cher et pour plus longtemps ; elle me traite de « quêteux monté à cheval » qui vient à Paris sans argent. Je ne réponds pas à ses insultes, mais elle continue à m'engueuler pendant que nous marchons sur le boulevard St-Michel où on croise des étudiants de toutes les nationalités. J'essaie de ne pas l'entendre, mais je sens la colère monter en moi. Quand tout à coup, j'aperçois, à travers tout ce monde entassé devant les terrasses de café, trois petits orientaux aux yeux en amande, dont je ne comprends pas le langage, mais très bien les gestes, qui se moquent de la démarche, peut-être un peu provocante, de Lucile. Alors, faute de pouvoir déverser le surplus de rage que j'ai en moi sur la gueule de ma maîtresse, je frappe le premier qui est à la portée de mon bras. Gros comme il est, les bras ouverts, il a l'air d'une hirondelle prenant son vol, après l'avoir frappé. Mais voilà les deux autres qui commencent à me faire des gestes bizarres comme des signes de croix inachevés en poussant des cris aigus. Je ne comprends pas leur jeu, étant à ce moment-là, complètement ignorant des techniques de défense orientales. Mais j'évite de justesse un petit pied qui me frôle la figure ; on n'a pas idée combien je suis heureux de mon école des faubourgs. Je lui envoie, bien d'aplomb sur le menton, un bon coup de pied avec les compliments de la rue Cuvillier, Hochelaga. Le troisième se sauve à travers le cercle de spectateurs qui commençaient à s'intéresser à notre petite bagarre. Parce qu'à Paris, on ne se bat pas longtemps ; il y a autant de policiers que de lampadaires dans les rues et c'est la grande scéance des papiers et du passeport. Le gendarme, voyant qu'il n'y avait pas de dégâts, me dit :

– Alors on est du Canada, et bien qu'on ne vous y reprenne plus, parce que la prochaine fois on sera obligé, à regret, de vous emmener au commissariat.

Se retournant vers le petit attroupement de curieux, il dit : « Circulez, le spectacle est terminé. »

Pendant ce temps, j'essaie de trouver du regard Lucile à travers tous ces gens. Je me rends à l'évidence : elle a dû partir au début de la discussion. J'en suis quitte pour une petite choucroute en tête-à-tête avec moi-même.

De retour à l'hôtel, elle est couchée et semble dormir. J'ai eu assez de temps pour réfléchir et regretter ma conduite de voyou, qui essaie de ne plus l'être, et je me couche en essayant avec beaucoup de douceur de m'approcher d'elle. Mais je reçois un violent coup de coude dans les côtes qui refroidit mon ardeur. Je m'endors un peu déçu, après une journée si bien commencée et si mal terminée. Par après, nous n'avons plus jamais fait l'amour, même si nous dormions ensemble.

Au matin, je suis réveillé par la sonnerie du téléphone. C'est Guétary. J'ai de la misère à le comprendre tellement le son des téléphones français est mauvais, de plus Guétary a une voix forte et aiguë. J'arrive à comprendre qu'il sera mon parrain à une émission très populaire présentée en public par l'ORTF et qui s'appelle L'École des Vedettes. Il me donne la date et l'heure, et me dit qu'il faut que je sois bon car c'est très important pour moi. Il me dit bonjour et raccroche. Je me recouche un instant en regardant le plafond et en comptant les chiures de mouches pour être sûr que je n'ai pas rêvé. Je vais participer à ma première émission de radio et affronter ce public parisien qui me fait si peur ! Mais j'ai traversé l'océan pour ça, et peur ou pas, je vais y aller. Je me lève pour écrire à ma mère et lui annoncer la bonne nouvelle.

La semaine suivante, je suis au rendez-vous de Jacques Normand à la salle Playel pour applaudir mon compatriote, le ténor Richard Verreau. Comme dans la plupart des théâtres où je suis allé depuis mon arrivée à Paris, la seule différence qu'il y a, entre être en avant ou en arrière, c'est le prix, car aucun théâtre n'est très profond. Pensant toujours à l'économie, je prends le billet le moins cher. Mais là, je me suis fait jouer un tour ; je suis assis tellement haut que j'ai de la peine à distinguer qui est Verreau et qui est l'autre. Et comme ce sont des salles sans micro, il faut vraiment avoir de la voix pour se faire entendre jusqu'où je suis, à travers l'orchestre et les chœurs. De plus, à côté de moi, j'ai une espèce de chanteur raté qui passe son temps à chanter les partitions de presque tous les interprètes masculins, jusqu'au moment où je perds patience et lui dis très impoliment de se fermer la gueule.

Il me répond dans un langage très parigot :

— Alors Meu...sieur n'aime pas la musique ?

— Oui, mais le gars qui chante en bas, le ténor, c'est mon *chum*, pis j'voudrais bien l'entendre.

— Mais moi, je n'en ai rien à foutre, je n'aime pas les ténors, j'aime les basses.

— Bon, OK ! Si tu t'fermes pas la gueule, moi j'va t'la fermer !

— Je ne vous permets pas de me tutoyer !

— À part de ça, va donc chier !

Il se lève et me dit avec beaucoup de distinction :

— Monsieur, je vous dis merde !

Et il s'en va.

Après le spectacle, je retrouve à l'entrée Jacques Normand, Richard Verreau et Félix Leclerc. Nous sommes tous invités dans un restaurant italien à proximité du théâtre, mais Félix en solitaire et anti-mondain qu'il est, s'en va après nous avoir dit bonjour. C'est vraiment un poète.

Nous nous retrouvons tous attablés devant un appéritif en écoutant Jacques taquiner l'un et l'autre, mais en restant toujours amusant. C'est alors que le patron vient vers nous et demande à Richard s'il lui ferait l'honneur d'une chanson. Après quelques hésitations, il se lève et se met à chanter avec sa voix de ténor qui fait trembler nos verres sur la table. Tous les clients se mettent à applaudir. Quand il a terminé, Jacques ne manque pas de faire quelques blagues concernant Richard. Il finit par dire au patron en me regardant : « Vous le voyez lui qui dit rien dans son coin, et bien à Montréal, vous le présenteriez dans une boîte d'un côté de la rue et Richard dans une autre juste en face, c'est sûrement Paolo qui attirerait plus de monde. J'en connais un autre qui les battrait les deux ensemble, c'est un cow-boy qui s'appelle Willie Lamothe. »

Tout le monde se met à rire sans avoir trop bien compris de qui il s'agissait, mais moi je savais pourquoi je riais, car j'étais allé prendre un de mes derniers repas avec Willy avant que je parte pour la France.

Jacques enchaîne rapidement : « Paolo, chante-leur donc la Romance de Maître Patelin, pour leur montrer que tu sais chanter. »

J'étais un peu embêté, mais Verreau me rassure en me disant : « Vas-y. »

Alors, comme lui, je me suis levé et je me suis mis à chanter, mais les verres n'ont pas tremblé. Tous les clients m'ont applaudi pendant que Jacques semblait bien fier de son coup.

Pendant que nous mangions, le patron est venu me parler d'un de ses amis qui avait une cave-restaurant très sélecte sur la rue Jacob qui s'appelait la Rôtisserie de l'Abbaye et où on présentait des artistes-chanteurs pour égayer la clientèle pendant les repas.

— Allez-y la semaine prochaine, d'ici là je lui aurai téléphoné et ma parole est bonne pour lui.

Encore une fois, nous sommes sortis du restaurant assez joyeusement car le patron nous avait payé quelques bouteilles de bon vin. Nous sommes allés reconduire Richard à son hôtel. En ressortant, nous avions remarqué, Jacques et moi, un petit arbre planté dans un gros pot, dans le lobby de l'hôtel. Pendant que le portier était occupé, nous en avons profité pour le transporter de l'autre côté de la rue, devant la porte d'un petit bistro. Il fallait voir la tête des clients qui avaient bu, sortant du bistro, et apercevant cet arbre qui semblait avoir poussé, par miracle, devant cette porte pendant que de l'autre côté, le portier se grattait la tête en cherchant son arbre.

Nous, assis sur un banc, on riait comme des fous. Je suis d'accord, ce n'était pas très gentil mais pour faire notre métier, il faut être passablement fou.

J'ai commencé à chanter à la Rôtisserie de l'Abbaye, la semaine suivante. Je ne faisais pas de triomphe mais les clients m'écoutaient tout en mangeant et s'arrêtaient pour m'applaudir. À Paris, c'est déjà beaucoup. En plus des gens de « la haute » qui y venaient, il y avait aussi les autres, comme celui qui, un soir, m'invita à sa table pour prendre un verre. Le teint olive, les cheveux noirs très foncés, qui, avec son accent Corse, se présente à moi :

— Je m'appelle Tony et, toi, tu t'appelles Paolo, et tu es Corse aussi. Assieds-toi et sois le bienvenu.

Je m'assois en lui expliquant que je ne suis pas Corse mais Canadien français.

— Oui, je sais, mais avant d'émigrer tu étais Corse.

— Mais non, Monsieur.

— Avec la voix que tu as, tu ne peux pas ne pas être Corse !

Alors je prends la chose comme un compliment et je n'en parle plus. Il me présente à ses compagnes et nous parlons de choses et d'autres, et naturellement de Grimaldi dont il connaît les frères et la famille. Il me dit que si jamais j'ai des ennuis à Paris, je n'ai qu'à lui téléphoner à son terrain de vente de voitures usagées. Il me donne sa carte, me paye un verre de champagne et me dit que si je veux chanter ailleurs, il connaît les patrons de presque toutes les boîtes de Pigalle. Il me demande si j'ai terminé ma soirée, je lui dis que « oui ».

Alors il dit :

– Je t'emmène avec nous, t'es mon invité et à partir d'aujourd'hui, tu es mon pote parce que tu me plais !

Et me voilà encore dans ce milieu qui me colle au cul dans quelque pays que ce soit, mais je ne m'en plains pas, du moment que je ne suis qu'un invité.

Je me retrouve assis sur la banquette arrière d'une grosse voiture américaine, entre deux jolies jeunes femmes, pendant que nous traversons Paris la nuit, ses avenues et ses boulevards. Paris porte bien son nom de « ville lumière », on y voit comme en plein jour. Tony, au volant, me pose des questions sur ma vie sans se retourner, mais il m'observe dans le rétroviseur pendant que je lui parle de mon bateau et surtout de ma mère que j'aime beaucoup, ce qui semble lui faire plaisir. Il s'arrête de me questionner pour me raconter que son père était marin et que c'est lors d'un voyage à Tahiti qu'il a rencontré et marié une jolie Tahitienne qui est sa mère. Il dit en riant : « Tu vois c'est à cause des mélanges de sang que je suis l'homme idéal que toutes les femmes voudraient avoir pour amant. » Je comprends maintenant pourquoi il a ce rire presqu'enfantin, costaud comme il est, car les gens des îles ont une façon de faire en sorte que la vie ne soit jamais un problème. Il continue de sa voix calme et demande :

– Et toi, Paolo, dis-moi, qu'est-ce que tu préfères, les hommes ou les femmes ?

Je reste surpris de cette question et je réponds rapidement comme si j'avais besoin de me défendre :

– Moi, je n'aime que trop les femmes, mais le problème c'est que je suis amoureux d'une femme qui me le rend bien mal. Tiens Tony, ça fait, je ne sais combien de jours, qu'elle n'est pas venue coucher dans notre chambre.

— Eh ! Paolo, tu dois faire comme un homme, et si tu sais pas, j'te montrerai.

— Tu sais Tony, moi, je suis encore un sentimental. De toute façon, c'est pas la peine, je pense qu'elle a retrouvé, à Paris, ce comédien français dont elle était tombée amoureuse avant mon départ de Montréal.

— Alors, comme ça, personne ne t'attend ce soir ?

— Je serais bien surpris, si elle était à la chambre pour m'attendre.

— Alors, ça va, j'␣t'emmène faire un tour à Pigalle, à la boîte d'un de mes amis, où il y a les plus jeunes et les plus belles filles de la place. Vois-tu Paolo, le sexe, c'est comme la santé, il faut l'entretenir.

En entrant dans la première rue qui mène à place Pigalle, j'ai l'impression d'être dans une foire, mais une foire où on ne vend pas de serpentins ni de ballons, mais où chaque maison semble être un kiosque à plaisir. Au moment où nous traversons la place Pigalle, je me rends compte que la chanson « Pigalle » de Georges Ulmer avec qui j'avais fait ma dernière émission de télévision avant mon départ était véridique. En fait, il y avait bien un jet d'eau au milieu de la place, une station de métro, et tout autour, des boîtes de nuit et des bistros devant lesquels s'allument des néons de toutes les couleurs. Ce n'est pas les quelques verres de champagne que j'ai bus à l'Abbaye qui font que je suis enivré d'une douce sensation de bien-être qui me libère de tous mes problèmes : ça, c'est Pigalle.

Après avoir fait le tour de la place, nous pénétrons dans une petite rue et la voiture s'arrête devant un bar dont le néon rouge donne un air de santé aux murs gris et sale de cette rue.

En entrant dans le bar, je me rends compte que Tony et son escorte n'y sont pas des inconnus. Un homme dans la cinquantaine, au teint basané, faisant ressortir ses cheveux grisonnants et un front dégagé qui lui donne une allure très distinguée, vient vers nous en souriant et parle à Tony avec un accent marseillais. Après l'acollade, Tony fait les présentations :

– Lui, c'est mon invité, il s'appelle Paolo. C'est un ami des Grimaldi, tu sais, celui qui est au Canada et qui est propriétaire de théâtre, et dont le frère travaille à l'Hôtel de ville de Paris.

Le patron répond en riant :

– Avec les Corses, y'a pas de milieu, ils sont d'un côté ou de l'autre, je n'ai jamais compris pourquoi on vous appelle les gens du milieu !

Tony m'entraîne vers le bar où se tiennent debout quelques jolies filles dont j'avais remarqué les formes enveloppées de robes très légères qui ne pouvaient qu'attirer le regard des clients.

Mon hôte me présente à trois de ces jeunes filles, dont je n'ai pas besoin de dire le métier. Mais qu'importe pour le moment, je suis heureux de boire du champagne en compagnie d'une blonde, une rousse et une brunette. Mon ami ne pouvait trouver mieux pour que je sois au comble de la joie. Enfin, je le croyais. Et je ne fais pas la cour, je me fais faire la cour. La petite brunette me demande encore une fois si je suis Corse. Je ne réponds pas mais je lui demande pourquoi cette question :

Je ne sais pas, mais à ton allure, ton complet gris pâle, ta chemise noire et ta cravate blanche, on dirait.

Je n'ai pas le temps de préciser, car Tony qui discutait avec le patron depuis son entrée vient vers nous avec ce sourire qu'on ne peut pas ne pas remarquer, et me dit en levant les bras comme si ses mains parlaient autant que sa voix :

– Eh ! Paolo ! Laquelle de ces trois jolies demoiselles aimerais-tu avoir dans ton lit ?

Elles me regardent toutes les trois et je les regarde, moi aussi. Elles sont toutes aussi jolies l'une que l'autre. La blonde a une taille mince et des fesses merveilleuses où on a envie de poser toute autre chose que les yeux, la brunette est mince et élancée comme les mannequins des magazines, et la rougette a l'air d'une couventine avec qui on aurait envie de faire un détournement de mineure. Comme je ne réponds pas, de peur de blesser l'une ou l'autre, Tony dit :

– Alors Paolo, j'ai décidé que ce serait ta plus belle nuit à Paris. C'est ma tournée, va pour les trois, et vous les filles, vous me faites un prix car vous êtes avec un client de choix. Paolo est une vedette !

Je suis déjà entouré de bras qui s'entrecroisent derrière ma taille et je ris, car j'ai bu beaucoup de champagne.

– Allez les filles, faites en sorte que mon ami soit heureux.

Après avoir passé une porte au fond de la boîte, une vieille dame assise derrière un petit comptoir nous tend une clef. Après avoir monté un escalier, je me retrouve dans une chambre devant un grand lit. Mais voilà que tout à coup, dans ma tête de pauvre Québécois poigné que je suis, tout semble se figer quand les trois demoiselles, en moins de temps qu'il ne faut pour y penser, sont nues devant moi qui n'ai même pas commencé à défaire ma cravate. Je suis là, planté au pied du lit, les deux bras pendants, tenant toujours dans mes mains le magnum de champagne. La blonde et la rougette sont déjà couchées sur le lit, faisant des blagues :

– Alors Monsieur la Vedette, on a des complexes ?

Ce qui n'arrange absolument rien à mon problème. La brunette, celle qui m'attirait le moins, était quand même la plus gentille ; elle vient vers moi, me prend par le cou et m'embrasse, mais les autres lui disent :

– Tu n'as pas le droit d'embrasser.

– Mais lui, ce n'est pas pareil, c'est l'invité de Tony et il me plaît.

Alors là, c'est l'attaque à trois, l'une, le veston, l'autre, la chemise, les chaussures et le pantalon, et me voilà nu dans un lit entouré de seins et de mains qui essaient par tous les moyens de faire lever ma lance de combat qui semble s'appliquer à m'humilier devant ces jeunes beautés. J'essaie bien de me concentrer, de me faire du cinéma, il n'y a rien à faire. Je suis maintenant persuadé que le champagne qui avait détendu mon esprit avait fait de même pour mon corps et pourtant quel homme, en secret, n'a pas rêvé d'un moment pareil !

Ce n'est donc pas moi qui ai sauvé la réputation amoureuse des Québécois.

À mon réveil le lendemain, dans la chambre de mon hôtel, seul dans mon lit et reposé, j'aurais bien souhaité la même séance, mais tous les jours ne sont pas des jours de fêtes. Le téléphone me sort de mes pensées : c'est Tony. Il me dit que la petite brunette m'a trouvé très gentil et qu'elle aimerait me revoir, il m'explique qu'elle est sous sa protection et qu'il m'en ferait cadeau si je voulais.

– J'te montrerai quoi faire et de cette façon tu n'auras pas à t'inquiéter et tu pourras chanter quand ça te plaira.

– Tony, tu es très gentil, mais je ne peux pas, ce n'est pas dans ma nature.

– Ça va, Paolo, fais comme tu veux. Moi, je suis pour la liberté, j'irai te chercher un soir pour dîner. Ciao ! Paolo.

Quelque temps après, mon premier contact avec le public parisien eut lieu lors d'une émission présentée par la Radio-Diffusion Française au Théâtre de Paris où Guétary me parrainait. Ce fut un succès pour moi et Mme Mortimer dit à Georges que, dorénavant, elle s'occuperait de moi et s'arrangerait pour que je puisse, malgré les problèmes d'immigration, participer à son émission de télévision où elle ne présentait qu'une sélection choisie d'artistes de son spectacle, l'École des Vedettes dont je venais de faire partie.

À la télévision, Mme Mortimer insista pour que je chante ma composition *Va Matelot* dans un décor approprié à la chanson, naturellement accompagné d'une jolie ballerine qu'on avait déguisée, pour la circonstance, en fille de joie sous l'œil observateur de Juliette Gréco qui faisait partie de l'émission, elle aussi, comme artiste invitée. Après l'émission, je reçus une note me demandant de communiquer avec Félix Leclerc. La réceptionniste était toute énervée en me tendant le message comme si c'était le Bon Dieu lui-même qui me demandait de le rappeler. Je téléphone immédiatement et je reconnais la voix de Félix, basse, entrecoupée de silences comme si un vent de poésie passait entre les mots qu'il prononçait. Il m'a dit à peu près ceci : « Bonjour Paolo... c'était beau ta chanson... tu fais un beau matelot. »

On a parlé d'un repas québécois qu'on devrait se taper un jour ou l'autre. Quelque chose comme des fèves au lard, par exemple, si on arrive à en trouver. Alors, je lui dis que si j'en trouvais je lui téléphonerais.

Je retourne au studio où Mme Mortimer m'annonce que la musique de ma chanson intéresserait le producteur d'une nouvelle pièce de théâtre qui doit être jouée à travers la France. Et dire que cette même chanson au Québec n'intéressait personne ! Elle m'embrasse et me dit : « Je pense que je vais pouvoir vous faire entrer à l'opéra-comique. Le directeur cherche justement un ténor dans votre style. Alors d'ici là, soyez sage, mon coco, pour ne pas abimer votre jolie voix. »

Encore là, je suis trop timide pour pouvoir enchaîner une discussion avec cette dame qui pouvait avec son pouvoir m'ouvrir les portes du succès à Paris.

Mais sans que j'aie eu à lui faire du baratin, je fus invité quelque temps après à une émission de radio, mais cette fois en studio, et diffusée sur toutes les chaînes françaises. Une émission où l'on présentait uniquement des compositeurs-interprètes, mais je devais avoir des arrangements musicaux pour quatre musiciens et je n'avais que des partitions de piano écrites par Rod Tremblay avant mon départ. Comme mon gros copain était loin de moi, il a bien fallu que je me débrouille et m'improvise arrangeur-musical bien malgré moi. Car j'aime la musique comme j'aime les femmes et je sais de la musique ce que je sais des femmes : rien. Je passe des heures et des heures à copier note par note, accord par accord sur des lignes qui finissent par m'embrouiller les yeux ; mais à ma grande surprise, lors de l'émission, tout a bien marché. Il y a peut-être eu beaucoup de bonne volonté de la part des musiciens à qui j'avais avoué mon incompétence. Quoi qu'il en soit, les auditeurs ont bien marché dans mes chansons et j'ai reçu beaucoup de lettres d'encouragement venant de partout à travers la France et même la Belgique.

On m'a demandé si j'étais disponible pour défendre une chanson à l'Olympia lors du grand concours : Le Coq d'Or de la chanson française. Encore une fois, j'étais tout surpris des réactions de ce Paris qui me faisait si peur et on me dit qu'on me téléphonerait quand le choix des chansons serait fait.

Entre tous ces événements, je passais mes journées à chercher une chose qui, au Québec, est sur toutes les tablettes de n'importe quelle épicerie, mais qui à Paris semble introuvable : des fèves au lard.

Les Français ont bien leurs haricots mais ce n'est pas la même chose et je ne voulais à aucun prix manquer un souper québécois avec mon poète préféré, Félix Leclerc. Je commence par me rendre dans les anciennes Halles de Paris où on pouvait trouver à peu près tout ce qui s'appelle nourriture en France. Des montagnes de choux, de carottes, de pommes de terre et, à ma grande déception, pas une pauvre petite boîte de fèves au lard. Je finis après avoir fait le tour de presque toutes les charcuteries, mais encore sans succès, par aboutir dans un quartier où se trouvaient les bureaux et les entrepôts de plusieurs compagnies de transport maritime. Je ne m'y sentais pas tellement en sécurité avec ces marins de tout acabit, ces putains à matelot se tenant devant des bars où je n'aurais jamais osé rentrer de peur de ne plus pouvoir en ressortir. Je vais de bureau en bureau et d'entrepôt en entrepôt lorsque tout à coup en m'adressant à un commis, je vois derrière lui, à travers toutes ses caisses poussiéreuses un nom qui m'est familier : HEINZ. Je lui demande combien il m'en coûterait pour cette caisse de fèves au lard ? Et il dit en me regardant :

– Connais-pas.

– Mais oui, Monsieur, là juste derrière vous.

En pointant du doigt la caisse en question : « Ah ! Vous voulez dire : les porcs en ban. Et bien celle-là, si vous m'en débarrassez, je vous fais un prix. »

Je ne me souviens plus très bien ce que ça m'a coûté, mais j'étais aussi heureux que si j'avais trouvé le trésor du capitaine Morgan. Je repars donc avec ma caisse sur les épaules en pensant à la tête que va faire Félix quand je vais lui apporter des boîtes de *Pork and Beans* Heinz. Il y aura au moins ça qu'on aura sauté aux Anglais.

J'allais traverser la rue en zigzagant à travers les camions, soudainement je vois passer une voiture noire et j'entends les bruits d'une fusillade. J'avais été prévenu par Tony d'être prudent dans ces quartiers[4]. Ces petits incidents de la vie sont beaucoup plus faciles à écrire qu'à vivre. Ils sont rapides mais vous donnent le temps d'avoir froid dans le dos. J'échappe ma caisse dans la rue et cours me mettre à l'abri. J'attends un moment et lorsque je vois les gens sortir de partout et courir vers l'endroit d'où était venu le bruit, je ramasse ma caisse dont une boîte s'est éventrée en tombant. Je n'ai ensuite qu'à suivre les autres vers l'entrée d'un bar où il y a déjà un attroupement. En arrivant, j'essaie bien de me faufiler mais j'ai toujours ma caisse sur le dos et je n'y arrive pas. Je demande à une espèce de grand barbu qui est à côté de moi, ce qui est arrivé. Il me répond qu'il ne sait pas exactement mais que le patron de la boîte en a pris un coup. On l'a presque coupé en deux à la mitraillette. J'entends déjà les pin-pon de la police et je n'ai pas envie de flâner longtemps dans ce coin.

---

4. La période évoquée ici correspond aux temps troublés qu'a connus la France en général et Paris en particulier, pendant les activités de FOAS liées à la guerre d'Algérie.

Au moment où je pars, je jette un dernier regard et j'ai une soudaine nausée, en voyant les curieux piétiner dans le sang qui coule jusqu'au bord du trottoir. Je me dépêche d'arrêter un taxi pour retourner à mon hôtel. Le chauffeur me demande le pourquoi de cet attroupement, je ne réponds pas et me contente de lui donner mon adresse avec un accent corse afin qu'il ne puisse pas reconnaître mon accent québécois et me fasse faire le tour de Paris à mes frais comme on me l'avait déjà fait.

En rentrant à mon hôtel, je commence à me sentir de plus en plus seul, car je suis encore sous l'émotion de la fusillade, et Lucile ne vient presque plus me voir. Je décide d'écrire à Thérèse car je m'ennuie beaucoup de mes enfants. Comme je l'écris dans la lettre, il faut quelquefois s'éloigner pour apprécier les gens qu'on aime vraiment. Je décide de trouver une compagne à ma solitude, mais pas une femme.

Je m'en vais dans l'Île de la Cité où j'ai vu une marchande d'oiseaux et je m'achète une colombe. Au moins, avec elle je serai sûr de ne pas être trompé. En rentrant à l'hôtel avec mon oiseau, la patronne me dit que le Département de la Santé défend les animaux dans l'hôtel. Mais, depuis le temps que je demeure chez elle, cette grosse Madame sympathique sait tout de moi et elle m'invite à m'asseoir chez elle pour me parler. En buvant un verre de vin, elle me dit qu'elle m'aime bien parce que je ressemble à ce fils qu'elle a perdu et qu'elle ne comprend pas que je continue de souffrir pour cette fille qui n'en vaut pas la peine.

Elle m'embrasse bien tendrement et me dit de garder mon oiseau, s'il peut me rendre heureux et m'apprendre à sourire. Car, elle trouve que je ne souris pas souvent. Je la remercie et m'efforce de lui sourire. Elle prend mon visage entre ses mains en me disant, avec cette façon qu'ont les gens du midi de dire les choses :

– Si vous saviez mon petit comme vous êtes beau quand vous souriez, allez et ne montrez votre oiseau à personne afin que je n'aie pas d'histoire avec la police.

Je suis sûr que cette dame n'a jamais su la chaleur avec laquelle elle venait d'envelopper mon cœur qui commençait à avoir froid malgré le printemps qui approchait.

Et j'ai installé mon oiseau, contrairement à mes principes, dans une cage juste le temps de l'apprivoiser car, je n'aime pas les prisons, même si elles ont des barreaux en or. Je me suis appuyé sur le bord de ma table et nous nous sommes regardés pendant un bon moment. Je me suis rappelé que j'aurais voulu être un oiseau, moi aussi, lorsque j'étais enfant et qu'on m'avait mis en pénitence dans le dortoir de l'orphelinat. C'aurait été si facile de m'envoler si j'avais eu des ailes. C'est peut-être pour ça que j'ai toujours aimé avoir un oiseau pour ami. Mais ça n'a pas été long avant que j'ouvre la fenêtre de ma chambre donnant sur les toits et que je la laisse s'y balader, elle revenait toujours, mais chaque fois qu'elle s'envolait, j'étais inquiet. Les oiseaux et les femmes se ressemblent un peu. Ils vont souvent chercher ailleurs ce que vous avez cru être les seuls à leur donner. Puisque je parle d'oiseau et de liberté, ce qui égale souvent bohème et poésie, je n'ai pas été long pour annoncer à mon ami Félix Leclerc que j'avais trouvé le mets de nos rêves : des fèves au lard. Je me retrouve donc quelques jours plus tard à son appartement, qui était beaucoup plus joli que ma chambre d'hôtel. Nous sommes assis par terre autour d'une table à café au milieu d'un salon style Louis XV et nous nous régalons comme des *lumberjack* de luxe. Fromage, oignon cru, pain français coupé en tranches épaisses, recouvert d'un pouce de beurre, ou à peu près, une bonne bouteille de vin et chacun une boîte de *Pork and beans* Heinz. Elle goûte un peu la tomate, mais c'est mieux que les haricots des Français. Je me rappelle que son épouse ne partageait pas très bien notre goût pour cette dégustation de chez nous. Mais je sais, que beaucoup de Québécois et de Français auraient aimé être à ma place : manger avec celui que l'on considère comme un de nos plus grands poètes. De temps en temps, je le regardais avec ses cheveux un peu longs qui commençaient à grisonner et ses yeux rougis comme si depuis un siècle il n'avait pas dormi. Je me rappelais notre première rencontre, lors d'une émission de télévision à Radio-Canada, c'était pendant la répétition alors que j'étais assis avec Jean Lapointe au milieu des bancs de la salle du Plateau. Après avoir répété sa chanson avec l'orchestre de 30 musiciens, il était venu s'asseoir avec nous pour nous parler avec une simplicité désarmante, lui qui venait de faire basculer la balance de la chanson vers le Québec. Cette chanson que jusqu'alors on avait ignorée en France. Après il était venu dans la loge pour nous chanter quelque chose qu'il venait tout juste de composer. Je ne me souviens pas exactement du titre mais, je me souviens très bien qu'il était là, devant nous, le pied sur une chaise, la guitare sur son genou, coincé entre le miroir et un calorifère poussiéreux. La chanson disait à peu près ceci : « Vois là-bas le bateau qui charrie la cannelle, je le prendrai un beau matin car je veux te dire, ma pauvre folle, qu'un jour je ne t'aimerai plus. » Les mots ne sont peut-être pas exacts parce que j'étais très ému.

Plus tard, André Lejeune, qui était son ami, m'avait emmené à sa maison à Vaudreuil. Et je m'étais rendu compte à quel point ce qu'il écrivait et chantait était vrai. Au moment où nous sommes arrivés, il était en train de courir dans un fossé après une de ses poules qui s'était sauvée, il était revenu tout souriant avec la poule dans ses bras, son chien qui le suivait et ses bottes pleines de boue. Lui qui avait fait courir le tout Paris intellectuel avec des mots simples et grands à la fois, aujourd'hui j'étais son invité dans son appartement. Moi, de qui un policier avait dit à la mère : « Je regrette que le Grec ne l'ait pas tué, ça aurait fait une pourriture de moins. » Oh ! Je ne devrais pas lui en vouloir, à ce policier, c'est peut-être ses paroles qui ont fait que j'ai relevé le défi et que je suis à Paris plutôt qu'à Bordeaux (pas celui des bons vins). En plus, je suis en compagnie de celui à qui j'aurais voulu ressembler. Mais moi avec une casquette de marin sur la tête.

La température à Paris devenait de plus en plus belle avec l'approche du printemps. Du côté carrière, tout allait de mieux en mieux. Ce jour-là, j'étais avec Lucile qui était revenue et j'attendais la visite d'un journaliste de Cinémonde. Quand il arriva, nous discutâmes de ma carrière au Québec. Je lui dis que là-bas, j'étais très connu et que j'avais tout laissé tomber pour venir tenter ma chance à Paris. Il semblait très amusé de ma façon de dire les choses et nous partîmes pour aller prendre des photos sur les quais de la Seine. Par ce beau dimanche après-midi ensoleillé, nous n'étions pas seuls sur les quais. Il y a toujours des amoureux, des musiciens s'en donnant à cœur joie devant quelques amateurs de jazz, des pêcheurs qui attendent patiemment les quelques rares poissons que cette eau polluée peut leur offrir, sans oublier naturellement les clochards qui continuent de vivre leur vie de philosophe, comme si le reste du monde n'existait pas. C'est à travers de tous ces mouvements de la vie des quais de Paris que nous sommes arrivés à prendre quelques photos lorsqu'il fut question d'aller prendre quelques poses à bord d'une péniche. Je m'approchai donc d'un de ces bateaux pour demander au patron la permission de monter à bord, celui à qui je m'adressai n'était pas très grand, mais c'est tout juste si sa chemise arrivait à envelopper des épaules qui semblaient avoir travaillé très fort. Il me dit, sans lâcher son bout de cigarette collé dans le coin de sa bouche, que je pouvais monter à bord et il retourne s'asseoir dans la timonerie où l'attendait une femme blonde qui nous observait. Pendant la séance de photographies, ils nous ont regardés sans bouger, sans dire un mot. Quand tout fut terminé, je suis allé vers la timonerie pour leur dire merci et leur faire savoir que j'allais revenir, le temps d'aller à mon hôtel. Ce ne fut pas long pour saluer ce journaliste, partir et revenir en courant avec une bouteille de rhum dans les mains. Quand il s'agit de bateau, je suis toujours pressé. Je l'offris à ces gens merveilleux qui m'invitèrent à boire avec eux, comme j'étais loin de chez moi et que la maladie des bateaux me travaillait l'intérieur, je fus très heureux de boire avec ces gens simples que la vie de marinier avait gardés intacts de la prétention déplaisante qu'ont souvent les Parisiens. Le soleil était couché depuis longtemps, nous buvions et bavardions encore lorsque le patron me dit que venait de partir le seul homme d'équipage qu'il avait et que ça l'embêtait beaucoup, car s'il n'était pas prêt dans deux jours il perdrait son chargement de ciment. Comme j'avais pris un verre et que, lorsque j'ai bu je suis beaucoup plus marin que chanteur, je lui dis que je serais prêt à le dépanner, que les câbles et les nœuds de marin n'avaient pas de secrets pour moi et qu'en plus, je ne voulais pas être payé. La seule condition : être nourri et pouvoir emmener Lucile avec moi. Comme ça, elle ne pourrait pas se sauver ! Nous arrosâmes notre entente d'une deuxième bouteille de rhum qu'il sortit d'un coffre et je ne me souviens plus très bien comment je suis retourné à mon hôtel. Le lendemain, je fus obligé d'expliquer mon histoire au patron de l'Abbaye et ce fut la préparation des bagages pour le voyage lorsque je reçus une lettre de ma mère qui assombrit mon enthousiasme devant ce rêve que j'allais réaliser. Elle m'écrivait pour m'annoncer la mort de mon grand-père Therien. En lisant la lettre j'eus envie de pleurer mais je ne pouvais pas. À chaque ligne, mon cœur se serrait de plus en plus fort et me faisait mal. Mon « pépère » que j'aimais tant venait de mourir ! Celui qui m'avait donné tant de tendresse alors que la vie m'avait oublié, celui à qui j'allais raconter mes peines et mes problèmes et qui m'écoutait en me donnant raison, même si souvent je devais avoir tort, parce que j'avais toujours été pour lui son cadeau d'anniversaire un matin du 4 mars 1929 à son retour de travail. Jamais je ne le reverrai, jamais je ne pourrai refaire comme lorsque j'étais enfant, assis sur une chaise de bois, le regarder bâtir ce bateau avec lequel il allait balader les gens, d'une île à l'autre, sur le fleuve St-Laurent en leur vendant son fameux whisky de contrebande, venant de St-Pierre et Miquelon. Je n'allais plus jamais revoir son ombre penchée, dormant la nuit sur une chaise de la cuisine, je ne l'entendrai plus jamais sasser le charbon dans le poêle de la cuisine le matin. Je sortis de la chambre pour aller dans la toilette qui était au deuxième étage m'asseoir sur la « chiotte » et pleurer enfin. Je ne voulais pas pleurer devant Lucile, de peur qu'elle se moque de moi, car elle prenait souvent un malin plaisir à me blesser sans raison. « Adieu pépère, j't'aimais beaucoup ! »

Je suis pris soudain d'une immense tristesse et lassitude en me voyant si loin de tous ceux que j'aime. Ce qui est arrivé à mon grand-père aurait pu arriver à ma mère ou à mes enfants dont je m'ennuyais de plus en plus, et j'aurais souhaiter qu'à cet instant le siège de cette « chiotte » sur lequel j'étais assis devienne un tapis magique qui me ramènerait vers ceux que j'aimais. On frappe à la porte :

– Y'a quelqu'un là-dedans ?

– OK, j'ai fini, je sors !

Car il n'y a qu'une seule toilette dans ce petit hôtel et elle est aussi occupée qu'une station de métro.

Il fait une journée merveilleuse, le ciel de Paris a enlevé son manteau gris et s'est habillé de bleu pour notre départ à bord de la péniche qui a largué ses amarres depuis quelques minutes à peine. Nous passons sous le premier pont qui nous renvoie, au passage, le bruit sourd du moteur diesel qui fait son « poum-poum-poum » chaque seconde. Je suis excité comme un écolier en vacances, et j'ai l'impression d'avoir, moi aussi, un moteur à la place du cœur tellement je sens ses battements. Derrière nous se dessine, dans l'eau, la pointe de l'île St-Louis qui ressemble à un bateau échoué qu'on aurait enveloppé de plantes et de fleurs. Pendant que nous avançons, je suis assis sur le pont arrière et je regarde les clochers de Notre-Dame qui finissent par se perdre à ma vue, derrière les ponts que nous passons un à un. Tout à coup, c'est la banlieue qui se dessine doucement dans un vert que je n'avais pas vu depuis longtemps. J'ai peine à en croire mes yeux tellement les maisons et les manoirs que je vois, entourés d'arbres et d'immenses jardins, font contraste avec les faubourgs de Paris. Je me demande s'il y a en France, comme chez nous, une classe moyenne. Mais j'ai vraiment le sentiment qu'ici on est riche ou pauvre. Depuis quelques instants, je suis avec Armand, le capitaine, dans la timonerie, il est en train de m'expliquer la manœuvre difficile de ces péniches longues et étroites, lorsque nous arrivons au milieu d'une multitude de petits voiliers en régate. Avec leurs voiles multicolores, on a l'impression que la Seine est devenue un champ de papillons et tout se complique pour mon capitaine lorsque ces petits voiliers se font un plaisir de faire valoir leur droit de passage périmé sur les bateaux à moteur. Jusqu'à ce moment, je croyais être le seul en France à bien sacrer, lorsque la voix d'Armand se fit entendre, ce fut un véritable poème dont je n'ai retenu, après tant d'années, que quelques phrases : « Voiliers de mes couilles ! Enculé de la marine à voile ! Ma parole, ces avortons se prennent pour des trois mâts. »

Pendant que je m'amusais à l'écouter, il est obligé de ralentir l'élan de son bateau. Il n'a pas le choix : il n'y a que le chenal pour naviguer. Nous avons marché tout l'après-midi pour arriver à la première écluse. Nous nous amarrons à une autre péniche car il y en a plusieurs qui attendent le passage. Ici c'est chacun son tour, les éclusiers ne sont pas pressés. Tout est au ralenti et tout se fait à la main. Si bien qu'à six heures, à la fermeture des écluses, nous devons attendre le lendemain pour passer. On prend l'apéritif avec nos voisins ; après c'est le dîner, ce que nous appelions le souper. Le grand air nous a donné sommeil et nous nous couchons, Lucile et moi, dans un lit encastré dans la cloison de la cabine. C'est comme si nous étions couchés dans une caisse au pied de laquelle il y aurait un petit trou rond qu'on appelle un hublot. Je m'enfonce dans le matelas de duvet bien enveloppé dans un édredon épais car les nuits sont aussi froides que l'est ma maîtresse. Très tôt, le matin, je suis réveillé par le bruit que fait Armand en essayant de faire partir son moteur. J'entends les jurons à travers la cloison, il traite son moteur de « sale boche », car la mécanique est allemande, tout comme sa femme qui, elle aussi, ne s'en laisse pas imposer par son homme. Il me vient au nez une douce senteur de café et de croissants chauds. En moins de temps qu'il n'en faut pour dire ouf, je suis sur mes deux pieds, habillé ; pendant que le moteur tourne et se réchauffe, nous faisons de même. Nous nous réchauffons le dedans en buvant notre café dans la timonerie d'où je vois la brume du matin qui couvre la rivière et donne aux écluses une petite allure fantomatique puisqu'on y voit déjà l'ombre des éclusiers traversant les énormes portes de bois retenant l'eau dans les écluses. Tout ça est très beau pour moi et nous n'avons que le temps de prendre une bouchée arrosée de café que déjà le soleil commence à dissiper le brouillard du matin. C'est la manœuvre et l'écluse passée, j'ai l'impression que je découvre à mesure que le bateau avance de véritables cartes postales en couleur. La campagne française est très différente de la nôtre. Peut-être moins immense mais quand même très belle. Les terres étroites s'allongent jusqu'au sommet des collines séparées, par des murs de pierres empilées et tout en bas, des maisons d'un autre âge, aux toits de tuiles orange brûlé, usées par les années, entourées de bâtiments aux toits de chaumes. Il me semble qu'il doit faire bon y vivre, quand Armand m'appelle, c'est mon tour de quart. Pendant que je tiens le macaron, c'est le nom qu'il donne à la roue du gouvernail, Edna étend la lessive sur sa corde à linge improvisée mais permanente : une corde avec une poulie attachée au mât, par une extrémité et au palant de la chaloupe de sauvetage de l'autre, pendant que le chardonneret, dans sa cage, installée à l'extérieur, me chante une sérénade tyrolienne. À peine ai-je eu le temps d'avoir le *feeling* d'homme de roue que le moteur s'arrête et c'est à la remorque d'une autre péniche que nous arrivons à la deuxième écluse où nous sommes obligés de nous attacher à la berge apposée pour ne pas nuire à la circulation en attendant un mécanicien. L'atmosphère est plutôt tendue sur le bateau et je suis obligé de sortir mon remède au fond de mon sac à matelot : une bonne bouteille de rhum qui redonne vite le sourire à mon capitaine et à sa patronne. J'ai même le temps de leur chanter quelques chansons avec ma guitare avant le souper. Après nous partons en chaloupe, Armand et moi, à la recherche d'un mécano. Nos recherches furent sans succès et je voyais le moral de mon capitaine descendre devant le refus de chaque mécanicien, de venir voir ce qui n'allait pas dans sa machinerie. Je repérai un petit bistro où c'était écrit, en gros, sur la porte : Le bistro du Marinier. En entrant je me suis aperçu que la boîte portait bien son nom, il n'y avait à l'intérieur que cette sorte de matelot, à part une femme, derrière le bar, que je supposais être la patronne, aucune femme à l'horizon. Ça parlait fort là-dedans. Nous nous sommes trouvés un petit coin pour nous asseoir, il y avait déjà à notre table deux hommes qui discutaient, je commandai du rhum pour moi, mais mon capitaine but du vin. Dans ces boîtes, on a l'impression que tout le monde se connaît et Armand se mit à discuter avec les deux hommes qui étaient devant nous. Moi, je me contente d'écouter. Il faut dire qu'avec les Français, on ne sait jamais si la discussion est sérieuse ou pas, la voix prend souvent le ton d'une engueulade et bien souvent, il n'arrive rien. C'est une chose à laquelle je m'étais habitué quelque temps après mon arrivée en France, surtout quand ils se mettent à parler politique. Mais lorsque je vois le gros blond, avec un accent bizarre, qui était devant moi, prendre mon ami par le collet, je n'attendis pas qu'il me donne sa carte de visite, j'enlignai son gros cou et sa grosse tête de porc que je voyais de côté et je le frappai d'aplomb avec une droite, juste derrière l'oreille. Il tomba comme une poche sur la table voisine dont tous les occupants se levèrent. Croyant qu'ils allaient s'y mettre à plusieurs, j'ai pris Armand en vitesse pour le coller contre le mur, avec moi. Je pense qu'il n'a pas eu le temps de comprendre, mais le gros commençait à se relever et je me suis dit : « Mon petit Paolo, si tu veux continuer ta carrière de chanteur il va te falloir ramer très fort, t'as choisi une grosse chaloupe ! » Mais la patronne avait déjà fait venir les gendarmes et, pour une fois, ils sont arrivés à temps. J'aurais préféré passer une nuit à la gendarmerie plutôt qu'une minute entre les bras de ce mastodonte qui m'aurait sûrement démoli. Ce fut la séance des papiers et, encore une fois, le miracle du passeport canadien. Le gros ne disait pas un mot, mais semblait avoir hâte de se retrouver seul avec moi. Lorsqu'un des gendarmes m'a dit : « Suivez-nous », je suis donc sorti escorté encore une fois. Rendus à l'extérieur, le même policier nous a conseillé de déguerpir avant que l'autre gros ne revienne car il était connu comme un faiseur de troubles et un batailleur. « Bonne nuit Messieurs ». Ils sont restés sur le quai pour s'assurer que nous étions bien rendus sur notre bateau avant de partir.

En arrivant, j'ai disparu en douce dans mon lit en voyant la figure d'Edna qui laissait passer une colère de volcan dont j'ai entendu les éruptions sur la tête de mon capitaine. Elle n'y allait pas de main morte, je pensais à un petit écriteau que j'avais vu dans un yacht : « Je suis capitaine quand ma femme, le commandant, le veut bien ».

Le lendemain au petit déjeuner, Edna nous servit le café comme si jamais rien ne s'était passé ; je remarquai, en face de moi, que mon capitaine avait une petite bosse au milieu du front, alors que moi je devais boire mon café de la main gauche parce que la droite ne fermait plus. Tout était redevenu calme et serein et je me sentais bien. Quelques jours d'attente sur la péniche, dans ce décor qui m'apportait une détente incroyable, en compagnie de ces gens qui ne se font des problèmes avec rien, pendant que Lucile, elle, semblait s'embêter et trouver le temps long. Je regardais souvent leurs deux fils jouer sur le pont et je pensais aux miens qui étaient loin. Il m'est passé dans la tête cette idée folle d'acheter une péniche et d'aller au Canada chercher ma femme et mes enfants pour y vivre avec eux. Je pourrais ainsi faire une carrière en France sans me sentir seul, perdu, entre les quatre murs d'une chambre d'hôtel. Mais le temps était venu de se séparer et c'est avec regret que je quittai mes amis Edna et Armand pour retourner à Paris où m'attendaient des répétitions avec le pianiste compositeur Pierre Dorcé qui avait écrit, pour moi, une chanson qui devait être présentée au Coq d'Or de la chanson française à l'Olympia et, aussi, un spectacle auquel je devais participer dans le nord de la France. Pendant que nous traversions une dernière fois la rivière en chaloupe, je regardais au loin ce vieux pont de pierre à moitié démoli par la guerre, le vieux port et ce bistro où j'avais failli laisser ma peau, les vieux du pays fumant leur pipe assis sur un banc devant les portes de l'écluse. Je regardais attentivement ce décor afin que les images restent bien gravées dans ma tête, c'est pour ça, que je peux, aujourd'hui, après tant d'années les décrire. Arrivé à l'hôtel, j'avais reçu beaucoup de courrier. Une lettre de mon ami Jean Raffa qui m'annonçait qu'il devait venir à Paris prochainement, une lettre de Thérèse et aussi des offres de contrat pour chanter à Québec, Montréal et St-Hyacinthe si je suis de retour pour l'été. Après avoir lu ces lettres, je regarde ma petite chambre, celle où je vis depuis six mois et, plus que jamais, je m'y sens prisonnier. Dans les jours qui suivent je recommence à chanter à l'Abbaye mais, plus les jours passent, plus je suis mal dans ma peau, un mal étrange que jusqu'alors j'ignorais et qui prend à la fois l'âme, le cœur, et l'esprit : le mal du pays. Tout ce que je vois avec mes yeux prend des reflets différents en arrivant au-dedans. Tous les enfants que je vois dans la rue me donnent envie de les embrasser, la grosse dame qui attend pour traverser la rue ressemble à ma mère, tout s'entrecroise dans mon esprit et m'enlève ce goût de lutte que j'avais en arrivant à Paris. Chaque fois, j'essaie de reprendre courage pour réussir ce que j'ai commencé, mais lorsque j'ai la certitude que Lucile me trompe avec un des amis de Tony, je décide de partir et de tout laisser tomber, même si beaucoup de portes s'ouvrent devant moi, afin de me guérir définitivement de cet amour impossible qui, encore une fois, détruit tout autour de moi. Cette fois, je suis pressé de rentrer chez-moi. Je m'empresse donc d'aller à un bureau d'Air France réserver mon billet de retour pour le Canada. À cette compagnie, tout semble très compliqué, après avoir fait le tour de trois *desk* et de trois hôtesses différentes, je perds patience. Je repars vers le petit bureau d'une compagnie canadienne qui, à l'époque, n'était pas ce qu'elle est aujourd'hui : la Trans Canada Air Line (Air Canada). On m'y reçoit avec beaucoup de courtoisie et je reste surpris qu'une des hôtesses me reconnaisse. Ce n'est pas long pour que tout soit réglé. Je repars donc dans une semaine. Lorsque j'annonce la nouvelle à mes quelques amis, ils sont surpris et déçus de la rapidité de ma décision. Je m'empresse d'écrire à Thérèse pour lui demander d'être à l'aéroport avec les enfants, si la chose était possible j'en serais très heureux. J'écris aussi à ma mère pour lui annoncer mon retour au pays. Je cours les magasins pour acheter des poupées à mes filles, Johanne et Ginette, et un petit voilier pour Mario, mon fils. Je prépare à l'avance mes bagages car je dois participer dimanche à mon dernier spectacle qui a lieu dans le nord de la France, en Vendée, et revenir à Paris le lundi pour prendre mes bagages et mon avion dont le départ est à huit heures à Orly. Mais ce dernier voyage ne fut pas sans aventures. Je fis le trajet assis à l'arrière d'une Citroën, entre deux femmes : d'un côté, Lucile, et de l'autre, une jolie brunette aux yeux bleus qui, elle aussi, faisait partie du spectacle en tant que chanteuse. Tout le long du parcours, ce fut d'abord « le jeu du genou », puis de la main. Pendant ce temps, je me disais que j'allais quitter la France comme un collégien car, depuis que j'y étais, je n'avais eu aucune véritable aventure amoureuse, si ce n'est avec cette maîtresse assise à ma gauche qui ne s'était pas gênée pour me faire cocu. Je me dis alors que s'il fallait le faire aussi bien que ce soit avec une jolie fille. Donc, le soir après le spectacle, toute la troupe est attablée dans une petite auberge de province pour le souper, Lucile est assise devant moi et à mes côtés, naturellement, la petite chanteuse aux yeux bleus lorsque l'engueulade commence entre les deux. La petite brunette dit à Lucile : « Si j'ai envie de faire l'amour avec Paolo, c'est sûrement pas toi qui va m'en empêcher ! » Mais le producteur de la tournée, voulant éviter des problèmes, s'arrangea pour que je me retrouve dans la même chambre que Lucile. J'avais bien mon idée derrière la tête, je fis semblant de m'endormir tout en surveillant « à l'oreille » les respirations de Lucile. Lorsque j'ai la certitude qu'elle dort, je me relève pour me diriger vers la porte en prenant bien soin de ne pas faire craquer le plancher de cette vieille auberge. Mais rien à faire, cette porte est barrée de l'intérieur. Je cherchai la clé et, ne la trouvant pas, j'en déduisis que ma rusée compagne l'avait cachée sous son oreiller. Je me dirige donc vers les portes-fenêtres donnant sur un petit balcon d'où je vois la chambre de la petite qui est juste au-dessus de la nôtre. Je remarque aussi une grosse vigne grimpante qui monte jusqu'au toit. Vous allez dire que je me prends pour Casanova. Eh bien oui !

J'ai grimpé jusqu'à la fenêtre et c'est dans cette chambre que j'ai passé ma dernière nuit en France. Cela en valait la peine. Cette fille était belle sur scène, mais jamais autant que dans des draps où ses longs cheveux s'entremêlaient aux lignes de son corps de 20 ans que mes mains gourmandes caressaient. Quand je lui dis que je partais le lendemain pour le Canada, elle sembla déçue. Je ne voulais pas lui raconter ma vie, mais peut-être que si je l'avais rencontrée un peu plus tôt, le chemin de ma vie aurait été différent. Pour le moment je ne pouvais rien changer, trop de choses me rappelaient chezmoi. J'ai gardé longtemps ce bout de papier me disant où la rejoindre si jamais je revenais en France ; je suis retourné dans ma chambre par le même chemin et je pense que personne ne fut au courant de notre aventure. Le lendemain, après avoir été pris dans un embouteillage sur l'autoroute, c'est tout juste si je suis arrivé à l'aéroport d'Orly pour attraper mon avion. Je crois bien que, n'eut été la conduite audacieuse de Tony à travers la circulation, je n'y serais jamais arrivé. Après les vérifications des passeports à la douane, j'ai regardé Lucile dans les yeux, ces yeux qui jadis me rendaient si heureux, je les regardai pour la dernière fois et, malgré tout, avec un certain regret. Je lui tendis la main pour lui remettre tout ce qui me restait d'argent en francs français. Je savais qu'elle en aurait beaucoup plus besoin que moi, maintenant. Car, malgré les mauvaises manières qu'elle m'attribuait, j'avais toujours été sa sécurité depuis notre arrivée en France. Je me tournai brusquement, sans dire un mot, pour qu'elle n'ait pas le plaisir de voir une dernière fois mes yeux se mouiller sous la pression de mon cœur qui se serrait et je m'engageai dans le passage menant à l'avion, tenant toujours dans ma main mon sac de matelot appesanti sous le poids de nombreux livres que j'avais achetés avant de partir. Derrière moi, mon ami Luc Bert me suit toujours car il a une carte de presse qui lui permet de venir jusqu'à l'avion. Au moment de m'engager sur la passerelle, où m'attend l'hôtesse de l'air, je me retourne pour voir Tony qui a pris, je ne sais quel moyen pour se rendre jusqu'à moi, me prendre dans ses gros bras, me serrer très fort, m'embrasser comme le font les Corses lorsqu'ils aiment vraiment quelqu'un et me dire avec beaucoup de tendresse :

« Paolo souviens-toi que tu seras toujours mon pote. Je regrette que tu partes aussi rapidement, *ciao* Paolo, *buona fortuna* ! »

Je ne me souviens plus comment je me suis rendu jusqu'à mon siège tellement j'étais bouleversé et ému devant cette grande amitié que venaient de me témoigner Luc et Tony et à qui je n'avais donné en échange depuis que je les connaissais que la simplicité de l'artiste inconnu que j'étais en France.

Le ciel est à la brunante au moment où l'avion prend de l'altitude et fait un cercle au-dessus de Paris dont je vois la Place de l'Étoile illuminée. Je regarde une dernière fois à travers le léger brouillard de cette ville qui cache en elle tant d'illusions de rêves inachevés et je lui dis, comme à une femme dont on est pas arrivé à découvrir tous les charmes : « Mon beau Paris en or, nous allons nous revoir un jour, laisse-moi le temps de guérir mon âme de sa blessure et nous nous retrouverons. »

Lorsque l'avion se redresse, c'est le noir à l'extérieur et pour plusieurs heures, car cet avion, dans lequel je suis, n'est pas un jet mais un quatre moteurs à hélice qui prend 14 heures pour traverser l'Atlantique.

J'ai donc beaucoup de temps devant moi pour penser, mais mes réflexions sont de courte durée. J'entends, venant de je ne sais où, un cri joyeux : « Bin tabarnak ! C'est Paolo Noël ! Coss que tu fais icite mon Paolo : D'ousque-tu-sors ? » C'est un langage que j'avais presque oublié, même si je ne parlais pas à la française. Je sais que des gens bien pensant vont trouver ces lignes très vulgaires, mais, au risque de vous décevoir, je suis obligé d'avouer qu'au moment où je les entendis ce fut comme une bouffée d'air frais venant directement du Québec.

Je me suis mis à rire, car j'avais l'impression d'y être déjà. Mais l'hôtesse, bien poliment, s'est empressée d'avertir mon interlocuteur d'avoir l'obligeance de choisir un peu son vocabulaire, ce à quoi il répondit : « Si t'es pas contente, mon bébé, t'as seulement qu'à me débarquer ! »

Faut dire qu'il ne dérangeait pas grand-monde car l'avion était presque vide et mon Québécois s'était déjà installé à côté de moi pour m'offrir une gorgée de son 26 onces de gin. Une boisson que je déteste habituellement mais, cette fois, elle faisait mon affaire. Il fallait se dépêcher de prendre une lampée à même la bouteille quand l'hôtesse nous tournait le dos. Ce n'était pas les voyages d'aujourd'hui où vous avez droit au champagne et aux petits plats chauds, nous n'avions droit qu'au café dans un verre de plastique et à des sandwiches de jambon haché enveloppés dans du papier ciré. Lampée par lampée, le gin finit par nous endormir mon joyeux luron et moi. Je me réveillai quand l'avion atterrit à Terre-Neuve pour faire le plein et que mon voisin d'envolée me fit ses adieux avant de descendre. Durant le reste de l'envolée, plus j'approchais de chez moi, plus j'étais inquiet. Mes enfants allaient-ils être heureux de me retrouver ? Quel serait la réaction de Thérèse en me voyant ? Ma carrière allait-elle marcher encore ? Est-ce que le public ne m'avait pas oublié ? Toutes ces questions je me les posais et reposais sans arrêt. Lorsque le soleil fit son apparition au-dessus des nuages pour m'apporter un bien-être qui dissipa la noirceur de mon esprit. L'hôtesse annonce notre arrivée à Dorval. Il fait beau et chaud à Montréal lorsqu'enfin je vois le fleuve, les maisons et la piste d'atterrissage. Au bruit sourd de l'avion touchant la piste, les portes s'ouvrent. Je m'arrête avant de descendre pour respirer profondément. Il fait un soleil merveilleux et ça sent bon mon pays. C'est la douane sans problèmes car mes bagages sont restreints et le douanier me souhaite la bienvenue chez nous.

Mon cœur bat très fort pendant que je cherche à travers ces gens qui me regardent et me sourient quelqu'un qui serait là pour moi. Mais je ne vois personne. J'avance doucement en me faisant un chemin avec mes bagages sous les bras. Je suis terriblement déçu de ne pas trouver quelqu'un. Peut-être est-ce la fatigue du voyage ou le gin ? J'ai un peu mal au cœur et je m'assois sur un banc. Je me demande ce qui a pu arriver. Peut-être que personne n'a reçu mes lettres, ou Thérèse ne m'a pas pardonné et n'est pas venue à ma rencontre, évitant ainsi une réconciliation possible. J'allais me laisser abattre lorsque je vois, venant vers moi, mon frère et sa grosse face toute souriante avec sa femme Fernande. J'oublie mes bagages pour courir vers eux. Je les prends tous les deux à la fois dans mes bras pour les embrasser. Après avoir traversé la ville, c'est Repentigny, puis la maison de ma mère en bas de la côte, menant au bord de l'eau, où m'attend une belle surprise. Je vois mon bateau tout frais peint. C'est un cadeau de mon frère. Il est à l'ancre devant la maison. Ma mère est là, qui m'attend sur le balcon avec son tablier fleuri, enveloppant la rondeur de son ventre. Je cours vers elle en sautant d'un bond l'escalier et la prends dans mes bras. Elle sent toujours le bon parfum, et c'est avec des larmes de joie que je l'embrasse. Il y a des moments de la vie, où il faut être resté enfant pour en apprécier les joies. J'ai une sensation de douce quiétude, la même que j'eus le jour où elle était venue me chercher à l'orphelinat. En entrant dans la maison où m'attendaient quelques amis parmi lesquels des journalistes, la grande table de la cuisine recouverte de sa belle nappe et pleine de bonnes choses, la senteur appétissante du ragoût de pattes de cochon dans le gros chaudron qui mijote doucement sur le poêle. Ça sent le bonheur et je suis heureux ; mais je le serais plus encore si mes enfants y étaient, c'est cependant un problème dont je ne parle jamais devant les journalistes. Nous avons bu, mangé et parlé toute la journée. De la façon dont ma mère recevait les gens, pas un des invités ne peut dire à quelle heure la fête s'était terminée. Il faisait nuit lorsque je me retrouvai seul, couché dans mon bateau à la lueur d'une lampe à huile, dans le silence que seul le clapotis de l'eau, sur la coque, interrompait. J'essayais de faire le point : qui suis-je vraiment ? Où va ma vie maintenant ? Quel est le chemin que je dois suivre ? Je n'en savais rien, encore, mais au moment où j'écris ces lignes je sais qu'il va me falloir parcourir beaucoup de chemin et traverser l'amour de trois femmes avant d'atteindre le vrai bonheur.

Je m'arrête ici d'écrire parce que je suis essoufflé. Je ne croyais pas que l'on puisse tant souffrir à raconter sa vie. Je ne suis pas un écrivain de carrière qui tape rapidement les mots sur une machine. Je suis tout simplement un chanteur qui écrivait la nuit après ses spectacles et qui dictait à sa femme les brouillons illisibles qu'elle transcrivait à la main. Quand j'aurai repris courage, peut-être continuerai-je...

Toi qui m'as lu jusqu'au bout merci. Salut !

Paolo

100 %

Imprimé sur du papier 100 % recyclé